KB183556

25일

25일

2010. 11. 15. ~ 12. 9.

현대자동차 비정규직 울산공장 점거 투쟁 기록

박점규 기록하다

'전사'가 된 젊은 노동자들에게 바치는 노래

편파적인 글

이 글은 편파적이다.

이 글은 처음부터 끝까지 비정규직 노동자의 눈으로 보고, 그들의 가슴으로 느낀 바를 쓴 것이다. 그래서 이 글은 비정규직 편이다. 이 글은 정규직 노동자들에게 보내는 편지이며, 비정규직 노동자들에게 보내는 연대의 기록이다. 이 글은 편파적이지만 노동 문제를 다루는 보수 언론만큼 편파적이지는 않다. 그들처럼 사실을 왜곡하지 않았다.

현대차 비정규직 노동자들은 25일의 싸움에서 이기지 못했다. 그러나 아직 지지 않았다. 그래서 투쟁은 계속된다. 현대차 비정규직 투쟁의 목표는 자본가들을 짓밟고 우뚝 서서 만세를 부르는 것이 아니었다. 이해할 수 없는 일을 바로잡자는 '상식의 회복'을 위한 투쟁이었다. 왼쪽 바퀴를 끼우는 정규직 노동자와 오른쪽 바퀴를 끼우는 비정규직 노동자 사이에 가로 놓여 있는 도저히 이해할 수 없는 차별을 없애자는 '차별 철폐' 투쟁이었다. 그리고 그건 자본주의 체제 수호의 보루, 대법원의 판결에 따르라는 '준법 촉구' 투쟁이었다. 노동자의 심장에 대못을 박는 자본가들과 노동자들을 짓밟고 우뚝 서서 돈을 세는 자본의 논리를 뒤집기 위한 '전복' 투쟁이었다.

사원증과 출입증

서른 살 젊은이는 비정규직이라는 이유로 사랑하는 여인을 떠나보내야 했다.

따뜻한 마음, 활달한 성격에 잘생긴 외모까지 멋진 청춘들이었지만, 신분의 벽은 높았다.

"어디 다니세요?"라는 물음에 "현대자동차 다녀요."라고 대답할 수 없었다.

그다음 질문이 "정규직이세요?"였기 때문이다.

자동차 공장에서 자동차를 만들고, 세계적인 명품 자동차를 만들겠다는 꿈을 가지고 있는 젊은이들은 고개를 숙이고 살아야 했다.

서른다섯 가장은 부모와 아이의 병원비를 대지 못해 빚을 지고 살 수밖에 없었다.

입 하나라도 덜기 위해 가족의 밥상을 떠나 하루 세 끼를 공장에서 먹어야 했다.

원하는 학원을 보낼 수 없는 비정규직의 아이들은 정규직의 아이들과 어울릴 수 없었다.

우리 아이들에게는 이런 세상을 물려주고 싶지 않다는 소망을 가지고 있는 노동자들은 눈물을 삼키며 살아야 했다.

왼쪽 바퀴는 정규직이 끼우고 오른쪽 바퀴는 비정규직이 끼우는 자동차 공장에서 정규직과 비정규직, 사원증과 출입증의 간극은 넓고 깊었다.

비정규직이라는 네 글자는 바뀔 수 없는 신분이었고, 지워지지 않는 주홍글씨였다.

11월 15일

"우리는 정규직이다!"

"출입증 반납하고 사원증 쟁취하자!"

가슴 깊은 곳에 쌓아 두었던 울분과 분노가 한꺼번에 터져 나왔다. 2년 이상 근무한 사내하청 비정규직 노동자는 현대차 정규직이라는 2010년 7월 22일 대법원의 판결이 밑불이 되었고, 2010년 11월 15일 울산 1공장을 점거하고 농성을 시작했다. 울산의 파업은 전주와 아산으로 이어졌고, 비정규직 노동자들의 분노와 저항의 횃불은 12월 9일까지 전국을 뜨겁게 달구었다.

25일은 하루하루가 아름다운 나날이었다. 주린 배를 움켜쥐고 하루 종일 물만 마셔도 가슴 벅찼고, 매서운 삭풍을 막아 줄 비닐이불 한 장에 행복했다. 젊은 노동자들의 눈빛은 식어 버린 가슴을 열망으로 들끓게 만들었고, 밤을 새운 토론은 녹슨 머리를 맑게 했다. 행복하고 또 행복했다.

아름다운 저항의 25일 그 한복판에 있었다는 사실은, 나의 마지막 30대를 이곳에서 보냈다는 사실은 영원히 잊을 수 없는 축복이었다. 2008년 5월 2일 청계광장에서 첫 촛불이 타오르던 날의 환희, 2010년 11월 1일 1895일 만에 기륭전자 조합원들이 합의서에 서명하던 날의 감동만큼이나 행복한 25일이었다.

249명

1공장 농성장에 마지막까지 남은 전사들의 숫자다.

하루 종일 김밥 한 줄로 버텨야 했고, 온몸을 파고드는 맹추위를 비닐이불로 이겨 내야 했던, 흰밥에 김치 한 가닥이 그토록 그리웠던 젊은 노동자들 249명.

잔인하고 끔찍했던 현대차 자본의 공격을 이겨 내고, 정규직 노조의 협박과 회유를 뿌리치고, 흔들리는 비정규직 지도부를 바로 세우며 한 걸음씩 내딛던 249명.

배고픔과 추위보다 더 큰 고통은 사랑하는 아내와 아이, 부모와 형제들의 절규였고 자신과의 싸움이었지만, 가슴 깊이 드리웠던 패배의 장막을 걷어 낸 249명.

농성장을 잠시 떠났다가 돌아오지 못했던 이들, 농성장에서 내려가 피눈물을 흘리며 싸웠던 2, 3공장 조합원, 전주와 아산 공장을 포함해 끝까지 싸운 조합원들의 숫자는 1500명을 헤아린다.

25일의 주인공은 젊은 비정규직 노동자들이다. 하지만 현대차 정규직 노동자들의 아름다운 연대가 없었다면, 전국에서 달려온 이들의 감동어린 손길이 없었다면 25일을 버티지 못했을 것이다.

이 글은 249명의 전사들, 아니 마지막까지 싸운 비정규직 전사들에게 바치는 노래이며, 뜨겁게 연대한 모든 이들에게 보내는 편지다.

심장이 뛰는 한

25일 전투는 끝났지만 전쟁은 끝나지 않았다.

청계광장의 촛불이 꺼진 후 야만적인 탄압이 시작된 것처럼, 파업이 끝난 후 잔인한 보복이 시작됐다. 100명이 넘는 노동자들이 공장에서 쫓겨나고, 1천 명이 넘는 조합원들이 징계를 받았으며, 사상 최대 규모의 손해배상 청구로 가난한 이들의 월급과 재산이 압류되고 있다.

25일 저항의 기억을 잊어버릴 만큼 가혹한 시련의 시간이다.

하지만 포클레인으로 영혼을 파헤칠 수는 없다.

전쟁은 다시 시작될 것이다.

심장이 뛰고 있는 한 우리는 걸어갈 것이다.

이기기 위해서는 같은 잘못을 반복해서는 안 된다.

이 글을 쓴 또 다른 이유다.

일기

일기를 썼다.

기록하고 싶었고, 남겨야 했다. 매일 새벽 일기를 썼다. 어느 날은 동틀 녘에 썼고, 어떤 날은 오전 9시에도 썼다. 전기가 나가면 손으로 썼다. 농성장에서 벌어진 일들을 수첩에 깨알같이 적었다. 하루에도 몇 번씩 열렸던 회의에서 회의록을 썼고, 결과를 정리했다. 성명서, 보도자료, 담화문, 기자회견문을 썼고, 농성장의 소식을 매일 바깥으로 알렸다. 신문, 유인물, 회사 성명서, 대자보를 버리지 않고 모았다. 이 글을 쓸 수 있었던 이유다.

사진이 없었다면 25일의 기록은 반쪽짜리에 불과했을 것이다. 소중한 사진을 모두 내어 준 〈참세상〉 김용욱 기자에게 이 자리를 빌려 고맙다는 인사를 드린다.

차례

2부 민심 쟁탈전

4부 심장이 뛰고 있는 한

1부

대중의 바다

●

1일차_ 11. 15.

태화강의 여명

하늘은 아직 어둠이 걷히지 않았다. 갑작스레 싸늘해진 새벽바람은 겨울 잠바를 헤집고 스멀스멀 가슴을 파고들었다. 모자를 눌러쓰고 마스크를 했지만 한기는 가시지 않았다.

짙은 곤색 잠바에 모자를 눌러쓴 사람들이 하나 둘씩 나타나기 시작했다. 오토바이를 타고 등장한 이들, 승용차에서 내린 이들이 주위를 두리번거리며 작전명령을 기다리듯 인도를 서성인다.

아침 7시가 가까워 오는 시간, 건너편 현대자동차 울산 공장 너머로 어둠을 밀어내고 멀리 태화강의 여명이 어렴풋이 밝아 온다.

더러는 알은체를 하고, 어떤 이는 노조 간부들을 찾아다닌다. 30분쯤 흘렀을까? 적막을 뚫고 누군가의 찢어지는 듯한 외침이 들린다.

"동지들, 모이세요. 시트1공장으로 이동합니다."

주변을 어슬렁거리던 이들이 순식간에 모여든다. 모자와 마스크로 가려진 얼굴이지만, 눈빛으로 서로를 확인한다. 현대차 울산 공장 시트사업부 담장 옆으로 난 오솔길을 따라 올라간다.

"빨리 뛰세요. 시간이 없어요. 경찰이 몰려오고 있어요."

누군가가 뛰어 내려오며 외친다. 다급해진 마음에 발걸음을 재촉한다. 비좁은 언덕길을 헉헉거리며 뛰어오른다. 얼마쯤 달렸을까?

2010년 11월 15일 아침 7시 현대차 울산 시트1공장 앞에서 비정규직 노동자들이 경찰과 대치하고 있다.

눈앞에 익숙한 전경이 펼쳐진다.

검은 현대차 작업복을 입고 코팅 장갑을 낀 사람들이 왼편 공장 담벼락에 빼곡하게 얼굴을 내밀고 내려다보고 있다. 현대차 관리자와 용역 경비들이다. 전투경찰은 오토밸리 도로를 향해 난 길을 가로막고 있다. 시트공장 입구에 도착한 노동자들은 당황한다. 가파른 길에서 어찌해야 하는지 난감한 표정들이다. 먼저 뛰어간 이들은 경찰 건너편에, 달리기에 처진 이들은 오르막길 끝에 헤어져 있다. 모두들 우왕좌왕한다.

맨 앞쪽에 있던 노동자들이 소리를 지르며 밀고 올라간다. 갑작스런 행동에 경찰들도 당황한다. 경찰에 밀린 이들은 오르막길 아래로 굴러 떨어지고 서로 뒤엉킨다.

"뚫렸어요. 빨리 올라오세요."

경찰을 밀어낸 이들이 소리친다. 환호성이 터진다.

30대 초반 혈기왕성한 노동자들에겐 두려움과 망설임이 없다. 방패와 곤봉도 이들을 막지 못한다. 당황한 경찰은 소화기를 눌러 대고 최루액을 발사한다. 곳곳에서 비명이 터진다. 경찰의 방패에 맞아 귀가 찢어지고, 갈비뼈가 부러지고, 문자 그대로 피가 솟구친다. 8차선 도로는 아수라장이 되고, 아스팔트 이곳저곳에 검붉은 핏자국이 선연하다.

성난 노동자들이 공장으로 들어올 것을 두려워한 회사는 시트 1공장 출입문을 걸어 잠근다. 경찰이 뒤쪽으로 물러나 공장 문을 지킨다. 순식간에 한 시간이 흘러갔다. 소강상태는 휴식이다. 모두 아스팔트 바닥에 주저앉는다. 부서진 안경과 찢어진 조끼, 벗겨진 신발이 나뒹굴고, 소화기와 방패가 내팽개쳐져 있다.

누군가가 앞으로 나와 생목소리로 외친다. 마이크도 방송차도 없다. 아는 노래는 단 한 곡 〈파업가〉다. 경상도 사내들의 사투리로 부른다. "허터지면 죽는다. 헌덜려도 우린 죽는다. 하나 되어 우리 나선다. 성리의 그 한 길로…."

물과 김밥이 도착했다. 최루액과 소화기 거품을 뒤집어쓴 노동자들은 생수로 얼굴을 씻어 낸다. 김밥을 입에 넣었는데, 경찰이 소화기를 누르며 밀고 들어왔다. 현대차 납품 차량의 출입로를 확보하기 위해서였다.

김밥과 소화기, 생수병과 찢어진 옷가지들이 도로에 나뒹굴었다.

성난 노동자들이 김밥과 생수통을 집어던진다. 어디서 구해 왔는지 큰 나무를 휘두르는 젊은이를 주변의 노동자들이 간신히 말린다. 한 친구는 빼앗은 소화기를 경찰에 대고 누른다. 맨 앞에 있던 조합원들이 경찰에 연행되면서 싸움은 더욱 격렬해진다. 하지만 무장한 경찰을 당할 수는 없다. 결국 300여 명의 노동자들이 시트공장 입구에서 뒤쪽으로 밀려났다. 다친 조합원들이 구급차에 실려 병원으로 옮겨졌다. 이날 새벽 현대차 시트공장 안팎에서 49명이 경찰에 끌려갔다.

행진이 시작됐다. 집회 신고도 행진 신고도 없었지만 상관없었다. 500여 명으로 불어난 노동자들은 기습적으로 시트2부 정문으로 뛰어가 출입문을 봉쇄했다. 출고가 막혀 당황한 회사는 멀쩡한 문을 뚫어 제품을 내보내야 했다.

낮 1시가 지나가고 있었다. 공장 안에서 소식이 전해졌다. 오늘 새벽 시트공장에서 벌어진 폭력에 항의해 1, 2공장 조합원들이 1시부터 파업에 돌입해 1, 2공장이 완전히 멈추었고, 노동자들이 1공장으로 속속 모여들고 있다는 소식이었다. 노동자들의 사기가 하늘로 치솟았다. 아침 7시부터 저녁 7시까지, 시트1부에서 본관으로 12시간의 행진과 집회에도 노동자들은 지칠 줄 몰랐다.

2년 이상 근무한 현대차 사내하청 노동자는 불법 파견이므로 정규직이라는 2010년 7월 22일 대법원 판결 이후 많은 노동자들이 노동조합에 가입했다. 젊은 노동자들에게는 구호도 노동가요도 생소했지만 목소리는 우렁찼다. 공장 앞을 가로막고 있는 관리자들을 향해 "우리는 정규직이다. 구사대는 물러가라."라고 외쳤고, 현대차 본관을 향해 "우리는 정규직이다. 정몽구가 나와라."라고 소리쳤다.

현대차 울산 시트1공장 앞 도로에서 경찰이 노동자들에게 최루액을 발사하고 있다.

관리자들의 폭행과 경찰의 폭력으로 노동자들의 분노는 정몽구와 이명박을 향했다. 노동자들은 "불법 파견 자행하는 정몽구를 구속하라.", "비정규직 양산하는 이명박은 물러가라."라고 외쳤다. 11월 15일 하루 동안 서른 번도 넘게 〈파업가〉를 불렀다. 〈파업가〉는 비정규직 노동자들이 유일하게 모두 알고 있는 노래이자 가장 짧고 굵은 노동가요였다.

현대차 비정규직 노동자들의 파업 소식은 순식간에 전국으로 퍼졌고, 주요 뉴스가 됐다. 비정규직의 파업은 노동계는 물론 정치권의 비상한 관심을 모았다. 울산 지역의 노동자들이 현대차 정문으로 모여들었다. 오후 5시 30분 불법 파견 정규직화 울산지역대책위 주

11월 15일 밤, 울산1공장 도어탈착공정에 1천 명이 넘는 비정규직 노동자들이 모여 있다.

최 결의대회에는 민주노동당 이정희 대표, 진보신당 조승수 대표, 사회당, 사노위 등 많은 이들이 전국에서 달려와 함께할 것을 약속했다.

서서히 날이 저물기 시작했다. 눈이 쓰라리고 목이 아파 왔다. 제대로 서 있기도 힘들었다. 생각해 보니, 서울에서 밤차를 타고 내려와 찜질방에서 2시간 남짓 눈을 붙인 후 12시간을 빵 한 조각으로 버틴 것이었다. 몸은 고되고 힘들었지만 가슴은 뜨거웠다. 비정규직 노동자들이 2005, 2006년 투쟁 이후 5년 만에 굴종의 세월을 끊고 일어선 것이다. 노동자들의 얼굴엔 해냈다는 기쁨과 자신감이 가득했다.

600여 명의 노동자들이 1공장을 점거하고 있었다. 조합원들은 모두 1공장으로 집결하라는 노동조합 파업 명령이 핸드폰 문자로 전달됐다. 늦은 밤, 현대차 정규직 노조 홍근기 비정규직부장의 안내로 1공장으로 들어갔다. 농성장 입구는 관리자들이 지키고 있었다. 비좁은 계단 통로로 올라간 도어탈착공정(CTS) 작업장은 노동자들로 발 디딜 틈조차 없었다.

밤 9시까지 1공장으로 모이라는 지침에 따라 경비를 뚫고 속속 공장 안으로 모여들었다. 밤 10시가 넘어서자 노동자들은 1천 명에 육박했다. 회사도 가만히 있지 않았다. 공장의 모든 관리자들과 용역경비들을 1공장으로 불러 모았다. 출입구를 봉쇄하고 전면적인 대치에 들어갔다.

긴박한 상황에서 갑자기 결정된 점거 농성으로 인해 어떤 준비도 안 되어 있었다. 하루 종일 굶은 조합원들에게 이날 밤 주어진 것은 김밥 한 줄도 되지 않았다. 바닥에 깔 박스 한 장 없는 상황에서도 조합원들의 열기는 높아만 갔다. 관리자들의 봉쇄를 뚫고 공장 진입에 성공할 때마다 환호성과 박수가 쏟아졌다.

누가 시키지도 않았는데 조합원들은 공장별로, 업체별로 자리를 배치하고 보초근무를 섰다. 어수선하고 혼란스러웠던 농성장이 조금씩 자리를 잡아 가기 시작한다.

새벽 2시가 지나가고 있었다. 내일을 위해 눈을 붙여야 했다. 현대차 비정규직 이상수 지회장과 함께 구석진 곳에 박스 한 장을 깔고 지친 몸을 뉘었다. 1987년 8월 현대차에 민주노조가 들어서던 그때의 열기는 어떠했을까를 떠올리자 씁쓸함이 가슴 한 곳에 남았다.

가슴 벅찬 울산의 첫날이다.

왼쪽 바퀴는 정규직, 오른쪽은?

1공장은 소형차인 베르나, 클릭을 만든다. 신형 엑센트도 생산 준비에 들어갔다. 도어탈착공정은 자동차 문짝을 떼어내는 곳이다. 차체가 도장공장에서 여러 빛깔의 옷을 입은 후 컨베이어 벨트를 타고 이곳에 도착하면, 사내하청 노동자들은 문짝을 떼어 다른 작업장으로 보낸다. 그곳에서 유리도 달고 전선도 넣는다.

문을 떼어낸 차량을 보호하기 위해 그다음 공정으로 정규직 노동자들이 쿠션을 붙인다. 정규직과 비정규직이 함께 일한다. 조금 더 힘든 공정은 비정규직이 맡고, 수월한 일은 정규직이 한다. 1공장 비정규직 대의원 김성욱은 이곳에서 문짝 떼어내는 일을 7년 동안 했다.

2008년 2월이었다.

현대차 노조위원장 출신인 정갑득 금속노조 위원장은 간부들의 현장 체험이 필요하다며, 3박 4일 일정의 울산 공장 현장 실습을 권했다. 포터를 생산하는 4공장에 배치됐다. 라인을 타고 들어오는 1톤 트럭의 앞쪽 전조등과 왼쪽 깜빡이등을 조립하고 가스를 주입하는 것이 내게 맡겨진 공정이었다. 정규직 선배가 차분히 일을 알려준다. 30분가량 배우고 투입됐다.

유럽과 미국에 수출하는 포터와 국내에서 팔리는 차는 달랐다. 전조등의 모양도 조금씩 차이가 있었다. 차량을 구분해 전조등을 고르고 허리와 고개를 숙여 나사를 하나씩 조인다. 왼쪽 깜빡이등을 끼우고 전원이 들어오도록 연결한다. 이어 가스를 주입하고 나면 다음 트럭이 들어온다.

비정규직 노동자들의 점거 파업으로 생산이 중단된 1공장

차량이 들어오는 라인 속도가 왕초보에게는 정신이 없을 정도로 빨랐지만, 선배들은 몇 대의 차량에 연속으로 부품을 끼운 후 책이나 신문을 보곤 했다. 버벅거리는 나를 도와주기도 했다. 나사를 박는 일이 조금씩 손에 익었고, 시간이 흐르자 약간 여유가 생기기도 했다.

트럭을 사이에 두고 건너편에서 일하는 노동자의 조끼에는 사내하청업체의 이름이 붙어 있었다. 비정규직 노동자인 것이다. 포터의 왼쪽 전조등은 정규직 노동자가, 오른쪽은 비정규직이 끼우고 있었다.

어느 공장에서나 이런 식이다. 왼쪽 바퀴는 정규직이, 오른쪽 바퀴는 비정규직이 끼운다. 정규직이 휴가를 내면 비정규직이 그 일을 '땜빵'하고, 비정규직이 자리를 비워도 마찬가지다. 울산, 아산, 전주 공장에서 정규직과 비정규직이 뒤섞여 일하고 있다.

비정규직은 정규직과 똑같은 일을 하거나 더 힘든 일을 하는데 정규직 월급의 절반밖에 받지 못한다. 정규직은 병원비도 지원받고, 자녀의 대학 등록금까지 주지만, 비정규직은 땡전 한 푼 없다. 자신이 만든 차를 살 때 정규직은 근속연수에 따라 2천만 원까지 할인받지만 비정규직은 단돈 만 원도 깎아 주지 않는다.

2공장에서 아반떼를 만드는 한 비정규직 노동자는 열 받아서 기아차를 샀다고 했다가 어차피 정몽구 집구석의 차가 아니냐는 동료들의 놀림을 받았다.

이들이 노동조합에 가입한 이유다.

2008년 가을이었다.

세계 경제위기가 한반도를 덮쳤다. 잘나가던 에쿠스가 안 팔리기 시작했다. 회사는 11월부터 생산을 중단하기로 했다.

에쿠스를 만들던 2공장에는 사무직을 포함한 정규직 350명과 사내하청 노동자 115명이 함께 일하고 있었다. 비정규직 노동자들은 차가 떨어지는 곳, 정규직이 기피하는 공정에서 일했다. 현대차는 사내하청업체와 계약을 해지했고, 아무런 잘못도 없는 비정규직 115명은 11월부터 정든 일터를 떠나야 했다.

이곳에서 5년 넘게 차를 만들었고, 8년을 넘게 일한 노동자도 있었다. 매일 잔업을 했고, 에쿠스가 잘나갈 때는 휴일에도 공장에 나와 일해야 했다.

이들은 비정규직 노조에 가입해 싸워 볼까도 생각했지만, 엄두가 나지 않았다. 관리자들에게 두들겨 맞고, 경비들에게 끌려가고 구속되는 모습을 보아 왔기 때문이다. 결국 그들은 아무 말 없이 떠나고 말았다.

정규직 350명은 5공장을 비롯해 여러 곳으로 전환 배치됐다. 그 자리에서 일하던 누군가는 또 공장을 떠나야 했다. 그 누군가는 비정규직이다.

비정규직 노동자들은 경제위기를 이유로, 신차 생산을 이유로, 자동화를 이유로, 정규직 전환 배치를 이유로 언제 쫓겨날지 모른 채 두려움에 떨며 일해야 했다. 신차가 나오면 정규직은 특근에 대한 기대로 들뜨지만, 비정규직은 해고를 걱정해야 했다.

이들이 일손을 멈추고 파업을 시작한 이유다.

우리 헌법과 법률은 중간착취를 엄격하게 금지하고 있다. 근로기준법 9조에는 "누구든지 법률에 따르지 아니하고는 영리로 다른 사람의 취업에 개입하거나 중간인으로서 이익을 취득하지 못한다."라고 못 박아 놓았다.

1998년 김대중 정부는 경제위기를 이유로 근로자파견법을 만들어 26개 업종에서 중간착취를 허용했고, 이후 32개 업종으로 늘었다. 제조업, 운수업 등의 주요 산업은 파견법의 허용 대상이 아니다. 그런데 현대차는 하청업체에서 1만 명의 사내하청 노동자를 공급받았다.

당연히 불법이다. 2004년 12월 노동부는 현대차에서 일하는 1만 명의 사내하청 노동자를 불법 파견이라고 판정했다. 그러나 검찰은 정몽구 회장을 무혐의 처리했고, 노동부는 불법을 방치했다.

다시 6년의 세월이 흘렀고, 2010년 7월 22일 2년 이상 근무한 사내하청 노동자는 현대차 직원이라는 대법원 판결이 나왔다. 그러나 현대차는 "우리 직원이 아니"라며 대화조차 하지 않았다.

1천 명이 넘는 사내하청 노동자들이 오늘 이곳 1공장에 들어온 이유다.

식구(食口)

【식구(食口)】

① 한집에서 함께 살면서 끼니를 같이하는 사람.

② 한조직에 속하여 함께 일하는 사람을 비유적으로 이르는 말.

국립국어원에서 엮은 〈표준국어대사전〉에 나오는 식구의 뜻이다. 즉, 한솥밥을 먹는 사람들을 말한다. 한집이나 같은 공장에서 함께 생활하면서 같이 밥을 먹는 사람들을 우리는 식구라고 부른다. 부도

11월 16일 정규직 노동자들이 컵라면을 들고 농성장으로 올라오고 있다.

나기 전 대우그룹 시절, 김우중 회장은 노동자들을 식구를 넘어 '대우가족'이라고 불렀다. 물론 노동자들은 '대우가축'이라고 비아냥거렸다.

현대자동차, 현대중공업 울산 공장에는 몇 명의 노동자가 일하고 있을까? 회사는 정규직 숫자만 얘기하고 비정규직은 모른다고 한다. 그나마 현대차는 단체교섭에서 사내하청 노동자 수를 알려 주지만, 노동조합이 없거나 어용이면 알 길이 없다. 노동부는 입을 다물고 모른 척한다.

일하는 노동자의 숫자를 알 수 있는 가장 손쉬운 방법이 있다. 밥그릇을 계산하면 된다. 주야간 교대로 근무하는 노동자들이 주야 중식시간에 먹은 밥그릇 수를 세면 이 공장에서 일하는 노동자가 몇 명인지 대략 확인된다. 식구(食口)의 숫자다.

현대차 울산 공장 본관 식당 점심시간. 한식과 양식 코너에 줄이

길게 늘어선다. 관리직, 사무직, 생산직, 비정규직, 청소, 경비, 알바까지 뒤섞여 '한솥밥'을 먹는다. 울산 공장에서 밥을 먹는 식구들은 대략 4만 명이 넘는 것으로 추산된다. 현대차는 이 중에서 관리직과 정규직 노동자 2만 5천 명만 '우리 직원'이라고 부른다. 이들은 현대차 '사원증'을 달고 회사를 출입한다.

그렇다면 '우리 직원'도 아닌데 울산 공장에 들어와 일을 하고 밥을 먹는 1만 5천여 명은 누구일까? 일단 정규직과 똑같은 일을 하는 사내하청 노동자가 6천 명이다. 2, 3차 사내하청, 한시하청, 아르바이트를 모두 합하면 8천여 명이 정규직과 함께 일하고 똑같이 밥을 먹는다. 이들은 잔업 2시간을 하고 식권을 받아 저녁도 공장에서 먹는다. 하루에 두 끼나 한솥밥을 먹는 식구들이다.

사내하청은 1998년 외환위기 이후 현대차가 생산라인에 비정규직을 쓰기 시작하면서 늘어났고, 2001년 노사가 16.9%까지 사용하기로 합의하면서 울산, 아산, 전주 공장에 1만 명이 넘게 됐다. 2008년 경제위기를 이유로 비정규직을 우선 해고하면서 조금 줄어들었다. 이들은 현대차가 발급해 준 '출입증'을 달고 공장을 다닌다.

공장 구석구석을 다니며 깨끗이 청소하는 노동자 330명, 6개의 정문을 지키는 경비 노동자 230명, 19개 식당에서 한솥밥을 만드는 식당 노동자 550명 등 1500명도 한솥밥을 먹는다. 출퇴근 시간에 조합원들을 실어 나르는 관광버스 기사 아저씨들도 식당에서 밥을 먹는다. 2010년 회사 통계로 울산, 전주, 아산, 본사, 남양, 정비, 판매에 있는 청소, 경비, 식당 노동자들을 모두 합하면 4212명이다.

식당 노동자들은 1998년까지 정규직이었으나 정리해고 투쟁 이후

불법 파견 정규직화를 요구하며 현대차 울산 1공장 점거 농성을 벌이고 있는 비정규직 노동자들

'현대푸드'로 팔려 나갔다. 경비, 청소, 관광버스 노동자들도 마찬가지다. 이들도 현대차가 발급해 준 '출입증'을 달고 생활한다.

이 외에도 울산 공장은 153만 평에 이르는 세계 최대의 자동차공장답게 수많은 사람들로 북적인다. 부품업체에서 파견 나온 노동자, 부품차량을 실어 나르는 노동자, 공장 안에서 건물을 짓는 노동자들도 현대차 식당에서 밥을 먹는다.

이들은 현대차가 발급해 준 '임시 출입증'을 받아 공장을 드나든다.

회사가 '우리 직원'이라고 부르는 정규직 2만 5천 명 외에도 1년 365일 울산 공장에서 일하고 한솥밥을 먹는 노동자가 1만여 명이 있는 것이다. 모두 현대자동차 '식구'들이다.

정규직으로 채용했어야 할 노동자들을 비정규직으로 팔아먹고, 대법원까지 현대차 정규직이라고 판결했는데, '우리 직원'이 아니라며 외면하고 있는 노동자들이, 지금 1공장에서 '사원증'을 요구하고 있다.

비정규직 운동 10년사

2009년 1월 30일이었다. 금속노조 소속 비정규직 노동자 20여 명이 용산 철거민 학살사건이 벌어진 남일당 건물 앞에 모였다. 자신들보다 더 어려운 처지에 있는 철거민들에게 조금이라도 도움을 주기 위해서였다. 이들은 100만 원을 모아 유족들에게 전달했다.

기자회견이 끝나고 철거민들에게 노동자들을 소개하는 시간이었는데, 모두들 진기록을 가지고 있었다.

가장 오랫동안 단식투쟁을 한 노동자는 2008년 94일을 굶은 기륭전자 김소연이다.
가장 높은 타워크레인에 올라간 노동자는 2006년 5월 1일 현대차 본사 130m 크레인에 올라간 현대하이스코 비정규직이다.
70m 굴뚝 위에서 헬리콥터가 퍼붓는 최루탄을 맞으며 86일을 버틴 노동자는 2009년 쌍용차 비정규직 서맹섭이다.
처음으로 도장공장을 점거한 노동자는 2007년 기아차 화성 공장 비정규직 김수억과 조합원들이다.
가장 오랫동안 고공농성을 벌인 노동자는 135일을 버틴 2008년 GM 대우차 비정규직 이대우와 박현상이다.
처음으로 공장에서 경찰특공대에게 진압당한 노동자는 2005년 현대하이스코 비정규직 박정훈과 조합원들이다.
처음으로 도청 옥상을 점거한 노동자는 2006년 하이닉스매그나칩 사내하청 노동자들이다.

그리고 오늘 현대차 울산 공장 비정규직 노동자들이 끝이 어디인지 알 수 없는 농성을 시작했다.

2001년 시작된 제조업 사내하청 투쟁이 꼭 10년이다. 2001년 봄, 에어컨을 만드는 광주의 캐리어노조 정규직 대의원들은 노조 가입 원서를 들고 다니며 사내하청 노동자 460명을 가입시키고, 공동으로 회사에 임금 인상을 요구하며 투쟁에 돌입했다. 그러나 회사는 정규직 요구안만 전폭적으로 수용하면서 비정규직을 고립시켰다.

5월 1일 노동절, 회사는 점거 농성 중이던 비정규직 노동자들을 공장 밖으로 끌어냈고, 경찰은 이들을 유치장에 가뒀다. 이 구사대 대열에 소수지만 정규직 조합원들이 섞여 있었다.

"우리 일터를 지키자."라는 이야기가 정규직들에게 대대적으로 유포되면서 정규직과 비정규직의 연대는 박살이 났다. 캐리어 사내하청 노조 송영진 조합원은 "형님 동생 하며 같이 일하던 정규직 노동자들이 안정된 고용을 위해 쇠파이프를 들고 우리를 향한 폭행에 가담했다는 사실이 비극의 정점을 이루었다."라고 말했다.

2003년 현대자동차 아산공장에서 월차를 쓰겠다는 사내하청 노동자를 사용자가 식칼로 아킬레스건을 다치게 한 사건을 계기로 노동조합이 만들어지고 현대중공업과 현대차 울산공장에서 잇따라 노동조합이 결성되면서 제조업 비정규직 노동운동이 본격화되기 시작했다. 현대차 전주공장, 현대하이스코, 하이닉스매그나칩, GM대우차

창원 공장, 기아차 화성 공장, 기륭전자, 동희오토 등 전국에서 비정규직 노동자들이 금속노조에 가입했고, 2007년 GM대우 부평 공장, 2008년 쌍용차로 이어졌다.

이 과정에서 현대차 울산 공장에서만 노조에 가입했다는 이유로 100명이 넘는 비정규직 조합원이 해고되었고, 노동조합 간부들은 원청의 고소고발로 인해 장기간 구속과 수배, 수억 원의 손해배상 가압류 등 견딜 수 없는 고통을 겪어야 했다.

2004년 현대중공업 박일수 열사가 분신 자결한 데 이어 2005년 현대차 울산 공장에서 차별과 탄압에 맞서 류기혁 열사가 목을 매 자결했다. 사내하청 노동자들은 상상을 초월하는 탄압과 고통 속에서도 포기하지 않고 싸웠다.

기아차에서도 2005년 사내하청 노동자들이 노조를 결성한 이후 2007년까지 3년 동안 공장을 멈춰 세우는 파업을 전개한 끝에 노동조합을 인정받고 1사 1조직 규칙 개정을 통해 정규직 노조와 통합을 이루게 됐다. 이 과정에서 수많은 비정규직 노동자들이 감옥에 가야 했고, 해고를 당하고, 손해배상 가압류, 용역 깡패의 폭력에 시달려야 했다.

GM대우차에서는 2005년 창원 공장에서 노동조합이 결성되고 불법 파견 판결로 인한 정규직화 투쟁이 전개되었지만 회사는 업체 폐업으로 조합원들을 해고했다.

현대하이스코 비정규직지회는 두 차례의 공장 크레인 점거 파업과 양재동 130m 고공농성을 벌이고 간부들이 대거 구속되는 희생 끝에 노동조합을 인정받고 공장으로 돌아갈 수 있었다. 2004년 금속노조에 가입한 하이닉스매그나칩 사내하청 지회는 200여 명의 집단해고에 맞서 지역 연대파업, 도청 점거 농성, 본사 점거 농성, 철

2010년 7월 22일 현대차 사내하청 노동자는 불법 파견이므로 정규직이라는 대법원 판결 이후 26일 금속노조에서 투쟁 계획을 발표하는 기자회견을 하고 있다.

탑 농성, 집단 단식 농성 등 4년을 싸웠지만 끝내 공장으로 돌아가지 못했다.

2005년 노조에 가입한 기륭전자 비정규직 노동자들 역시 불법 파견 정규직화를 요구하며 94일 단식 농성을 포함해 6년 동안 영웅적인 싸움을 전개했고, GM대우 비정규직 노동자들은 130일이 넘는 철탑 농성과 한강대교 농성 투쟁을, 쌍용차 비정규직은 86일의 굴뚝 농성을 벌였다.

10년에 걸친 사내하청 노동자들의 헌신과 저항이 대법원의 판결을 끌어낸 것이다.

7월 22일 대법원 판결에서 11 · 15 점거 파업까지

현대차 비정규직 노동자들은 2003년부터 아산과 울산, 전주 공장에서 잇따라 노동조합을 만들고 2004년 노동부의 불법 파견 판정을 계기로 대규모 노조 가입과 불법 파견 정규직화 투쟁을 벌였지만 2005, 2006년 패배 이후 조직력이 급격하게 약화됐다.

그로부터 5년이 흘렀고, 2010년 7월 22일 대법원이 2년 이상 근무한 현대차 사내하청 노동자는 불법 파견이므로 정규직이라고 판결하자 상황은 달라졌다.

금속노조는 대법원 판결 직후 '불법 파견 정규직화 특별대책팀'을 구성했고, 현대차를 중심으로 대법판결 조합원 설명회, 교육, 결의대회 등 전방위적으로 사업을 전개했다. 그 결과 울산 공장은 600명에서 1700명으로, 전주 공장은 220명에서 360명으로, 아산 공장은 150명에서 310명으로 조합원이 늘어 총 970명이던 조합원이 2370명으로 증가했다.

현대차 비정규직 3지회는 9월 29일 현대자동차에 △불법 파견 대국민 사과 △모든 사내하청 정규직화 △체불임금 지급 등 8대 요구안을 확정해 교섭을 요구했다. 그러나 회사는 대법원 판결이 최종판결이 아니고 대상자도 한 명뿐이라는 이유로 교섭을 거부했다.

비정규직 3지회는 공장별로 출근투쟁, 중식집회, 결의대회 등 투쟁의 수위를 조금씩 높여 왔으며, 울산 공장의 경우 매주 수요일 전 조합원 결의대회를 벌여 투쟁의 결의가 점점 높아 갔다.

10월 30일 현대차 본사가 있는 서울 양재동에서 열린 '전국 비정규 노동자대회'에 울산 1천 명, 아산과 전주 각 300여 명 등 1500명이 넘는 조합원들이 특근을 거부하고 참여해 위력적인 투쟁을 전개했다. 조합원들은 정점을 향해 달려가고 있었다.

현대차 비정규직지회는 11월 5일 중앙노동위원회에 조정신청을 하고, 11월 12일까지 쟁의행위 찬반투표를 완료해 울산 90.5%,

아산 85.02%, 전주 98.7%라는 사상 최고의 찬성률로 파업을 결의했다.

동시에 법적 소송도 병행했다. 두 달간의 준비를 거쳐 11월 4일 현대차 비정규직 조합원 1941명이 서울중앙지법에 현대차를 상대로 근로자지위확인 및 체불임금 청구소송을 냈다.

한편, 11월 12일 서울고등법원은 현대차 아산 공장 비정규직 김준규 조합원 등 4명에 대해 2년 이상 근무한 사내하청은 현대차 정규직이라고 판결했고, 근로자파견법이 기업활동의 자유를 침해하기 때문에 위헌이라는 현대차 사측의 소송을 기각했다. 특히 아산 공장은 하청업체가 바뀌거나 조립라인이 아닌 서브라인 근무자도 정규직이라고 판결해 불법 파견 대상을 확대했다.

아산 공장의 판결로 정규직화에 대한 열망과 의지는 더욱 강화되었으며, 11월 15일 동성기업을 계기로 폭발하게 된 것이다.

동성기업 폐업은 파업 유도 사건?

현대자동차 울산, 아산, 전주 공장의 124개 사내하청업체 중 하나에 불과한 동성기업이 25일 점거 파업의 도화선이 된 이유는 무엇이었을까?

7월 22일 대법원 판결 이후 현대차 울산 공장에서는 조합원이 600명에서 1700명으로 1100여 명이 늘었다. 특히 시트공장의 경우 대법원 판결 전까지는 시트2부 조합원만 있었으나, 판결 이후 시트1부에서 대거 노조에 가입했다.

현대차는 사내하청업체와 6월과 12월 형식적인 계약을 체결하기 때문에 그 사이에 업체를 폐업하거나 변경하는 일은 드물다. 현대차는 파업이 임박해 오자 업체를 하나 골라 본보기로 폐업해 조합원들만을 해고할 계획이었다.

애초에는 1공장의 업체가 거론되었으나, 정규직과의 연대가 강력한 1공장보다 투쟁 경험이 없고 정규직과의 연대가 취약한 시트1부를 선택했다. 동성기업 폐업을 미끼로 파업을 유도한 것이다.

현대차는 2007년 6월 1일 이전까지는 업체 폐업 · 변경 시 고용 · 근로조건을 승계했다. 이전 업체에서 받던 연월차수당, 근속수당 등이 이어졌고 퇴직금도 승계됐다. 그러나 불법 파견 정규직화의 첫 번째 판결이었던 2007년 6월 1일 현대차 아산 공장 노동자들의 근로자지위확인소송 1심에서 패배한 후 원청의 사용자성을 은폐하기 위해 업체 변경 시 신규채용 방식으로 전환했다.

현대차 비정규직지회는 대법원 판결에 따라 현대차가 직접 정규직으로 고용할 것을 요구했고, 동성기업 조합원 중 28명이 하청업체 바지사장과의 근로계약서 체결을 거부하고 11월 15일 출근투쟁을 하기로 결의했다.

이에 따라 비정규직지회는 △11월 14일 이후 전 조합원 특근 거부 △11월 15일 7시 야간조 전 조합원, 확대간부 시트1부 집결투쟁 △시트2부 2시간 이상 파업 등을 결정했다.

11월 15일 새벽 5시 30분 동성기업 조합원들은 시트1부 14라인에서 농성을 벌였다. 700여 명의 현대차 관리자들과 용역들은 6시 20분께 소화기를 눌러 대고 최루액을 분사하고 소방 호스로 물을 뿌리며 진압을 시도했다. 현대차 관리자들은 볼트, 자재, 프레임 등 자동차 부품을 던지며 14라인 안으로 진입했고, 소화기를 던졌으며, 쓰러진 조합원의 마스크와 모자를 벗기고 얼굴에 대고 소화기를 눌렀다.

쇳덩어리에 맞은 조합원은 쓰러져 머리를 10바늘이나 꿰매야 했다. 현대차는 피를 흘리며 쓰러져 있는 26명의 노동자들을 공장 밖으로 끌어내 응급실이 아닌 중부경찰서로 넘겼다.

하지만 본보기를 보여 현대차 비정규직의 기세를 꺾으려 했던 계획은 보기 좋게 빗나가고 말았다. 현대차의 잔인한 진압 소식은 곧장 현장에 알려졌고, 비정규직지회는 1, 2공장에서 오후 4시간 기습파업을 전개했다. 이로 인해 1공장 전 라인과 2공장 22라인이 완전히 멈췄고, 1공장 점거 농성으로 이어졌다.

현대차의 파업 유도 사건에 정면 돌파를 한 것이 현대차 25일 파업의 도화선이 되었던 것이다.

2일차_ 11. 16.

난민촌

밤새 뒤척이다 새벽녘 잠깐 눈을 붙이고 나니 아침햇살이 창문을 타고 공장 안을 비춘다. 조합원들 얼굴이 까칠하다. 다들 잠을 이루지 못한 모양이다. 관리자들과 대치하면서 보초를 서고, 전날의 무용담으로 수다를 떨고, 앞날에 대한 불안감을 나누며 꼬박 밤을 새운 조합원들이 많은 듯했다.

이상수 지회장은 드렁드렁 코까지 골며 잔다. 등만 붙이면 잠드는 사람이라더니 이 추위와 혼란 속에서도 아랑곳하지 않는다. 복이다.

이 순간까지 얼마나 힘들었을까? 수백 번을 고뇌하고 수천 번을 번민했을 것이다. 현대차 사내하청은 정규직이라는 7월 22일 대법원 판결 이후 100일이 넘는 고난의 시간이 오롯이 그의 어깨 위에 올려졌다. 앞으로 또 얼마나 많은 고통이 그를 괴롭힐까? 잠이라도 편안하게 잘 수 있으니 다행이다.

끔찍한 장면이 벌어졌다. 화장실 앞에 40명이 넘는 사람들이 줄을 섰다. 공장 안에 있는 단 하나의 화장실에는 대변을 볼 수 있는 두 칸과 소변기 둘이 전부다. 줄 서기를 포기하고 참기로 결심했다.

여기저기서 콜록거린다. 급작스런 농성에 내복 하나 변변히 입고 오지 않았기 때문이다. 어떤 친구는 잠바 안에 반팔 티를 입었다. 유일한 방한도구인 박스와 비닐도 턱없이 부족하다. 칫솔도, 수건도, 갈아신을 양말도 없다. 먹을 것도 입을 것도 없고, 쌀 곳도 없다. 난민촌이 따로 없다.

회의를 열었다. 앞으로 어떻게 해야 할지 모두들 막막해했다. 농성장에 필요 이상으로 사람들이 많다는 데는 이견이 없었다. 2, 3공장 조합원들을 내려보내 현장 파업을 하자는 제안이 나왔다. 점점 불어나는 용역 경비와 관리자들이 몰려올 경우 500명으로 버틸 수 있겠냐는 우려가 있었지만, 파업을 다른 공장으로 확대하고 농성장을 유지하기 위해 불가피하다는 데 의견을 모았다. 반대하는 이들도 일부 있었지만 지도부의 제안을 흔쾌히 따랐다.

결정사항을 알리고 2, 3공장 500명이 짐을 쌌다. 이산가족이 1박 2일 상봉하고 헤어지는 것도 아닌데 발걸음이 좀처럼 떨어지지 않는다. 당연히 정규직이었어야 할 조합원들을 96개 하청업체로 갈가리 찢어 놓아 서로 만나지도 못했던 이들이었다. 파업은 이들에게 만남을 선물했다.

내려가는 이들은 남아 있는 이들이 겪어야 할 추위와 배고픔을 걱정했다. 앞으로 며칠을 더 버텨야 할지 아무도 알 수 없었고, 오롯이

1공장 농성장에서 조합원들이 비닐을 덮고 자고 있다.

남겨진 이들의 몫이었기 때문이다.

남아 있는 이들은 내려가는 이들이 당해야 할 폭력을 우려했다. 머리가 깨지고, 얼굴이 짓밟히고, 경찰에 넘겨지는 일들을 보았기 때문이다.

남아 있는 이들과 내려가는 이들이 서로의 손을 맞잡았다. 서로에게 〈파업가〉를 불러 줬다. 정규직이 되어 만나자고, 가슴에 달린 서러운 출입증을 떼고 사원증을 달고 만나자고 약속했다. 이별의 시간이었다.

500명이 내려갔지만 화장실 줄은 줄어들지 않았다. 따뜻한 물 한 잔을 먹기 위해서도 줄을 서야 했다. 하지만 조합원들의 얼굴은 환했다. 천대받던 노동자들이, 멸시받던 비정규직들이 스스로의 힘으로 공장을 멈춰 세웠고, 회사와 세상을 깜짝 놀라게 만들었다는 사실을 모두들 자랑스러워하고 있었다.

지시하는 사람도 명령하는 사람도 없었지만 모두들 바쁘게 움직였다. 공장별로, 부서별로 모여 회의를 시작했다. 회사와 경찰이 들어올 곳에 대한 대비책을 얘기했고, 필요한 물품을 마련했다. 부서별로 조장을 뽑고, 생활수칙과 규율을 정했다. 불침번과 청소당번, 배식당번이 정해졌다.

검은색 쓰레기봉투가 한 뭉치 올라왔다. 너무나 반가웠다. 조합원들에게 나눠 줬다. 쓰레기통에 넣는 까만 비닐봉투는 우리에게 이불이었고, 외투였고, 바람막이였다. 한 조합원은 몇 장을 모아 작은 비닐하우스를 만들었고, 어느 조합원은 조립이 중단된 엑센트 문을 비닐로 막아 '카 하우스'를 만들고 문패까지 달았다.

어수선하고 혼란스러웠던 농성장이 말끔히 정리되기 시작했다.

비닐봉투의 부스럭거리는 소리가 신경 쓰이긴 했지만 생각보다 아늑하고 따뜻했다. 나도 모르게 스르르 잠결 속으로 빠져든다.

부끄럽지 않은 아빠이고 싶다

"응, 걱정하지 마. 금방 해결되고 나갈 거야." "아빠가 며칠 있다가 맛있는 거 사 가지고 갈게. 사랑해."

조합원들 전화기에 불이 난다. 방송과 신문에 현대차 점거 파업 소식이 실렸다. 울산 지역방송과 신문은 대문짝만하게 나왔다. 부모님, 아내, 아이들에게 전화가 걸려온다. 텔레비전을 본 친구, 업체 사장과 관리자, 정규직 형님들까지 핸드폰이 쉴 새 없이 울린다.

시트2부 박영현 대의원은 콧속에 숨을 쉬기 어려울 정도로 물혹이 자라 11월 15일 수술 날짜를 잡아 놓고 이곳에 올라왔다. 야간조 조합원들은 가족에게 "잠깐 나갔다 올게."라고 말하고 이곳에 와 있다.

자동차의 왼쪽 바퀴는 정규직이 끼우고, 오른쪽 바퀴는 비정규직이 끼우는데, 왜 우리가 정규직이 아니어야 하는지 이해할 수 없지만, 그렇게 살아온 10년이었다.

2004년 노동부 불법 파견 판정 이후 투쟁의 불꽃이 타올랐지만, 끝내 꺼져 버렸다. 누구는 분노를 가슴에 담고, 누구는 좌절하고, 누구는 그냥 하루하루 살아가면서 5년의 세월을 보냈다. 7월 22일 이전까지는 그랬다.

대법원 판결 이후 가슴속에 켜켜이 쌓아 두었던 분노, 울분, 희망, 좌절, 슬픔이 한꺼번에 터져 나왔다. 왜 우리가 정규직인지, 왜 우리의 사용자가 하청업체 사장이 아니라 현대차인지, 왜 우리가 불법 파견인지 들을 때마다, 법률 용어는 생경했지만 자신감과 사기는 높아만 갔다.

수요일마다 본관 앞에 모여 우리들의 힘을 확인하고, 10월 30일 1천 명이 넘는 동료들과 한 번도 가 보지 못한 현대차그룹 본사 앞에서 경비대와 신나게 싸웠다. 그리고 오늘 여기에 500명이 있다.

누구도 이곳 농성장에 올라오라고 하지 않았다. 아무도 내려가는 것을 막지 않는다. 이곳에 올라오지 않은 조합원들도 많다. 근로자 지위확인소송과 체불임금 청구소송을 냈기 때문에 기다리면 된다. 하청업체 사장도 그렇게 하라고 꼬드긴다. 지금이라도 내려가면 그만이다.

싸우는 동료들에게 미안하지만 부모님이나 가족 핑계를 대면 된다. 그렇지 않아도 장염에 걸린 어린 딸에게 미안하고 병환 중이신 어머니에게 불효하는 것 같아 내려가고 싶은 마음 간절하다.

11월 16일 현대차 비정규직 이상수 지회장이 조합원들을 바라보며 웃고 있다.

1990년대 〈일요일 일요일 밤에〉라는 텔레비전 프로에 이휘재가 나오는 '인생극장'이라는 코너가 있었다. 인생의 갈림길에서 어떤 길을 선택했을 때의 결과를 보여 주는 인기 프로는 "그래, 결심했어."라는 유행어를 남겼다.

그래, 결심했다. 여기를 떠나지 않겠다고. 깡패들에게 짓밟혀 실려 가고, 차디찬 유치장에 갇히고, 공장에서 쫓겨나더라도 함께 싸우겠다고.

이곳에서 며칠을 싸워야 할지 모르지만, 우리 인생에서 가장 소중한 시간이다. 부모님 앞에, 우리 아이들 앞에 부끄럽지 않은 자식이고 아빠 엄마이고 싶다. 나중에 우리 아이에게 "아빠가 그곳에 있었단다. 춥고 배고팠지만 포기하지 않고 끝까지 싸웠단다."라고 말해 줄 것이다.

나의 결심은 800만 명이 넘는 비정규직 노동자들에게 작은 희망의 불빛이고, 우리 아이들에게 비정규직이라는 굴레를 물려주지 않기 위한 소중한 밑거름이다.

비정규직으로 살아온 10년의 굴레, 현대자동차에 다닌다고 말하지 못하는 설움과 비애를 벗어던지고 자동차를 만드는 당당한 노동자로 다시 태어나는 곳, 이곳은 1공장 농성장이다.

> "비정규직을 당연한 것으로 알고 살았다. 최소한 내 인생을 결정짓는 선택과 행동은 내 마음이 시키는 대로 내 가슴이 시키는 대로 결단해야 한다. 자기 인생의 주인공이 되자. 정규직화 그날까지 최선을 다해서 투쟁하자."(시트2부 박영현)

반격

2008년 5월 2일 청계광장에서 켜진 촛불이 100만 촛불항쟁으로 타오른 후 이명박 정권과 자본은 위기에서 벗어나자 노동운동을 무력화하기 위해 나섰다. 2008년 세계 경제위기를 이유로 임금동결과 삭감, 대규모 정리해고와 구조조정이 전국을 휩쓸었다.

이명박은 쌍용차 노동자들의 77일간의 파업을 특공대를 동원해 짓밟았고, 발레오만도, 경주지부, 철도노조, 금호타이어, 상신브레이크, KEC까지 노동운동의 주력부대인 민주노총의 핵심 사업장 노동조합을 초토화시켰다.

2009년 날치기로 통과된 전임자 임금지급 금지와 복수노조 창구단일화는 노동계급의 저항을 약화시키는 강력한 무기였다. 금속노조는 이명박 정권에 굴복하지 않고 싸웠지만, 노동운동의 힘은 미약

했다. 정권과 자본은 민주노조를 약화시킨 후 비정규직법 개악, 파견업종 전면 확대, 정리해고 요건 완화까지 비정규직 대량 양산과 자유로운 정리해고를 강력하게 추진했다.

경제위기의 책임을 노동자에게 전가하려는 시도는 집권 후반기로 가면서 노동자의 저항과 반발에 부딪혔고, 못살겠다는 민중들의 아우성이 커져 갔다. 10월 30일 전국비정규 노동자대회는 투쟁의 서막을 알리는 자리였다.

11월 1일 기륭전자 노동자들이 6년, 1895일 만에 정규직화를 쟁취하고, 11월 3일 기아차 모닝을 만드는 동희오토 조합원들이 현대차그룹 본사 앞에서 100일이 넘는 노숙투쟁을 통해 전원 복직을 합의하면서 노동자들의 반격의 기운이 더욱 높아 갔다.

5만 명이 운집한 11월 7일 민주노총 전국노동자대회는 최근 수년 동안 가장 많은 노동자들이 모여 이명박 정권과 자본의 노동자 죽이기에 맞서 힘 있는 투쟁을 결의했으며, 11월 11일 7천여 명이 경제위기의 책임을 노동자에게 떠넘기는 G20 정상회의에 맞서 싸움을 벌였다 .

노동자들의 반격과 저항은 현대차 비정규직 노동자들에게 큰 자신감을 불어넣었고, 11월 15일 마침내 불꽃으로 타올랐다.

쟁의대책위원회의 만장일치제(?)

화장실 옆에 '서클룸'이라고 부르는 방이 있다. 3평 남짓한 방이다. 보일러가 들어오고, 이불이 몇 개 있다. 회의실과 여성 및 환자 숙소로 사용하기로 했다. 임원과 공장 대표들로 구성된 쟁의대책위원회(쟁대위) 회의가 열렸다.

2008년이었다. 현대차비정규직지회 회의에 참가한 적이 있었다. 당시 지회장은 이승희였다. 10여 명이 앉아서 회의를 하는데, 이건 회의가 아니었다. 노동조합 사무실 컴퓨터에서 야동을 봤니, 게임을 했니 하며 언성을 높이더니 욕까지 하고 밖으로 나간다. 지회장에게 사퇴하라는 말을 아무렇지도 않게 한다. 지도부에 대한 신뢰는커녕 동지에 대한 애정과 최소한의 배려도 없었다. 무기력한 노동조합, 지도력을 잃어버린 지도부, 더욱 커져가는 불신, 조합원과의 괴리가 공장을 무겁게 짓누르고 있던 시절이었다.

7 · 22 대법원 판결 이후 조합원이 급증하고, 새로운 간부들이 대거 등장했다. 노동조합은 활기를 되찾았고, 지도부에 대한 기대와 신뢰가 컸다. 무엇보다 이번 파업을 책임지는 이상수 지회장과 사업부 대표들로 구성된 쟁의대책위원회가 가장 중요했다.

회의를 하는데 회의 자료가 없다. 회의를 하면서 반말을 한다. 무슨 잘못을 지적하는 것도 아닌데 지회장에게 공격적으로 따져 묻는다. 과거의 기억이 떠올랐다.

시급히 컴퓨터와 프린터를 들여오기로 했다. 회의 자료를 만들어 회의를 하기로 했다. 회의록을 작성하고, 곧바로 회의 결과를 뽑아 조합원들에게 보고하기로 했다. 대단히 민감한 시기에 회의 결과에 대한 해석의 차이와 오해가 생기지 않는 것이 중요했다.

무엇보다 함께 토론하고 함께 결정하고 함께 책임지는 것이 중요하다. 불가피할 경우는 어쩔 수 없겠지만 지도부의 입장을 단일하게 정리하자고 제안했다. 정치적 입장이 모두 다르지만 시간이 오래 걸리더라도 치열하게 논쟁하고 토론하면 충분히 가능한 일이었다.

공장 바깥의 사회운동 단체들의 조언을 듣는 것도 중요하다. 지도부가 올바르게 판단하기 위해서도 되도록 많은 이들의 의견을 들어야 한다. 그러나 더 중요한 것은 바로 조합원들이다. 특히 이곳에서 농성하고 있는 조합원들의 목소리에 귀를 기울여야 한다.

만장일치제는 아니지만, 최대한 의견을 모아 나가는 것이 중요하기 때문에 모두들 동의했다. 덧붙여 회의 시간에 존댓말을 쓰기로 했다.

500명이 머물고 있는 농성장이 이번 싸움의 심장부다. 이곳이 무너지면 싸움은 패배한다. 가장 중요한 것은 바로 우리 자신이다. 경찰과 용역 깡패의 공격은 우리를 단결시키지만, 분열과 비방은 우리를 무너뜨린다. 지도부의 분열과 반목이 농성장 최대의 적이라는 것을 명심하자고 약속한다.

이상수 지회장과 쟁의대책위원회가 있는 농성장, 비정규직지회 사무실, 정문 앞 금속노조 상황실까지 세 곳으로 흩어져 있어서 혼선이 있을 수밖에 없다.

그럼에도 이상수 지회장과 임원, 대다수 공장 대표들이 있는 1공장 농성장이 야전사령부일 수밖에 없다.

500명의 조합원과 지휘부가 함께 호흡하고 있는 곳, 이곳은 1공장 농성장이다.

3일차_ 11. 17.

저항의 횃불, 아산과 전주로

"장병윤 대표가 경찰서로 끌려갔다고요?"

"용역 깡패들이 조합원들을 라인에서 끌어냈다는데요."

아침부터 전화기에 불이 났다. 이상수 지회장은 눈을 뜨고 나서부터 전화기를 붙들고 있다. 1공장 파업을 2, 3공장으로 확대하기로 결정하고 오전 9시 기습파업에 들어갔다. 관리자들과 용역 경비 500명이 이미 라인을 장악했고, 농성하는 조합원들을 짓밟고 끌어내고 있다는 전화가 빗발쳤다.

1, 2공장은 비정규직지회의 핵심이다. 이상수 지회장이 속한 2공장은 조합원 수가 가장 많다. 비정규직의 독자 파업으로 라인을 세울 수 있는 공장이기 때문에 회사 관리자들이 OK사이드를 점거해 파업에 대비하고 있었다.

350명의 조합원들은 관리자들이 방심한 틈을 이용해 9시 정각에 기습파업에 들어가 22라인 새시를 점거했다. 라인이 멈추자 대기하고 있던 관리자들 500여 명이 순식간에 들이닥쳤고 몸싸움이 시작됐다. 비정규직 노동자들과 정규직 대의원, 현장위원들이 함께 싸웠고, 2시간 동안 생산이 중단됐다.

3공장에서는 9시 15분에 작전이 시작됐다. 200여 명이 31라인을 점거하고 32라인을 끊기 위해 이동하자, 관리자 1천여 명이 몰려왔다. 이들은 31라인과 32라인 통로에서 집회를 하고 있는 조합원들을 덮쳤다. 수적으로 열세였지만 조합원들은 격렬하게 저항했다.

3공장 장병윤 대표를 포함해 주요 간부들 10여 명이 끌려 나갔고,

현대차 1공장 농성장에서 조합원들이 현수막을 걸고 있다.

정규직 허성관, 김형진 대의원까지 폭행을 당했다. 한 조합원은 관리자들이 던진 철판에 맞아 입이 찢어졌고, 여러 조합원이 크게 다쳐 가까운 시티병원으로 실려 갔다. 회사는 조합원 17명을 스타렉스에 태워 동구의 예전만 부근에서 동부경찰서 경찰관들에게 넘겼다. 3공장 공장장이 정규직 대의원들을 폭행한 것에 대해 공개사과를 한 후 2시간의 기습파업은 끝났다.

파업은 중단됐지만 폭력은 멈추지 않았다. 3공장 조합원 3명이 점심식사를 마치고 명촌 쪽문으로 퇴근하자 철길 부근에서 대기하고 있던 용역 깡패들이 달려들어 두들겨 패고 동부경찰서로 넘겼다. 이날 9명이 병원에 입원했고, 철판에 맞은 조합원은 인중이 찢어져 응급수술을 받았으며, 또 다른 조합원은 갈비뼈 5대에 금이 가는 중상을 입었다.

저항의 횃불은 아산과 전주로 타올랐다.

전날 2시간 잔업을 거부해 트럭 생산을 완전히 멈춰 세웠던 전주 비정규직지회는 이날 낮 12시 비상대의원회의를 열어 오후 4시간 파업을 결정했다. 오후 1시 350여 명의 노동자들이 트럭2공장을 점거해 라인 가동을 중단시켰다. 버스와 엔진공장도 가다 서다를 반복했다.

16일부터 파업에 돌입한 아산 공장 노동자 200여 명은 이날 아침 공장 앞에서 선전전을 한 후 공장 안으로 들어가려고 했으나 관리자와 경비대에 막혔고, 공장 안에 있던 조합원들도 모두 끌려나왔으며, 송성훈 지회장이 납치되었다가 풀려났다는 소식이 전해졌다.

조합원들이 중앙 광장으로 모였다. 보초근무자를 제외한 400여 명에게 2, 3공장과 전주, 아산 공장의 파업 소식을 전했다. 공장이 떠나갈 듯 열광했다.

"우리는 정규직이다. 정몽구가 나와라."

조합원들의 구호 소리는 드높았고, 〈파업가〉는 어느 때보다도 우렁찼다.

김밥 한 줄, 컵라면 한 개보다 다른 공장의 파업 소식이 우리를 기쁘게 만들었다. 우리만 외롭게 싸우고 있는 것이 아니라는 사실에 안도했고, 조합원들의 얼굴에 행복한 미소가 번졌다.

현대공화국

관리자들에게 끌려나와 얼굴이 찢어지고 갈비뼈가 부러진 조합원들, 구둣발로 짓밟혀 경찰에 넘겨진 조합원들을 떠올리자 가슴이 아려 왔다. 공장 밖에서 이런 일이 벌어졌다면 폭력조직의 집단폭행으로 모두 감옥에 가야 하고, 윤여철 부회장, 강호돈 대표이사는 집단 폭행의 배후로 구속될 것이다.

하지만 공장은 치외법권지대였고, 울산은 현대광역시였다. 깡패들이 노동자들을 폭행하고 납치해 경찰에 넘기면, 경찰은 노동자를 구속하는 일이 아무렇지도 않게 이뤄지는 곳, 이곳은 현대공화국이다.

3공장 김기성 조합원은 입과 코 사이의 인중이 찢어져 한 시간 이상 수술을 받았다. 용역 경비는 그에게 모서리가 날카로운 차체 자재를 던졌고, 입술부터 코 밑까지 살이 덜렁거릴 정도였다. 박종민 조합원은 용역 경비에게 주먹으로 얼굴을 맞아 눈 아래 뼈가 부러졌고, 쓰러지자 수십 명이 달려들어 짓밟았다고 한다.

현대차 경비대－울산 동부경찰서. 이 연합군의 폭력과 납치는 때와 장소, 사람을 가리지 않는다.

7 · 22 대법원 판결의 당사자인 최병승 금속노조 비정규국장은 9월 10일 오후 30여 명의 경비대에 의해 스타렉스에 태워져 폭행을 당했다. 옷이 다 찢어졌고, 온몸에 타박상을 입은 채 거리에 버려졌다. 현대차 경비대는 2009년 5월 16일에도 열사회 사무실에서 생활하고 있던 최병승을 끌고 가 공장 밖에서 대기하고 있던 동부경찰서 형사들에게 넘겼고, 경찰은 그를 구속했다.

집단폭행을 당한 조합원들은 '이러다 죽는 것 아니냐'는 공포를 느꼈다고 한다. 지나가는 스타렉스만 봐도 깡패들이 문을 열고 나올까 봐 무섭다고 했다. 폭력의 공포 앞에서 자유로운 사람은 없다. 폭력의 기억은 사람을 움츠리게 만든다. 현대차가 노리는 것이다.

오늘 회사는 업무방해, 퇴거불응, 무단침입으로 이상수 지회장, 사업부 대표, 대의원 등 17명을 경찰에 고소했다. 경찰은 조사를 이유로 출두요구서를 발송할 테고, 농성장에 있는 이들은 조사를 받지 못하니 그다음 수순은 체포영장 발부일 것이다. 집에서 출두요구서를 받은 가족들의 전화가 걸려올 것이고, 조합원들의 마음은 흔들릴 것이다.

파업이 계속되는 한 폭력은 멈추지 않을 것이다. 2, 3공장 조합원들이 폭력의 공포를 넘어 당당하고 씩씩하게 싸워 줄 것을 기도했다.

농성장 꾸미기

500명이 난민수용소(?)를 내려간 후 조합원들이 스스로 농성장을 꾸미기 시작한다. 우리가 일하는 소중한 일터이자, 먹고 자야 하는 숙소이기 때문에 농성장을 가꾸는 것은 매우 중요했다. 무엇보다 500명이 넘는 사람들이 밀집해 생활하고 있기 때문에 지난해 유행했던 신종플루를 비롯해 전염병도 유의해야 했다. 누가 시키지 않았는데도 매일 아침저녁으로 쓸고 닦는다.

화장실 앞쪽 자리에 10여 개의 화분이 놓여 있다. 이름을 알 수 없는 꽃들이 자라고 있다. 삭막한 공장에 온기를 불어넣는 느낌이다.

"물을 얼마나 자주 줘야 하는지 몰라 걱정이에요."

한 조합원이 화분에 물을 부으며 말한다. 언제 끝날지 모를 싸움, 이 식물들도 생명을 잃지 않아야 할 텐데….

어느 작업자의 자리에는 가족의 사진이 여러 장 걸려 있다. 아들이 대학생쯤 되어 보인다. 떨어져 지내는 가족이 아닐까 하는 생각이 스친다. 외국에 유학을 보낸 기러기 아빠?

중앙 통로 한가운데에 수영복 입은 여성의 야한 포스터가 여러 장 걸려 있다. 달력 사진인 것 같다. 결혼을 못한 총각의 마음인지 모르겠지만 민망스러워 살짝 뒤집어 놓는다.

조합원들의 바람이 농성장 곳곳에 붙어 있다.

준비하고 올라온 것이 아니기 때문에 침낭과 이불, 내복은 물론 현수막이나 농성장을 꾸밀 물품도 없다. '우리 노동자는 하나다'라는, 빨간 천에 흰 페인트로 누군가 손으로 직접 쓴 현수막이 유일하다.

정규직 대의원들에게 부탁해 색지와 매직을 들여왔다. 조합원들의 바람과 꿈을 적어 농성장에 붙이기로 했다. 정규직화에 대한 염원, 회사에 대한 분노, 가족에 대한 연민, 투쟁의 다짐이 노란색, 연두색, 분홍색 색지에 울긋불긋 채색된다. 삭막하고 황량한 난민수용소에 꽃이 피어난다.

> 1공장 들어올 때는 출입증, 나갈 때는 '투쟁 사원증' 달고 나가자.
>
> 현대건설 베팅할 돈으로 우리 정규직 열 번도 시킨다. 개××야!

이번 사태는 역사에 길이 남을 것이며, 지금 즉시 정몽구를 구속시켜라.
법 좋아하는 정몽구 법대로 하자. 18.
정몽구. 몽구. ×같은 ×아, 돈 내놔라.
AGAIN 1987 투쟁!
아들 사랑한다. 여보 미안합니다. 나가서 꼭꼭꼭 보답하겠소.
내 딸이 울고 있다. 아빠 노릇 하게 집에 좀 가자! 투쟁!
당신이 세상의 부조리에 분노하고 맞서 싸운다면 당신은 나의 동료이자 전우다. 투쟁!

내 아이에게 비정규직, 아니 알바직을 물려줄 것인지, 정규직으로 당당히 살아가게 할 것인지.
지금 우리의 이 투쟁은 나와 내 아이와 이 나라 대한민국의 미래를 위함이다.

열심히 일하고 내 몫을 못 찾는 어리석은 인간은 더 이상 하지 않으련다.
이 썩어빠진 세상 더럽다고 외치고 행동하련다.

저는 죄인입니다. 몸이 불편하신 어머님 마음을 아프게 했고 제 동생을 이산가족으로 만든 죄인입니다. 비정규직 사이트에 올라온 글을 읽고 한참을 소리 없이 울었습니다. 정말 내가 잘한 짓인가 잘하고 있나 많은 생각들이 저를 흔들었습니다.
하지만 마지막 결론은 저 때문에 맘 아파하시는 어머님을 위해서라도 저 때문에 이산가족이 되어 아빠를 찾는 조카를 위해서라도 저 이 싸움 목숨 걸고 싸울 것입니다.
꼭 이길 것입니다. 이 글을 적고 있는 이 순간에도 눈물이 앞을 가려

잘 보이지 않지만 약해지지 않을 것입니다.

꼭 저희 조카에게 정규직이란 이름을 달고 아빠를 보내 줄 것입니다.

꼭! 꼭! 승리할 것입니다. 투쟁! 투쟁!

아름다운 연대(1):정규직 4인방

강성신, 김철환, 박성락, 엄길정.

현대차 1공장 정규직 대의원 4인방은 비정규직에게 '아이돌'이다. 함께 공장에서 일할 때에도, 지난해 신차 투입을 이유로 비정규직을 대량 정리해고하려고 했을 때에도, 불법 파견 정규직화를 요구하며 1공장 점거 파업에 들어갔을 때에도 4인방은 늘 비정규직과 함께 있었다.

1공장 정규직 대의원회는 어제 1천여 명의 조합원이 모인 가운데 결의대회를 갖고, 회사가 대법원 판결에 따라 불법 파견 사내하청 노동자들을 정규직화할 것을 요구했다. 정규직 노동자들은 비정규직의 공장 점거 파업으로 앞으로 잔업과 특근이 어려운 상황이지만, 자신들과 함께 일하던 동생들의 농성을 적극 지지하고 있다.

파업 3일부터 농성장은 안정을 찾았다. 매일 저녁식사 후 광장에 모여 보고대회를 열기 시작했다. 오늘 하루 있었던 일들을 나누고, 지도부의 지침을 전달했다. 무엇보다 교육이 필요했다. 조합원들은 노동조합이 무엇인지, 불법 파견이 무엇인지 몰랐고, 노동운동의 역사도 제대로 배워 본 적이 없었다. 다른 공장의 비정규직 노동자들은 어떻게 싸웠는지, 왜 이번 파업이 중요한지 알고 싶어 했다.

파업농성장은 학교가 되었다.

첫 번째 강사는 강성신 대의원이다. 주제는 현대차 노동운동의 역

사. 모두들 귀를 쫑긋 세우고 듣는다. 1987년 민주노조가 만들어진 이야기와 1998년 36일간의 정리해고 파업, 그리고 왜 지금 비정규직의 파업이 중요한지를 얘기한다. 대부분의 비정규직은 IMF 경제위기 이후 입사했기 때문에 1998년 파업을 모른다. 정규직 노동자들의 36일간의 점거 파업은 12년의 세월을 넘어 비정규직 정규직화를 요구하는 점거 파업으로 울산과 전국을 뒤흔들고 있는 것이다.

"아야~ 아야~ 불법 파견 박살내고 정규직화 쟁취하자!"

그의 특이한 구호 소리를 따라 하는 조합원들의 목소리는 더욱 우렁차다.

정규직 4인방은 농성장 지킴이고 심부름꾼이자 고립된 섬마을과 육지를 연결해 주는 전령사이기도 하다. 비닐, 깔판, 휴지, 비누, A4용지, 매직, 수건 등 농성에 필요한 물품들이 이들의 손을 거쳐 공장 안으로 들어온다. 컴퓨터와 프린터, 빔프로젝트도 들여왔다.

비정규직 노동자들이 정규직 형님들에게 보내는 편지를 쓰면, 이 편지는 이들의 손을 거쳐 공장 곳곳에 붙여진다. 매일 오후 노동자들에게 지급되는 빵과 음료도 농성장으로 들어온다.

회사가 발행하는 〈함께 가는 길〉이나 담화문, 정규직 현장조직 유인물도 챙겨 농성장에 전달한다. 회사가 관리자들을 통해 현장에 유포하고 있는 유언비어, 화장실에 뿌려진 유인물도 가져다준다.

환자가 많다. 갑자기 추워진 데다 회사가 난방을 차단하면서 감기 환자가 급증했다. 평소 지병이 있어서 약을 먹고 있는 이들도 있다. 정규직 4인방은 가족들에게 연락해 개인 의약품도 들여온다.

이들이 비정규직과 친하다 보니, 무리한 부탁도 하는 모양이다. 담배와 커피에서부터 몰래 술까지 주문했다는 이야기도 들린다. 안 되겠다 싶어 회의에 안건으로 올렸다. 술은 금지하기로 했다.

〈농성수칙〉

개인행동은 절대 하지 않으며, 반드시 지회 쟁대위의 지침에 따른다.

〈개별 반입물품에 대한 방침〉

개별 의약품, 세면도구, 취침도구를 제외한 모든 물품은 공동 분배한다.

조합원들은 1공장을 '선봉 1공장'이라고 부른다. 조직력도 튼튼하고, 비정규직에 대한 연대도 가장 활발하다. 점거 파업에 들어간 11월 15일 1공장 사업부 대의원회는 "비정규직 파업 대체인력 투입에 대해서 정규직 조합원 및 관리자 투입에 대해 단호하게 대처하고 비정규직 투쟁에 대해 엄호 지지한다."고 결정했다. 1공장 정규직 대의원, 현장위원들은 11월 15일 밤부터 주야 교대로 돌아가며 농성장 입구를 지키고 있다.

11월 16일부터 정규직의 지지 방문이 쉴 새 없이 이어지고 있다. 16일에는 현대차지부와 울산 공장 정규직 9개 사업부 대표들이 방문해 요구사항에 대해 이야기를 나눴다. 17일에는 1공장 백기홍 대표와 5공장 권혁문 대표, 5공장 대의원과 현장위원 60명이 찾아왔고, 김밥과 라면, 생수와 투쟁기금을 전달했다.

권혁문 5공장 대표는 "이 투쟁을 저희들이 나서서 힘차게 했어야 하는데 현실의 한계에 대해 양해해 달라."며 끝까지 함께 투쟁하고 연대하겠다고 약속했다. 백기홍 1공장 대표도 "1공장을 책임지는 사업부 대표로 이 투쟁을 승리하도록 제가 가진 모든 것을 걸고 최선을 다하겠다."며 "노동자의 양심과 진심을 걸고 연대하겠다."고 말해 큰 박수를 받았다.

현장조직들도 나섰다. 금속민투위, 민노회, 민주현장, 평의회 등 7개의 현장조직은 11월 17일 성명서를 발표하고 비정규직지회의 공장 점거 파업에 정규직 역시 공동투쟁으로 나서야 한다고 밝혔다.

이들은 "불법을 바로잡는 일에 정규직 지부가 먼저 대응하지 못한 것이 부끄럽지만 이제라도 정규직 지부가 공동투쟁의 주체로 서서 단호히 대처하고, 저 오만방자한 사측에 조합원의 힘을 보여 주자."고 했다.

7개 현장조직 대자보가 화장실 벽에 붙여지자 조합원들이 몰려든다. 현대차 이경훈 지부장이 속한 '전현노'라는 조직까지 포함된 것을 보면서 조합원들은 정규직의 연대에 기대를 건다.

정규직이 함께한다면 이 싸움은 결코 질 수 없다. 그렇지만 회사가 가만히 지켜보고만 있지는 않을 것이다. 정규직과 비정규직을 갈라치기하고 이간질할 것이 뻔하다.

이 소중한 연대의 분위기를 어떻게 이어 갈 수 있을까?

4일차_ 11. 18.

침탈(1)

"비상, 비상."

찢어질 듯한 목소리와 호루라기 소리가 농성장을 흔든다.

11월 18일 오후 3시 30분 김호성 현대차 1공장장이 관리자 50명과 함께 농성장으로 몰려왔다. 농성장 입구에는 정규직 간부들 20명이 지키고 있었다. 김호성 1공장장은 농성장에 들어가 화기, 위험물, 설비상태를 확인하겠다고 했다.

조합원들이 거둬 준 간식을 가지고 오던 박성락 대의원이 안 된다고 막아섰다. 관리자들이 대의원들을 끌어내기 시작했고, 몸싸움이 벌어지자 함께 온 기자들이 사진을 찍어 댔다. 박성락은 끌려 나가지 않으려고 계단 난간을 잡고 버티다 사지가 들린 채 바닥에 내동댕이쳐졌다. 갈비뼈를 다친 그는 구급차에 실려 병원으로 옮겨졌다.

김호성 공장장은 다시 '퇴거통고서'를 전달하겠다며 관리자들과 함께 농성장 진입을 시도했다. 30분간 격한 싸움이 벌어졌고, 또 두 명이 쓰러져 구급차에 실려 갔다. 침탈은 멈추지 않았다. 맨 앞에 서 있던 김호성은 관리자들에게 밀라고 지시했고 한 시간 동안 싸움이 계속됐다. 이들은 '퇴거통고서'를 읽고 난 후 돌아갔다.

정규직 간부들이 침착하게 대응해 잘 막았다. 회사는 공장장이 비정규직에게 맞아 쓰러지는 사진을 대서특필하고 싶어 기자들을 데리고 작전을 벌였지만, 우리는 말려들지 않았다.

회사의 공격에 우왕좌왕하던 조합원들이 차츰 자리를 잡아 갔다. 그러나 언제 또다시 공격할지 모르는 상황이다. 조합원들의 눈에 불안감이 실려 있다.

조합원 하나가 핸드폰을 내민다.

> "무단결근으로 회사 운영에 막대한 지장을 초래하고 있어 업무복귀를 명하며 미복귀 시에는 근무의사가 없는 것으로 판단 사규에 의거 조치할 예정임을 통보합니다. 세동기업 대표"

4공장 세동기업, 드림산업 바지사장들이 문자 메시지를 보냈다. 다른 사내하청 사장들도 문자를 보낸 것이 확인됐다. 겉으로 표현하지는 않았지만, 걱정하는 눈빛이다. 현대차는 이렇게 하청업체를 동

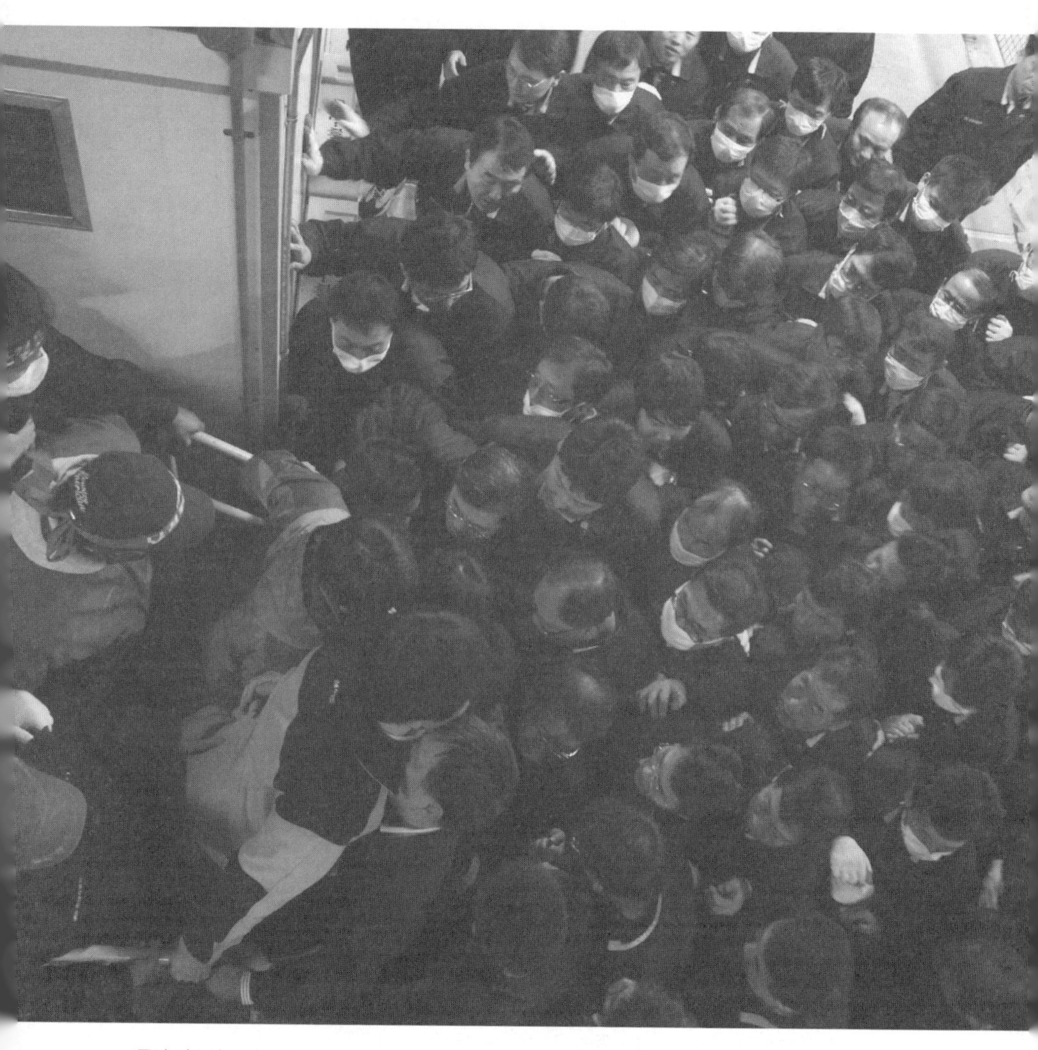

1공장 김호성 공장장이 관리자들과 함께 농성장 진입을 시도하고 있다.

원해서도 조합원들을 불안하게 만든다.

현대차 노무관리를 총괄하는 윤여철 부회장이 내려온 이후 회사의 방향이 분명해졌다. 교섭을 통한 해결이 아니라 무력으로 진압하겠다는 것이다. 현대차는 3대 작전을 전개하고 있다.

> 첫째, 폭력으로 조합원들을 움츠리게 만든다.
> 회사는 11월 15일부터 모든 관리자들과 용역 경비를 동원해 파업을 무차별 폭력으로 진압한다. 경비대를 동원해 조합원들에게 가공할 폭력을 가하고, 경찰을 통해 핵심 간부들을 구속한다. 폭력의 기억은 노동자들을 주춤하게 만든다.
>
> 둘째, 농성장을 불안하게 만든다.
> 쉴 새 없이 농성장을 공격해 조합원들을 불안에 떨게 하고, 하청업체를 동원해 해고를 협박하며, 가족과 정규직을 통해 파업을 이탈하게 만든다. 경험이 부족한 노동자들은 회사의 협박에 불안할 수밖에 없다. 가족의 건강이나 친척의 부음 등을 이유로 농성장을 떠나게 만들고, 이탈하는 조합원들이 점점 늘어나 스스로 무너지게 한다.
>
> 셋째, 정규직과 비정규직을 갈라놓는다.
> 대법원 판결과 회사의 폭력으로 정규직이 비정규직 파업에 우호적인 태도를 보였다. 농성자들에 대한 지지가 늘어나고, 정규직 노조의 연대투쟁에 대한 압력이 커졌다. 이를 방치하면 비정규직의 파업은 장기화되고, 정규직과 비정규직 모두와 싸워야 한다. 그래서 회사는 무슨 수를 써서라도 정규직과 비정규직을 갈라놓아야 한다. 이를 위해 정규

직 노조를 이용한다.

11월 17일 회사는 "하청노조의 불법 라인 점거, 폭력행위…. 회사는 불법행위에 대해 단호히 대처해 나갈 것입니다"라는 제목으로 〈함께 가는 길〉을 발행했다.

"볼트를 던지고, 소화기를 뿌리고…. 또다시 우리의 일터가 폭력과 무질서로 얼룩지고 있습니다!"

"이번 하청노조의 불법행동으로 잔업 등 생산차질이 발생하여 우리 직원의 임금손실까지 우려되는 상황입니다."

현대차는 하청노조의 불법폭력으로 우리(정규직)의 일터가 얼룩지고, 우리(정규직) 직원의 임금손실까지 우려된다고 말한다. 현대차는 생산이 중단된 1공장에 대해 2시간 잔업 수당을 지급하지 않고, 파업이 계속되면 휴업할 수밖에 없다는 소문을 퍼뜨린다.

> "적과 아군의 실정을 잘 비교 검토한 후 승산이 있을 때 싸운다면 백 번을 싸워도 결코 위태롭지 아니하다. 그리고 적의 실정은 모른 채 아군의 실정만 알고 싸운다면 승패의 확률은 반반이다. 또 적의 실정은 물론 아군의 실정까지 모르고 싸운다면 만 번에 한 번도 이길 가망이 없다." 《손자(孫子)》 〈모공편(謀攻篇)〉

'지피지기 백전불태(知彼知己百戰不殆)'라고 했다. 우리는 저들의 힘을 잘 알고 있을까? 우리는 우리의 실력을, 정규직과 비정규직의 현실을 직시하고 있을까? 우리는 이길 수 있을까?

어둠 속에서 두려움과 희망이 교차한다.

나쁜 공장

현대자동차는 나쁜 공장이다.

노동부는 2004년 현대차에서 일하는 1만 명의 사내하청 노동자들은 불법 파견이라고 판정했다. 1998년 제정된 근로자파견법에 따라 2년 이상 일한 파견 노동자는 정규직이라는 뜻이다. 당연히 정규직으로 전환했어야 하지만, 그들은 무시하고 뭉갰다.

6년의 세월이 흘렀고, 7월 22일 대법원에서 2년 이상 사내하청은 현대차 정규직이라고 판결했다. 그러나 오늘까지 4개월이 지나도록 '쌩 까고' 있다. 근로자파견법이 위헌이라는 위헌법률심판제청을 냈지만, 11월 10일 서울고등법원에서 보기 좋게 기각당했다. 그래도 현대차는 끄떡없다.

사회적으로 비정규직 문제가 심각하고, 대법원의 판결까지 난 마당이다. 올해 5조 원이 넘는 순이익을 남긴다는데, 1만 명을 정규직으로 전환하는 비용이 1170억 원밖에 안 된다. 비정규직을 정규직으로 전환하면 애사심도 높아진다. 무엇보다 비정규직을 정규직화할 경우 많은 국민들이 정몽구 회장을 존경할 것이다.

그러나 현대차는 대화가 아니라 진압을 선택했다. 비정규직이 현대차만의 문제가 아니라는 뜻이다. 현대차에서 사내하청 노동자들을 정규직화하면 기아차, 현대모비스, 현대제철, 현대하이스코 등 계열사 사내하청 노동자들이 들고일어날 것이다.

올해 2월 자동차 완성사와 부품사들의 매출액, 순이익, 정규직과 비정규직 인원, 매출액 대비 고용 현황 등을 분석했다. 현대차의 핵심 계열사인 현대모비스의 12개 공장을 조사했더니 충격적이었다. 정규직과 사내하청 비율을 확인한 결과 생산직 노동자 중 사내하청 비율이 58%였다. 10명 중 6명이 비정규직이라는 뜻이다. 12개 공장 중에서 8개 공장은 비정규직 비율이 최소 73%에서 최대 95%였다. 정규직은 관리직이고, 생산공정은 사내하청만으로 운영되는 '비정규직 공장'이었다. 현대모비스는 진짜 나쁜 공장이다.

2008년 4월 금속노조 간부들이 현대차 인도 공장을 방문했다. 첸나이 공장은 생산직 노동자 8400명 중 견습생, 수습생, 사내하청 등 비정규직 노동자가 80%에 달했다. 정규직 임금은 월 30만~40만 원이었지만 사내하청 노동자는 월 7만 5천 원으로 정규직의 25% 수준이었다. 오죽했으면 〈중앙일보〉조차 "현대차 인도 공장은 과도한 비정규직 고용으로 임금을 최소화할 뿐 아니라 노조를 탄압하는 외국기업 이미지로 비춰지고 있다."라고 보도했을 정도다. 현대차 인도 공장은 아주 나쁜 공장이다.

기아차 모닝을 만드는 서산 공장의 생산라인에 정규직 노동자는 몇 명일까? 믿을 수 없겠지만 '0'명이다. 자동차를 만드는 라인은 17개 업체 950명의 사내하청 노동자들로만 채워져 있다. 동희오토 소속 150여 명의 정규직은 품질관리, 생산과정 체크 등 사무 관리직으로 현장을 '관리'한다.

이 공장은 기아 공장이 아니다. 기아차와 자동차 부품업체인 동희산업이 공동 출자한 최초의 자동차 외주공장이다. 회사 이름은 동희오토다. 여기서 만들어지는 자동차는 기아차 이름을 달고 팔린다.

시골 마을에 자동차공장이 들어선다고 했을 때 주민들은 너나없이 기뻐했다. 울산처럼 공업도시가 될 수 있겠다는 꿈을 꿨다. 군대를 막 제대한 20대 후반의 젊은이들은 '정규직'인 줄 알고 이 회사에 들어갔다. 그러나 그것은 '헛꿈'이었다. 처음부터 끝까지 '영원한 비정규직'이었다.

이들의 시급은 법정 최저임금보다 20원 많았고, 이 공장 설립과 동시에 입사해 만 5년을 근무한 노동자들이 주야 10시간 노동에 주말 특근까지 온몸이 파김치가 되도록 일해서 받는 연봉이 2500만 원이었다. 지금은 임금이 올라 법정 최저임금보다 200원 정도 더 받는다.

기아차에서는 모닝공장을 서산 공장이라고 부른다. 이 공장에서 만들어진 모닝으로 기아가 떼돈을 벌고 있다. 그런데 모닝공장의 직원은 기아차 정규직도, 기아차 비정규직도, 동희오토 정규직도 아닌, 이름도 알 수 없는 17개 사내하청업체 노동자들이다. '정규직 0명 공장'의 대명사가 된 동희오토, 기아차 모닝공장은 정말 나쁜 공장이다.

2008년 4월이었다.

선박용 저속디젤엔진을 생산하는 STX중공업에 생산직 노동자 가운데 정규직이 한 명도 없다는 소식을 듣고 이를 확인하기 위해 창원지방노동사무소에 전화를 걸었다. 담당 감독관은 생산공정에 정규직이 몇 명인지, 하청노동자는 몇 명인지 전혀 알지 못했다.

강력히 문제를 제기하자 한참 후 담당 감독관은 정규직은 본사까지 포함해 506명이고, 창원 공장은 26개 사내하청업체에 1840명의 하청노동자들이 일하고 있다고 알려왔다. "506명은 사무직과 관리직일 테고, 현장에 생산직이 한 명이라도 있느냐?"고 묻자 그는 "그것까지는 모르겠다."고 대답했다.

26개 하청업체 1840명의 하청노동자들이 STX중공업 공장에서 선

박용 엔진을 만들고 있는 것이다. 현대중공업 군산 조선소도 정규직 노동자는 관리자들뿐이고, 사내하청에 소속된 비정규직이 3천 명에 이른다. STX중공업, 현대중공업 군산 공장 모두 나쁜 공장들이다.

비정규직 없는 공장에 대해서도 조사했다. 2010년 2월 기준으로 금속노조 100인 이상 사업장 126곳 중 36개 사업장에서 생산공정에 비정규직이 단 한 명도 없었다.

이들은 단체협약에 "비정규직을 노사 합의 없이 사용할 수 없다."라거나 "용역 및 하도급으로 전환할 때 노사 합의한다."라고 해 생산라인에 사내하청 사용을 막아 왔다.

케피코, 두원정공, 동양물산, 센트랄, 에코플라스틱, 동원금속, 한국게이츠, 캄코, 유성기업, 콘티넨탈, 대한칼소닉, 세정 등은 종업원 규모가 500명이 넘는 사업장임에도 모든 생산공정에 정규직을 채용하도록 해 노동자들의 고용안정을 도모하는 한편, 정규직 채용을 늘리는 일자리 창출에도 기여하고 있었다.

오늘, 이곳 울산에서 '비정규직 없는 공장'을 만들기 위한 싸움이 시작됐다.

비정규 운동 2세대

김성욱. 1979년생 양띠. 32세.

작지만 다부진 체격에 강단 있는 인상의 그는 현대차 비정규직지회 1공장 대표다. 지금 이곳 CTS 농성장에 있는 조합원 중 절반이 훨씬 넘는 1공장 조합원들을 책임지고 있다. 달변가도 지략가도 아니다. 소위 '학출(학생운동 출신)'은 더더욱 아니다. 하지만 단호하고 분명하게 말하는 그의 모습에서 카리스마가 느껴진다.

부모에게 물려받은 것 없이 몸뚱이 하나로 살아온 노동자, 그것도 정규직과의 차별과 멸시를 온몸으로 느껴 온 비정규직 노동자의 직감과 분노, 새로운 세상에 대한 열망이 싱그럽게 살아 있다. 노동조합의 경험이 많지는 않지만 나이 많은 형님들부터 동생들까지 그에게 보내는 신뢰가 남다르다.

2공장 이진환, 시트2부 박영현, 변속기 이상혁, 여성 대의원 김미진 모두 1979년생 양띠다. 스타일과 입장은 서로 다르지만 11월 15일 울산 공장을 뒤흔든 주역들이다. 논리도 탄탄하고, 분석력도 뛰어나고, 선동 능력도 대단하다. 모두 자신들이 속한 공장 조합원들의 신뢰를 받고 있다. 농성장에서 '양띠클럽'으로 부른다.

이들은 선행학습 후 노동현장에 투입된 소위 '학출'이 아니다. 1998년 외환위기 이후 정규직 취업이 사라지고 비정규직 일자리밖에 없던 시절, 먹고살기 위해 공장에 들어왔다. 10년을 넘게 정규직 '형님'들과 마주 보고 일하면서 가슴 깊은 곳에 정규직화에 대한 열망과 꿈을 간직했다. 정규직과 함께 싸운다면 이길 것이라는 희망을 꿈꿨다.

이들은 2003년 현대차에서 비정규직 노동운동을 이끌어 온 1세대가 노동조합을 만들고, 공장을 점거하고, 공장을 쫓겨나는 것을 지켜보면서 노동운동을 배웠다. 2006년 이후 5년 넘게 침묵과 굴종의 세월을 감내하면서, 제2의 투쟁을, 세상을 깜짝 놀라게 할 싸움을 준비해 왔다. 이들은 개량과 타협으로 비정규직의 굴레를 결코 벗어날 수 없다는 것을 알고 있다.

이들은 세상과 등진 채 나사만 돌리는 노동자가 아니다. 나사를

현대차 비정규직지회 김성욱 1공장 사업부 대표가 11월 17일 정규직들이 지지방문한 자리에서 구호를 외치고 있다.

돌리는 순간에도 '스마트폰'을 손에 들고 세상과 소통한다. 비정규직, 사내하청 노동자의 처지가 무엇인지, 대법원의 판결이 무엇을 의미하는지, 회사의 입장은 무엇인지 실시간으로 확인한다.

이들은 정파의 굴레에 갇혀 세상을 재단하는 '골방좌파'가 아니다. 신자유주의의 폐해를 누구보다 온몸으로 겪으며 노동자의 삶을 알았고, 노동과 삶 속에서 비정규직 투쟁의 필요성을 느꼈고, 자본주의를 넘어선 더 나은 사회를 꿈꿨다. 나만이 옳다는 교만이 아니라 더 넓게 연대해 함께 싸워야 한다는 것을 배웠다.

적당한 타협과 뒷거래가 아니라 원칙을, 정규직 노동자에 대한 분노가 아니라 연대를, 대중들로부터 고립이 아니라 지지를, 다른 노동자에 대한 경멸이 아니라 소통을 배웠다. 대중의 바다 속에 살아 뛰는 열린 좌파다. 이들은 현대차 비정규직 투쟁 2세대다. 이들은 앞으로 한국 노동운동을 이끌어 갈 새로운 세대다. 물론 이번 투쟁의 '아이콘'은 이상수 지회장이다. 순한 외모에 약간은 어수룩한 인상이지만 이번 싸움을 멋지게 일으켜 놓았다. 지금 그의 뒤에서 젊은 노동자, 비정규 운동 2세대가 달려오고 있다.

5일차_ 11. 19.

정규직 민심 쟁탈전(1)

공장은 회사와 노조, 현장조직들이 노동자들의 마음을 얻기 위해 민심 쟁탈전을 벌이는 공간이다. 전국에 흩어져 있는 사업장들과는 다르게, 컨베이어 벨트를 중심으로 밀집해 생활하는 자동차 공장의 경우 특히 그렇다.

식당 안에는 늘 회사와 노조, 각 현장조직의 홍보물이 넘쳐난다. 식사를 마친 노동자들은 각 조직에서 나온 선전물을 하나씩 챙겨 한 뭉치를 들고 식당을 나선다.

자동차 공장은 1980~90년대 대학가 여론을 주름잡았던 대자보가 여전히 위력을 발휘하는 곳이다. 회사도 공장장 담화문과 대자보를 붙이고 노조와 현장조직뿐 아니라 대의원이나 조합원 개인까지 실명으로 대자보를 붙이기도 한다. 현대차 정문에서 노동조합으로 걸어오면서 본관 식당 앞 게시판에 붙은 대자보를 읽지 않으면 현장의 정서를 알기 어려울 정도다.

11월 19일 아침 7시. 현대차 4공장 문 앞에서 기이한 장면이 벌어졌다. 현대차 대표이사 강호돈이 관리자들을 직접 이끌고 회사 유인물을 배포하고 있었다. 이들의 손에는 11월 17일 발행한 〈함께 가는 길〉이 들려 있었다. 회사는 본관 정문 앞에도 선전물을 뿌렸다.

점거 파업 5일이 지나도록 해결될 기미가 보이지 않는 데다 공장 안에서 비정규직에 대한 여론이 좋은 상황에서 나온 궁여지책이었다. 회사는 "오죽했으면 대표이사까지 나서서 저러겠어? 비정규직이 너무하는 것 아냐?" 하는 동정심을 노렸을 것이다.

공장 밖에서는 비정규직이 정규직의 연대를 호소하는 선전물을 나눠 주고 있었다. 공장 문을 사이에 두고 회사와 비정규직지회가 정규직의 마음을 얻기 위해 민심 쟁탈전을 벌이는 상황이 연출된 것이다.

비정규직 노동자들도 이 싸움의 승패가 정규직의 연대에 달려 있다는 것을 잘 알고 있었다. 조합원들은 색지 한 장에는 자신의 요구와 바람을, 다른 한 장에는 정규직에게 연대를 호소하는 글을 썼다.

> "행님여, 이번에 죽기를 각오했심더. 도와주이소."
>
> "너무 춥고 배고프지만 끝까지 싸우겠심더. 행님들, 같이 싸워 주이소."

정규직 형님들에게 쓴 글은 정규직 대의원들에게 전해져 각 공장에 붙여졌다.

1공장의 어느 조합원은 장문의 편지를 썼다. 그의 편지는 홈페이지와 정규직 활동가들의 선전물에 실려 공장 안으로 퍼져 나갔다.

우리 아이들 비정규직 굴레 벗어나도록 도와주십시오!

현대차 1공장에서 농성하는 비정규직 조합원이
정규직 동지들에게 보내는 편지

10년이라는 시간 동안 현대차 비정규직이라는 꼬리표가 언제나 당연한 것처럼 생각하며, 또 당연하다고 느끼며 나름대로 열심히 일을 했습니다.
그러나 2010년 7월 22일 대법원의 판결을 보고 “아, 나도 정당한 현대차 정규직 직원이지 비정규직이 아니었구나.” 하는 것을 처음 알았습니다.
그 전까지는 나는 비정규직이니 정규직 관리자나 업체 관리자 눈을 벗어나면 어떤 불이익을 당할지 모른다는 생각에 항상 조심 또 조심하며 일이 힘들고 고달파도 묵묵히 침묵을 지켰습니다.
지금 생각하면 지난 일이기에 과거를 되돌려 받지 못하지만, 이제부터라도 현대차는 우리들에게 붙은 ‘비’라는 호칭을 떼어 주길 바라며 지금 이 투쟁에 임하고 있습니다.
현대차는 지금 우리가 벌이는 투쟁이 불법이라며 관리자와 용역을 동원해서 우리를 공장 밖으로 쫓으려 하고 있는데, 정말 서글픈 생각에 눈물이 글썽거립니다.

얼마 전까지는 함께 일하며 인사 나누던 큰형님이나 부모님 같던 관리자 분들이 멱살을 잡으며 욕을 하는 이런 상황이, 관리자 분들 또한 저와 비슷한 마음이시리라 생각되네요.
파업 첫날 1공장에서 관리자 분들과 대치하며 차마 멱살을 잡을 수도,

폭력을 쓸 수도 없었기에 서로서로에게 "때리지는 마세요."라며 서로를 진정시키며 힘겨운 싸움 아닌 싸움을 했었죠.
생전 처음 해 보는 대치라서 두렵기도 하고 겁도 났지만 서로가 서로를 다치게 하지 않을까 하는 걱정이 앞선 것이 사실입니다. 서로가 서로의 입장을 알기에 더욱 그러했던가 봅니다.
오늘로 1공장 농성 4일째. 그리 큰 충돌은 없었지만 저희는 배고픔과 추위 그리고 두려움과 걱정에 힘겨운 나날을 보내고 있습니다.

가끔씩 방송을 통해 흘러나오는 소식과 격려차 방문해 주시는 분들이 계시기에 용기를 얻어 이겨 내고는 있지만 언제 끝날지 모른다는 걱정에 하루하루가 무척이나 힘이 듭니다.
현대차에 하고픈 말은 이제라도 우리들의 정당한 권리를 인정해 달라고 요청하고 싶네요. 현대차는 불법을 자행하면서 우리의 파업이 불법이라며 불법을 운운하는 모습은 참 보기가 안쓰럽네요.
정규직 조합원들께 하고 싶은 얘기는 지금 우리의 파업이 비정규직만의 문제라고 생각하지 말아 달라는 부탁을 드리고 싶어요. 지금 내가 비정규직이 아니니, 내 자식들은 공부를 잘하니 비정규직이 될 리 없다고 생각하고 계시다면 그건 커다란 오판이라고 생각합니다.
저희도 비정규직이 되고 싶어 비정규직이 된 것은 아니니까요.

지금부터라도 비정규직을 내 자식처럼 동생처럼 가족처럼 생각해 주시고 대해 주신다면, 그리고 비정규직 철폐에 동참해 주신다면, 그것은 지금 투쟁하는 저희들만을 위한 투쟁에 동참해 주시는 게 아니라 내 자식, 내 형제자매들을 비정규직이라는 굴레에서 벗어나게 해 주는 힘이 되리라 생각됩니다.

지금 힘들게 싸우고 있는 저희들에게 작은 힘이라도 보태어 주실 수 없을까요?

-2010년 11월 18일 현대차비정규직지회 1공장 조합원 드림

회사는 "하청노조는 교섭도 거부하고 당장 정규직 사원증 내놓으라고 한다."라는 유언비어로 정규직과 비정규직을 이간질하고 있었다. 또 동성기업 고용승계가 해결되면 농성을 중단할 것이라는 소문도 돌았다.

다급하게 이상수 지회장이 〈정규직 동지들에게 드리는 호소문〉을 대자보로 작성해 "우리는 불법 파견 문제가 대화와 교섭으로 해결되기를 원한다."며 연대를 호소했다.

"일부에서는 시트사업부 동성기업의 문제가 해결되면 되는 것 아니냐고 얘기합니다. 하지만 저희들은 하청업체에서 해고돼 다른 하청업체로 고용되기 위해 싸우는 것이 절대 아닙니다. 대법원 판결도 원청인 현대차가 직접 정규직으로 고용하라고 한 것입니다."

"그동안 금속노조와 비정규직지회가 교섭을 요구해 왔지만, 현대차지부가 교섭과 투쟁에 함께한다면 저희들에게는 훨씬 큰 힘이 될 것이라고 확신합니다. 정규직 동지들이 불법적인 대체인력 투입과 용역 깡패, 폭력 경찰을 막아 내고 교섭과 투쟁에 함께해 주신다면 전국에서 지켜보고 있는 불법 파견 정규직화 투쟁은 꼭 이길 수 있다고 확신합니다."

우리는 회사가 발행한 〈함께 가는 길〉에 대해서도 조목조목 반박

하는 “대법원 고등법원 판결은 개무시, 중노위는 존중?”이라는 제목의 소식지를 제작해 공장에 배포했다. 비정규직이 폭력을 휘둘렀다는 회사에 대해 “비정규직 30명이 특전사 출신 ‘아저씨’도 아닌데, 700명에게 부상을 입히는 폭력을 휘두른단 말인가. 지나가던 개가 웃을 일”이라고 썼다.

“같이 라인 타는 정규직 형님들에게 우리가 매일매일 전화해서 도와달라고 하면 어떨까요?”

보고대회 시간에 한 조합원이 제안한다. 수십 장의 선전물보다 동생의 전화 한 통이 더 와 닿을 것이다. 보초를 서고 부족한 잠을 자면서도 조합원들은 틈틈이 형님들에게 전화를 걸고 편지를 쓴다.

아름다운 연대의 밤이 깊어 가고 있다.

정규직 노조와 혼선(?), 서로 다른 이해(?)

정규직 노조와 혼선이 생겼다.

11월 15일 점거 파업이 시작되자, 현대차지부 강정형 조직강화실장은 비정규직 이상수 지회장에게 요구사항이 무엇인지 공문을 보내 달라고 했다. 현대차 비정규직 3지회는 9월 29일 모든 사내하청 정규직화, 체불임금 지급, 불법 파견 대국민 사과 등 8대 요구안을 회사에 발송하고 교섭을 요구했기 때문에 요구안을 또다시 이야기할 필요가 없었다.

그런데 비정규직지회는 어리숙하게도 요구안을 공문으로 만들어 11월 16일 지부에 발송했다. 농성장에 컴퓨터가 없었기 때문에 이상수 지회장과 최정민 사무장이 논의해 지회 사무실에서 공문을 작성해 정규직 노조에 전달했다. 농성장에 있던 비정규직 간부들과 조합원들은 공문 내용을 전혀 알지 못했다.

이 공문은 △회사와 교섭창구 마련 △동성기업 기득권 저하 없는 고용승계 △파업 관련 민형사상 면책 △연행자 석방 및 피해보상 등 4대 요구안을 담고 있었다.

11월 16일 현대차지부를 통해 공문 내용이 알려졌고, 비정규직의 요구사항이 동성기업 고용승계와 파업에 대한 면책인 것처럼 얘기가 돌기 시작했다. 11월 17일 오전 10시 비정규직지회는 회의를 열어 △교섭 실시 △연행자 석방 및 부상자 치료비 지급이라는 현대차 회사에 대한 요구와 △대체인력 저지 △식량 반입 △공동투쟁 등 현대차지부에 대한 내용을 구분해 공문을 다시 발송했다.

이에 대해 현대차지부는 17일 확대운영위원회를 열어 비정규직지회의 요구사항을 다시 확인하기로 하고 이날 오후 이상수 수석부지부장이 1공장 농성장을 방문, 이상수 지회장을 만났다. 현대차지부 이상수 수석부지부장은 비정규직 담당 임원으로 이상수 지회장과 이름이 똑같다. 이상수 수석부지부장은 그 자리에서 비정규직지회에 동성기업 폐업사태 우선해결을 통한 농성해제라는 단계적 해결방안을 제시했다.

11월 17일 밤 비정규직 쟁대위 회의가 다시 열렸다. 금속노조 김형우 부위원장은 "동성기업 폐업 문제가 해결되면 농성을 정리하라는 것은 말도 안 된다. 기존 8대 요구안을 그대로 던지고, 일곱 번째 요구안인 계약해지에 시트를 포함시키면 되는 문제다. 현대차지부는 교섭위원으로 참여하면 된다."라고 정리했다.

비정규직지회는 11월 18일 새벽 1시 30분 '쟁대위 결정사항'이라

11월 17일 저녁 만난 이상수 현대차 비정규직지회장(왼쪽)과 이상수 현대차지부 수석부지부장. 둘은 동명이인이다.

는 공문을 현대차지부에 발송했다. 파업의 요구사항은 9월 29일 발송한 8대 요구안이며, 현대차가 조건 없이 교섭에 임하라는 내용이었다.

그러자 현대차지부는 11월 18일 시트공장 동성기업 문제 해결은 가능하지만, 불법 파견 문제는 정규직 노조가 진행할 사안이 아니라는 회신공문을 보냈다.

정규직 노조는 18일 노조 신문을 통해 "비정규직지회가 이후 파행되는 문제점을 고려하지 않고 독자적인 행동에 돌입한 부분은 우리 모두에게 큰 짐"이라며 "사태 해결의 핵심은 시트 동성기업 노동자들의 조건 없는 고용승계와 파업 관련 손해배상 및 민형사상 책임을 묻지 않는 것"이라고 썼다.

비정규직지회의 혼란스런 공문은 이후 정규직 노조가 비정규직을 공격하는 중요한 무기로 쓰였다. 현대차지부는 이 공문을 근거로 비정규직의 요구가 고용승계와 파업 면책이었는데 비정규직이 입장을 계속 번복했다고 비난했다. 어리숙한 비정규직 노동자들이 세련된 정규직 노조에 빌미를 준 일이었다.

기륭 '전설'을 만나다

낮 12시가 조금 넘은 시간, 농성장에 기륭전자 김소연 분회장이 나타났다. 오후 4시 정문 앞에서 개최될 예정인 전국노동자대회에 앞서 조합원들과 투쟁의 경험을 나누고 용기를 불어넣어 주기 위해 어렵게 공장 안으로 들어왔다.

회의에서 조합원 교육 강사로 가장 많이 추천된 이가 김소연이다. 이곳 농성장에 들어오기 보름 전인 11월 1일 기륭전자는 1895일 만에 정규직화에 합의했고, 조합원들은 이 소식을 TV와 신문을 통해 알고 있었기 때문이다.

김소연이 500여 명의 조합원들 앞에 기륭의 상징인 분홍색 조끼를 입고 섰다. 조합원들은 쪼그마한 키에 삐쩍 마른 여인의 얼굴을 처음 본다. 이리 가냘픈 여성이 비정규직의 상징인 기륭을 6년간 이끌며 마침내 승리했다는 것이 믿기지 않는다는 표정이다. 그를 소개하자 공장이 떠나갈 듯이 환호한다.

그는 2005년 7월 5일 기륭전자에서 300명 중 200여 명이 노동조합을 만들고 55일간의 점거 파업을 벌였던 5년 전의 일을 회상하며 이야기를 시작했다. 힘겨웠던 점거 투쟁의 과정과 공장 밖으로 밀려나왔던 일, 고공농성과 세 차례의 단식, 94일간의 죽음을 넘나들던 단식농성 등 6년의 이야기를 풀어놓았다. 믿기지 않는 전설 같은 이야기를 거룩하지도 진지하지도 않게 웃으면서 한다.

2010년 10월 기륭전자 김소연 분회장이 포클레인 위에서 농성하고 있다.

그는 도급업체를 인수하라는 제안을 거부했던 일화를 들려준다. 시간은 오래 걸렸지만 원칙을 끝까지 포기하지 않고 싸웠기 때문에 결국 정규직화를 쟁취할 수 있었다며 원칙의 중요성을 강조한다.

그는 승리에 대한 희망, 동지에 대한 믿음을 포기하지 않아야 한다고 했다. 싸움이 길어지면 힘들어지고, 회사가 아니라 조합원들끼리 싸우게 된다는 것이다. 농성장에서 웃음을 잃지 말고 밝게 싸워 나가라고 한다. 기륭의 농성장은 늘 웃음꽃으로 가득했던 기억이 떠오른다.

> "대법원에서 진 기륭전자도 정규직화를 쟁취했는데, 대법원 · 고등법원 모두 이긴 현대차가 질 수 있겠어요?"

그의 미소 띤 얼굴을 보며 조합원들의 얼굴도 밝아진다.

말 없기로 소문난 경상도 사내들의 질문이 이어진다. 한 조합원이 "국회에서 조인식할 때 기분이 어땠냐?"고 묻자 그는 "투쟁 과정에서 함께했던 조합원들이 생각나서 속상했다."고 말한다. 그랬다. 국회에서 조인식하던 날 그의 눈에서는 눈물이 끊임없이 흘러내렸다. 열 명의 조합원 모두가 그랬다.

세월이 흘렀고, 지친 조합원들은 하나 둘 농성장을 떠나갔다. 비판하기도 하고 설득해 보기도 했다. 가정 형편을 얘기하며 흐느끼는 조합원에게 아무 말도 할 수 없었다. 그렇게 안아 주고, 그들을 떠나보냈다.

또 다른 조합원이 손해배상에 대해 어떻게 대응했는지 묻는다. 그는 조합원에 대해서는 손해배상을 청구할 수 없고, 간부에 대해서도 초과 근무를 통해 생산량을 만회했으면 손해배상을 할 수 없다는 고등법원의 판결을 기륭 조합원들이 받았다는 얘기를 전해 준다.

어느 대학교수의 강의보다, 어떤 높으신(?) 분들의 강연보다 훌륭하다. 6년의 세월을 오롯이 몸으로 싸워 이겨 낸 이의 살아 있는 경험이 생동감 있게 전해진다. 깊은 감동과 소통의 시간이다.

2010년 11월 1일 국회에서 김소연 분회장과 최동열 기륭전자 회장이 합의서에 서명했다. 1895일 만에 회사가 직접고용 정규직화를 받아들인 것이다. 현재 국내에 공장이 없기 때문에 1년 6개월 이내에 고용하기로 했고, 경영사정으로 인해 1년 6개월을 더 유예할 경우 생계비를 지급하기로 했다. 해고기간에 대한 화해협력기금, 고소고발 철회도 합의했다.

노동부의 불법 파견 판정을 받았지만, 2년이 지나지 않았다는 이유로 대법원에서도 졌던 기륭전자 노동자들은 법의 한계를 뛰어넘어 투쟁을 통해 정규직화를 쟁취했고, 비정규직 운동사에 큰 획을 그었다.

기륭전자 투쟁이 승리할 수 있었던 이유는 무엇일까?

첫째, 조합원들의 인간 한계를 뛰어넘는 강고한 투쟁이었다. 세 차례의 단식과 다섯 번의 고공농성, 생사를 넘나들었던 94일의 단식 등 기륭전자 조합원들의 6년에 걸친 투쟁은 회사를 망하기 직전까지 가게 만들었다. 결국 회사는 타협을 선택했고 정규직화를 수용하게 된 것이다.

둘째, 계급적 원칙을 포기하지 않은 신념이었다. 2008년 김소연 분회장의 94일 단식 당시 제3의 회사, 기륭전자 자회사 등의 중재안이 제안됐다. 이를 핑계로 사측은 이번 교섭에서도 자회사를 완강히 주장했다. 하지만 기륭 조합원들은 끝까지 정규직화라는 원칙을 지켜 냈다.

셋째, 사업장을 넘어선 사회적 투쟁의 힘이었다. 기륭은 2008년 1000일을 경과하면서 사회적 투쟁으로 승화됐고, 조합원들도 사업장을 넘어 전체 비정규직의 문제, 파견법의 문제를 걸고 싸웠다. 사회적으로 더 큰 저항을 불러올 수밖에 없었기 때문에 경찰과 사측은 포클레인 농성을 쉽게 진압할 수 없었다.

넷째, 아름다운 연대의 힘이었다. 기륭 조합원들이 전국을 다니며 만든 연대의 결과도 있었지만, 이름 없는 수많은 사람들의 아름다운 연대가 승리의 커다란 밑거름이 되었다. 포클레인에서 떨어져 중상을 입은 송경동 시인을 비롯해 수많은 기륭전자 '명예 조합원'의 힘이 조합원들을 지켜 냈고, 결국 승리를 만들어 낸 것이다.

지난여름이었다. 기륭전자의 교섭을 맡아 달라는 김소연 분회장의 거듭된 요청을 거부하지 못하고 9월 1일 회사측과 처음 만났다. 수차례의 교섭과 결렬, 중재와 실무협의, 단식과 포클레인 농성, 경찰 침탈, 국회의원의 중재와 결렬, 언론보도를 이유로 한 잠정합의 파기….

새벽부터 밤늦게까지 피 마르는 순간들이었다. 그렇게 두 달의 산고를 거쳐 11월 1일 국회에서 조인식을 했다. 타결되면 바닷가로 여행 가자던 그들과의 약속을 뒤로하고 나는 울산으로 와야 했다.

높으신 국회의원들의 방문

1공장 생산라인이 중단됐지만 정규직 노동자들은 출근을 한다. 농성장 바닥의 틈새로 라인을 지나다니며 장비를 정비하는 정규직의 모습이 보인다. 하지만 토요일과 일요일은 출근하지 않는다.

회사 관리자들이 아무리 많아도, 용역 깡패가 아무리 무서워도 정규직 조합원들이 있으면 회사가 농성장을 침탈하는 것이 쉽지 않다. 2005년 기아차 화성 공장에서 파업 중인 비정규직을 진압하기 위해 용역 깡패를 공장으로 불러들였다가 수천 명의 조합원들이 라인을 세우고 용역 깡패를 몰아낸 적도 있다.

주말에 침탈한다는 흉흉한 소문도 떠돈다. 정규직이 없는 빈 공장의 첫 번째 주말을 맞는 조합원들의 얼굴에도 긴장감이 역력하다. 아침에 있었던 현대차지부 대의원 간담회에서 많은 정규직 대의원들이 주말 농성장 사수 대책을 강력하게 요구했고, 이경훈 지부장이 반드시 농성장을 지키겠다고 약속했다는 얘기를 전해 들었지만, 불안감은 가시지 않는다.

김밥으로 끼니를 때우고 났는데, 현대차 이경훈 지부장이 민주노동당 이정희 대표, 진보신당 조승수 대표, 민주당 홍영표 의원 등 야 3당 의원들과 함께 나타났다.

조합원들이 광장에 모였다. 민주당 홍영표 의원은 "여기 있는 비정규직 조합원들이 반드시 정규직으로 일하게 될 수 있도록 노력하겠다."고 약속한다. 이정희 민주노동당 대표는 "국민들이 감동하고 있기 때문에 정규직과 비정규직이 힘을 합치면 이 싸움은 꼭 승리할 것"이라고 얘기했고, 조승수 진보신당 대표는 "정규직에게 불만이 있겠지만 정규직과 함께해야 이길 수 있다."고 당부한다.

파업 첫날 진보 양당의 대표가 울산에 내려오고, 5일 만에 민주당 국회의원까지 농성장을 방문했다. 야 4당 진상조사단도 꾸려졌다. 금속노조의 수많은 간부들이 울산으로 모이고, 48시간 공장을 지키겠다고 약속했다. 주말엔 진보신당과 민주노동당이 전 당원을 울산

야 3당 의원과 함께 농성장에 올라온 이경훈 현대차 정규직 노조 지부장

으로 모은다.

조합원들은 느낀다. 불법 파견 정규직화 투쟁이 왜 중요한지, 이 싸움이 왜 현대차만의 싸움이 아니라 전국적인 싸움이 될 수밖에 없는지 몸으로 느끼고 있다. 이럴 때 쓰는 말이 대리전이다. 나를 위한 투쟁이 전체 비정규직 노동자들을 위한 투쟁이 되는 계급 대리전이다.

그러나 왠지 흐릿하다. 왜 조승수 대표는 "정규직에게 불만이 있겠지만 정규직과 함께해야 이길 수 있다."고 말하는 것일까? 통상적으로 얘기하는 정규직과 비정규직의 연대와 다르게 전달되는 이유가 무엇일까? 내가 과민한 탓인가?

5일 만에 농성장을 처음 방문한 이경훈 지부장은 "대표이사에게 노사 간에 더 이상 폭력을 부르지 말자, 폭력방지를 요구했다. 두 번째, 대표이사는 여러분이 점거하는 1공장 휴업을 하겠다고 했는데 휴업은 안 된다고 했다. 세 번째, 이 내용이 동지들은 아니라고 하겠지만 후일담에 얘기하자. 교섭창구를 열어 보자고 했다."고 말했다.

이경훈 지부장이 얘기한 '폭력중단, 휴업불가, 교섭진행'에 대해 반대할 이유가 없다. 그런데 그가 "동지들은 아니라고 하겠지만 후일담에 얘기하자."며 던진 말의 뜻은 무엇일까?

이 의미심장한 발언과 오늘 아침 대의원 간담회에서 이경훈 지부장의 얘기를 연결해 보면 불길한 느낌을 지울 수 없다.

"어제 배포한 이상수 지회장 명의의 호소문은 다 거짓말이다. 아무리 노조를 해도 이렇게 해서는 안 된다. 시트 26명 고용승계 충족시키면 불법 파견 문제는 하나하나 천천히 풀어 가자는 취지는 온데간데없다. 이것이 문제의 핵심이다."

국회의원이 다녀간 후 바로 농성장에 대한 봉쇄가 시작됐다. 1공장 주변에는 버스 14대가 둘러싸고 있고, 버스에서 내린 관리자들은 공장 주변에서 마스크와 장갑을 착용하고 대기하고 있다. 회사는 1공장으로 드나드는 모든 쪽문을 용접해 자물쇠를 달아 놓았다. 난방을 끊는 바람에 추위에 떨고 있는 조합원들에게 침낭을 지급하려고 했으나 이것도 관리자들에 의해 막혔다.

긴급 소집된 회의에서 심각한 얘기들이 들려온다. 회사가 울산에 있는 2천여 명의 관리자를 총동원했고, 서울 양재동에 있는 본사 경비대까지 내려왔다는 것이다. 한 비정규직 조합원의 친척은 회사에서 1천 개가 넘는 안전모를 주문했다는 소식을 전해 준다.

농성장에 긴장감이 감돈다. 침탈에 대비해 경계를 강화하고 있고, 남아 있는 식량을 최대한 아끼기 위해 식사 배급을 줄였다.

실제로 침탈하는 것보다 어쩌면 심리전이 더 무섭다. 서울에서 경비대가 내려왔고, 등에 용 문신을 새긴 용역 깡패가 1공장 목욕탕에서 샤워하고 있다는 얘기를 들으면 불안해진다. 소수이지만 가족들의 병환을 핑계대고 내려가는 조합원들이 생기기 시작한다.

밤 12시가 가까워 오는 시간이지만 조합원들을 다시 모은다. 함께 있다는 것을 확인하면 불안감이 줄어들기 때문이다.

2공장 조합원들이 오후 4시부터 1시간 기습 파업을 벌였고, 전주에서 정규직과 비정규직이 공동으로 잔업 거부 투쟁을 벌여 2시간 동안 버스와 트럭이 단 한 대도 생산되지 못했다는 소식을 전한다. 공장 정문 앞에 진보신당과 비정규직 해고자 천막이 설치됐고, 오늘부터 48시간 동안 진행될 투쟁을 공유한다. 이상수 지회장과 간부들이 끝까지 싸우겠다는 의지를 밝히고, 우리가 왜 싸워야 하는지를 또다시 확인한다.

500명 중 누구 하나도 쉬운 싸움일 리 없다. 추위와 배고픔, 병마와 싸워야 하고, 가족의 병환과 그리움을 이겨 내야 하며, 회사의 회유와 협박을 극복해야 한다. 그것도 매일매일, 매 순간마다. 자본과 투쟁이자 자신과 더 처절한 싸움이다.

아름다운 연대(2):전주 공장

전화벨이 울린다. 전주다. 전주비정규직지회 조봉환 사무장의 목소리가 들떠 있다. 오후 5시 버스와 트럭 생산이 완전히 중단됐다는 소식이다. 800명이 넘는 정규직, 비정규직, 연대단체 노동자들이 모여 '아름다운 연대'의 불꽃을 피웠다는 소식이다.

금속노조의 지침도, 현대차지부의 결정도 없었지만, 전주위원회는 잔업 거부 투쟁을 결단했다. 전주의 비정규직 노동자들이 점거 파업을 하고 있는 것도 아니었고, 17일 4시간 파업 이후 투쟁 강도를 더 높이지 않고 잔업 거부만 하고 있는 상황이었다. 전주위원회는 20, 21일 버스와 트럭부 특근 거부도 결정했다. 이번 주말 전주 공장에서 버스와 트럭이 만들어지지 않을 것이다. 3500명 정규직의 임금손실과 불만을 감수하면서 그들은 오늘 '아름다운 연대'가 무엇인지 보여 주었다.

꽃샘추위가 마지막 기승을 부리던 2010년 3월 전주.

회사는 버스가 팔리지 않는다는 이유로 하루 8대 만들던 버스를 6대로 줄이면서 정규직 42명을 다른 자리로 옮기고, 비정규직 18명을 공장에서 쫓아내겠다고 했다. 정규직 노동자들은 "전주 공장의 노동자는 단 한 명도 나갈 수 없다."며 3월 5일 1차 잔업 거부를 시작으로 19일까지 세 차례에 걸쳐 잔업 거부 투쟁을 벌였다.

그러나 당사자인 전주 비정규직 강성희 지회장은 머뭇거리고 있었다. 그는 해고의 대상인 18명에 조합원들이 포함될 가능성이 없고, 단기직 한시하청이 나갈 것이라며 출근집회와 천막농성만 하고 있었다.

"전주 공장에서 정규직이 이렇게 먼저 싸우는데 비정규직이 가만히 있는 게 말이 됩니까?"

한 활동가가 전화를 걸어 강력히 항의했다. 당사자는 싸우지 않는데 정규직이 먼저 나서서 싸우다 보니, 현장에서 "너희가 비정규직 집행부냐?"며 이런저런 불만들이 나온 것이다.

전주 공장 비정규직지회장 출신인 김형우 부위원장과 함께 긴급히 전주 공장에 내려가 간부들을 만났다. 이 싸움이 왜 중요한지 토론했다. 천막에서 만난 정규직 간부들의 불신이 엄청났다. '어용'이니 '회사와 내통한다'느니 하는 얘기들까지 나돌았다. 비정규직지회 대의원들이 강력하게 싸우자고 제기했고, 3월 13일과 20일 특근 거부가 결정됐다. 정규직 노조는 전 조합원을 상대로 비정규직 고용보장을 요구하는 서명운동을 벌였다.

18명의 대상자가 비조합원, 단기직으로 정해지고, 그들은 조용히 공장을 떠났다. 노조에 가입하면 무슨 일이 있어도 고용을 책임지겠다고 했으나 소용없었다. 회사는 아마도 그들에게 조용히 나가면 나중에 다시 부르겠다고 했을 것이다.

잔업과 특근 거부를 포함해 조금 더 싸울 수 있었고, 결과는 조금이나마 달라질 수 있었다. 거기까지였다. 아쉬웠지만, 그것만으로도 멋지고 의로운 싸움이었다.

이 소식은 3월 5일 〈경향신문〉이 '현대차 전주 공장 정규직 아름다운 연대'라는 기사로 실려 전국으로 퍼져 나갔고, 전주는 연대의 상징이 됐다.

법정 스님과 정몽구 회장님

3월 15일 전주 공장의 아름다운 연대 소식을 전하기 위해 편지를 한 통 써서 언론사에 보냈다.

> 3월 12일 아침이었습니다. 열반에 드신 법정 스님의 자비로우면서도 결연한 듯한 얼굴을 보았습니다. "장례의식을 행하지 마라. 관과 수의도 따로 짜지 마라. 사리도 찾으려고 하지 마라."라고 하신 유언을 들으며 오래전 읽었던 〈무소유〉를 떠올렸습니다.
>
> 돌아가시기 전날 밤 "내 것이라고 하는 것이 남아 있다면 모두 맑고 향

기로운 사회를 구현하는 활동에 사용해 달라."는 법정 스님의 마지막 유언은 돈에 미친 사회에 큰 깨우침을 주었습니다.
이름마저도 소유하지 않고 떠나시길 원했던 스님은 "내 이름으로 출판한 모든 출판물을 더 이상 출간하지 말아 달라."고 말씀하셨고, 주식과 펀드, 로또와 부동산 투기의 광풍에 휩쓸려 일확천금을 꿈꾸어 왔던 '어리석은 중생'들을 부끄럽게 만들었습니다.

어리석은 중생들을 부끄럽게 만든 깨우침

큰스님의 큰 깨우침이 중생들의 마음을 울리던 3월 12일, 그날 저녁이었습니다. 트럭과 버스를 만드는 현대자동차 전주 공장의 정규직 노동자 3500명이 비정규직 노동자 18명을 해고하지 말라며 2시간의 잔업 근무를 거부했습니다. 빠듯한 살림살이에 잔업수당 2만 원은 적지 않은 돈이었지만, 같이 일하는 동료가 쫓겨나는 걸 외면할 수는 없었습니다.
회사는 비정규직 쫓아내고 잔업과 특근 '한 대가리' 더 하자고 꼬드겼지만, 그럴 수는 없었습니다. 전주 공장의 정규직 노동자들은 지난 3월 5일에도 잔업을 마다하며 비정규직 노동자들에게 연대의 손을 내밀었습니다.
버스부 노동자들은 3월 2일부터 잔업과 휴일근무까지 일주일간의 적지 않은 임금 손실을 감수하며 비정규직 해고에 맞섰습니다. 지난 2월 24일부터 매일 아침 전주 공장 정문에는 정규직과 비정규직 노동자 수백 명이 '단 한 명도 해고하면 안 된다.'며 '의로운 투쟁'을 계속하고 있습니다.

진정한 연대는 하방연대

"연대만이 희망입니다. 물은 낮은 곳을 흘러서 바다가 됩니다. 진정한 연대는 하방연대입니다."

성공회대 신영복 교수님의 말씀처럼 현대자동차 정규직 노동자들의 연대는 더 큰 연대를 낳았습니다. 3월 13일 노동조합에 가입한 200명의 비정규직 노동자들이 해고의 위협에 처한 18명의 동료들을 위해 주말 철야근무를 거부하고 공장 앞 공원에 모였습니다.

이날 비정규직 노동자들의 철야근무 거부로 트럭은 절반도 만들어지지 못했습니다. 해고될 18명의 명단에 포함될 가능성이 거의 없는 비정규직 노조원들이 '노조에 가입할 용기'가 없는 비정규직 동료들을 위해 철야근무 수당 15만 원을 선뜻 포기한 것이었습니다.

이렇게 현대자동차 전주 공장에는 '아름다운 연대'의 물결이 넘실거리고 있습니다.

재벌 회장님 일가의 탐욕과 소유

큰스님이 우리에게 큰 깨우침을 주신 3월 12일 오전 9시.

우리나라 제2의 재벌 회사인 현대차그룹 본사에서 주주총회가 열렸습니다. 매출액 31조 8000억 원, 순이익 2조 9651억 원. 사상 최대의 흑자를 기록한 현대차는 정몽구 회장에게 328억 9000만 원을 배당했습니다.

정몽구 회장이 받은 배당금 328억 9000만 원은 현대차가 해고하려는 전주 공장 비정규직 노동자 18명의 73년 치 월급(연봉 2500만 원 기준)이며, 울산과 전주 공장에서 해고하려는 비정규직 노동자 120명의 11년 치 봉급이었습니다.

이날 주주총회에서 정몽구 회장의 아들인 정의선은 등기이사가 되었고, 이사의 보수 한도를 100억 원에서 150억 원으로 인상했습니다. 폐차보조금을 비롯해 국민의 세금과 정규직 · 비정규직 노동자의 피땀은 아무 말 없이 정몽구 회장 일가의 '소유'가 되고 말았습니다.

맑고 향기로운 사회 구현을 위해

금속노조 현대차지부 전주위원회는 3월 11일부터 "전주 공장의 노동자는 단 한 명도 나갈 수 없다."며 '총고용보장 쟁취를 위한 원、하청 공동 서명운동'을 시작했습니다. 현대자동차 전주 공장의 정규직과 비정규직 노동자들은 '맑고 향기로운 사회를 구현하기 위해' 굳세게 연대하고 있습니다.

현대차 전주 공장 노동자들의 '낮은 곳으로 흐르는 아름다운 연대'가 법정 스님의 큰 가르침과 함께 우리 사회가 '돈에 미친 사회'가 아니라 사람의 향기가 묻어나는 사회로 나아가는 작은 희망의 촛불이길 기대해 봅니다.

2010년 3월 15일 금속노조 박점규 미조직비정규사업국장

6일차_ 11. 20.

화장실과 노동자의 학교

추위, 배고픔, 목마름, 감기몸살, 가족과의 생이별, 회사의 협박…. 농성의 어려움이 한두 가지가 아니다. 그중 최고의 적은 배설이다. 화장실 앞은 아침마다 전쟁터다. 대변을 기다리는 30명이 넘

는 줄과 소변을 보려는 줄이 양쪽으로 늘어선다. '큰일'을 보러 들어가기까지 극심한 고통의 시간을 견뎌 내야 한다. 배탈이 난 어느 조합원이 3층의 조용한 구석으로 올라가 비닐과 신문을 깔고 대변을 봤단다. 아마 한둘이 아닐 것이다. 화장실 줄은 보고대회나 조별 토론에도 줄어들지 않는다. 심지어 비상 호루라기가 울려도 큰 변동이 없다.

보다 못한 정규직 대의원들이 회사에 요구해서 농성장 아래층에 있는 화장실을 5명씩 이용하기로 했다. 아래층 화장실은 유일한 여성 조합원인 김미진 대의원과 여기자들이 사용했는데, 어제부터 남성 조합원들도 이용하도록 한 것이다.

5명이 농성장 계단을 내려가 정규직 간부들의 인솔에 따라 화장실을 이용한 후 올라오면 다시 5명이 내려가는 방식이다. 내려가기 싫다며 그냥 줄을 기다리는 조합원들이 더 많지만 이렇게라도 하니까 그나마 화장실 줄이 조금 줄어들었다.

오늘 아침도 화장실 줄이 길어지자 정규직 간부들의 안내로 아래층 화장실을 이용하도록 했다. 그런데 내려갔던 조합원들이 씩씩거리며 올라온다. 관리자들이 막았다는 것이다.

급하게 내려갔더니 1공장장 김호성이 큰 소리를 지르고 있었다.

"여기는 내 건물이야. 내 허락 없이 아무것도 사용 못해. 화장실 간 사람은 집에 가야 해."

정규직 대의원들이 다가가 항의하자, 주변에 대기하고 있던 관리자 100여 명이 공장장 주변으로 몰려든다. 관리자들이 화장실 주변으로 진을 친다. 내려왔던 조합원들은 다시 올라가 긴 줄을 하염없이 기다린다.

'긴급 화장실 대책회의'가 열렸다. 화장실 가지고 장난치는 꼴 보

긴 화장실 줄을 기다리며
신문을 보는 조합원들

지 말고 대책을 마련하기로 했다. 사람들이 가장 적은 곳에 간이로 '퍼세식' 화장실을 만들기로 했다. 부품박스에 비닐을 깔아 대변통을 만들고 칸막이를 설치하면 되는데, 장소가 마땅치 않다. 일단 냄새가 진동할 테고, '국물'이 흐를 경우 농성장으로 똥물이 떨어질 수도 있기 때문이다.

논란 끝에 식량창고 옆 부품창고를 사용하기로 했다. 먼저 부품창고를 깨끗이 청소한 후 4개의 퍼세식 화장실을 만들고, 깔판을 이용해 칸막이를 설치했다. 이 기쁜 소식을 조합원들에게 알리고 시연(?)했다.

그런데 조합원들의 반응이 미적지근하다. 화장실의 긴 줄을 그냥 기다린다. 20대 후반, 30대 초반의 젊은 노동자들이다 보니, 80년대 퍼세식 화장실을 사용해 본 적이 없었던 것이다. 어쩌랴, 급한 사람은 이용하겠지.

지루한 화장실 줄 서기는 소중한 공부시간이다.

긴 줄을 기다리는 노동자들은 오늘의 신문기사와 글들이 빼곡히 붙어 있는 화장실 벽면 게시판에서 눈을 떼지 않는다. 우리의 파업 소식을 전국으로 알려 주는 기사들이 매일 아침 붙여진다. 좌파 인터넷 신문인 〈레디앙〉, 〈참세상〉, 〈레프트21〉의 기사와 칼럼, 〈한겨레〉, 〈경향신문〉, 〈프레시안〉, 〈오마이뉴스〉, 〈민중의소리〉, 〈시사IN〉처럼 우리의 싸움에 애정을 가진 신문기사들이 걸려 있다.

우리의 파업소식뿐만이 아니다. 전국 곳곳에서 싸우고 있는 비정규직 노동자들의 소식이 벽면 양쪽을 빈틈없이 메우고 있다. 조합원들은 한두 장짜리 보도기사와 칼럼에서부터 대여섯 장이 넘는 장문의 르포와 기사들을 하나도 빼놓지 않고 꼼꼼히 들춘다. 악의적인 기사만 쏟아내는 '조중동'과 경제신문도 보인다.

하루의 첫 일과다. 노동부가 주요 노동 관련 뉴스를 스크랩해서 기자들에게 나눠 주는 오늘의 노동기사와 인터넷 신문을 꼼꼼히 뒤져 찾은 기사들을 출력해 전날의 기사를 떼어내고 게시판에 붙인다.

조합원들의 반응이 좋다. 특히 스마트폰이 없어 세상과 소통하기 어려운 조합원들에게 인기 '짱'이다.

화장실의 긴 줄을 기다리는 지루함과 아랫배의 아픔을 잊고 세상과 소통하며 배운다. 파업 농성장은 모든 곳이 학교다.

2010년 11월 20일 현대차 강호돈 대표이사와 관리자들이 농성장 계단을 지키고 있는 비정규직 노동자들을 끌어내고 있다.

침탈(2)

11시 20분, 호루라기 소리가 농성장의 적막을 흔든다. 올 것이 왔다. 강호돈 대표이사와 관리자들이 구름처럼 몰려왔다. 한 정규직 대의원은 1공장 안에 2천 명이 모였다고 전한다. 강호돈은 방송 카메라와 기자들을 대동하고 등장했다.

농성장으로 들어오는 좁은 철제 계단을 지키고 있던 80여 명의 정규직 대의원들이 순식간에 밀려난다. 관리자들이 강호돈을 앞세우고 밀고 올라온다. 계단 보초 당번인 엔진변속기와 1공장 조합원들이 맨 앞에서 난간을 잡고, 동료와 스크럼을 짜면서 버틴다.

관리자들이 독을 품었다. 그들은 "으샤, 으샤."를 외치며 계단을 하나씩 밀고 올라왔다. 조합원들이 밀려나지 않자 맨 앞에 있는 노동자들을 한 명씩 끌어낸다. 계단 난간을 붙잡고 버티지만 소용없다. 끌려 나간 조합원들은 관리자들에 둘러싸여 밟혔다. 11명이 끌려났고, 4명이 병원으로 실려 갔다.

관리자들이 격렬하게 밀고 올라오면서 조합원들이 숨이 막혀 호흡 곤란을 호소했고, 일부는 쓰러져 농성장으로 올려 보내졌다.

조금씩 밀리기 시작했다. 10계단 이상 위로 밀고 올라온 관리자들은 강호돈 대표이사를 맨 앞으로 보내며, 3명만 들어가겠다고 소리쳤다. 동시에 도어반 등 주변으로 600여 명을 올려 보내 공장 진입 태세를 갖췄다. 다른 쪽에서는 방어를 위해 막아 놓은 바리케이드를 철거하기 시작했다. 농성장 안에서 이를 지켜보던 정규직 대의원이 쫓아가 관리자들을 밀어낸다.

한 조합원이 이상수 지회장을 찾아와 소리친다. 두들겨 맞고 끌려가는 것을 그냥 눈 뜨고 지켜볼 것이냐고 항의한다. 소화기와 쇠파이프를 사용하자고 말한다.

지회장이 차분하게 그를 말린다. 지금 회사가 노리는 것이 바로 그것이라고, 비정규직이 쇠파이프를 휘두르고, 소화기를 난사해 강호돈이 쓰러지고, 이 장면을 방송에 내보내는 것이 저들의 계획이라고 얘기한다. 조합원들에게 힘들지만 '인간방패'가 되어 버티자고 호소한다. 항의하던 이도 이내 수긍한다.

전쟁이 40분 넘게 지속되고 있을 때 현대차 이경훈 지부장이 관리자들 사이를 비집고 올라왔다. 계단을 지키고 있는 노동자들은 "관리자는 물러가라", "불법 파견 박살내자"를 외친다. 계단 입구까지 온 이경훈 지부장이 사측에게 물러갈 것을 요구한다.

두 사람이 대화를 나눈다. 강호돈은 이경훈 지부장에게 퇴거통고서를 전한 후 메가폰을 잡고 소리친다.

"퇴거통고서를 지부장이 전달하겠다고 해서 지부장이 충분히 우리 뜻을 전달할 것이라고 보고 오늘 전달과정을 마치겠다."

회사는 150여 명의 관리자들을 남겨 놓고 철수했다.

4공장 정문 천막촌에 농성장 침탈 소식이 전해지자 분노한 노동자들이 공장 진입 투쟁을 벌였고, 많은 조합원들이 다쳤다는 소식이 전해졌다. 서쌍용 조합원은 공장 안으로 끌려 들어가 집단 린치를 당해 갈비뼈가 부러졌다는 얘기도 들린다.

정규직 노동자들이 없는 텅 빈 공장. 저들은 언제 또 나타나 오늘과 같은 공포를 남기고 떠날 것인가? 오늘 소식을 전해 들은 가족들은 조합원들에게 내려오라고 애원할 테고, 관리자들은 해고하겠다고 협박하겠지. 내일 새벽 대규모 진압작전이 있을 것이란 소문이 돌 것이고, 조합원들의 마음은 또 얼마나 많이 흔들릴까?

황인화

> "절대 이런 일을 할 친구가 아니에요. 동료들한테 얼마나 살갑고 따뜻한 조합원이었는데. 어머니 병원에 가면서 현장에서 얼마나 고생하는지 아니까 많이 미안해했어요. 평소에 우울증 같은 건 전혀 없었고, 회사에서 고향 특산품을 팔고 다닐 정도로 활발한 친구였어요.
>
> 1공장 농성장에 들어왔을 때 여자 친구와 동영상 통화 하며 자랑까지 했을 정도였어요. 그런데 회사가 교섭에는 나오지 않고 1공장을 침탈하려고 해서 그런 일을 했던 것 같아요.
>
> 그 친구는 혼자 어머니를 모시고 산 가장이에요. 비정규직 일하면서 돈 몇 푼 번다고 여동생과 어머니 모시고 살았어요. 내가 토요일과 일

요일 한판 크게 붙을지 모른다고 얘기했는데 공장에는 못 들어가고, 동료들은 너무 고생을 하고, 침탈을 막기 위해 그런 일을 한 것 같아요. 너무 괴로워요."

"대법원까지 불법 파견 판결이 났는데 회사가 이를 인정하지 않고, 1공장에서 너무 힘들게 싸우고 있는데 동지들한테 미안하고, 들어간다고 했는데 못 들어가서 미안하고, 불법 파견인데 관리자들이 막고 폭력을 행사하는 게 너무 화가 나서 인화가 분신을 결심한 것 같아요."

황인화.

그는 2001년 현대차 4공장 대현기업에 입사해 협진기업을 거쳐 드림산업에서 10년째 스타렉스를 만들었다. 2005년 노동조합에 가입했고, 그해 불법 파견 투쟁을 했다는 이유로 해고되었다가 정직 3개월로 감봉됐다. 9월부터 50여 일간 4공장 식당 앞 자전거 주차대에서 노숙농성을 벌였고, 11월 복직해 5년간 현장위원으로 노조활동을 했다.

그는 2010년 7월 22일 대법원 판결 이후 더욱 열정적으로 활동했고, 4공장 조합원은 40여 명에서 두 배 이상 늘었다.

11월 9일 새벽이었다. 야간조였던 그는 불법 파견 증거자료로 법원에 제출하기 위해 핸드폰으로 공장을 촬영하다 원청 관리자와 보안팀에 전화기를 빼앗겼고, 공장장에게 보고하겠다는 협박을 받았다.

그는 병환 중인 어머니를 간호하며 지내다 1공장 점거 농성이 시작되자 11월 17일 동료에게 "도저히 미안해서 안 되겠다. 나도 참여해야겠다."며 농성장으로 들어왔다. 하지만 다음 날 새벽 여동생으로부터 어머니가 입원하셨다는 연락을 받고 병원으로 갔고, 어머니가 퇴원하신 후 18일과 19일 농성장에 다시 들어오려 했으나 관리자들에게 막혀 들어오지 못했다.

11월 20일 오후 3시 20분 그는 민주노총 결의대회 중 무대에 올라 머리에 시너를 붓고 분신자결을 시도했다. 병원으로 이송되면서 그는 동료들에게 "꼭 불법 파견 박살내고 정규직화 쟁취해서 내려왔으면 좋겠다. 나는 여기서도 불법 파견 철폐를 외칠 테니, 회사가 불법 파견을 인정하고 정규직화하도록 꼭 이기는 싸움을 만들어 달라."고 말했다.

공장은 충격에 휩싸였다. 여기저기서 흐느끼는 소리가 들려왔다. 황인화와 함께 일했던 조합원들은 울음을 참지 못했다.

황인화와 가장 가깝게 지냈던 김진해 조합원의 눈에서 눈물이 쉴 새 없이 흘러내렸다. 그를 서클룸으로 데려왔다. 그는 마음을 좀처럼 진정시키지 못하고 계속 울먹였다. 한참을 기다려 그동안 황인화에게 있었던 얘기를 들었다. 병환 중이신 어머니와 여동생, 현장 촬영으로 회사의 협박에 시달렸던 일, 농성장에서 여자 친구와 영상통화를 하고, 어머니 입원으로 농성장을 내려가면서 나눴던 얘기들을 들려줬다.

황인화는 황호기 대의원에게 "형, 어떻게든 공장 안으로 들어갈게."라고 전화를 했고, 동료들에게는 농성장에 필요한 물품이 무엇인지 물었다. 큰 가방을 챙겨 공장 안으로 들어왔으나 관리자들에 막혀 노동조합 사무실에서 지내야 했고, 오늘 아침 침탈 소식을 들었던 것이다.

황인화의 동생에게 이 사실을 알리고, 병환 중이신 어머니를 돌보

4공장 조합원들이 모여 농성하는 장소에 황인화 조합원의 쾌유를 빌며 작은 촛불 하나가 켜졌다.

게 하고, 가족에 대한 회사의 회유와 협박을 막아 내야 했다. 서둘러 친했던 동료들 네 명을 병원으로 보냈다. 그들의 눈에서는 계속 눈물이 흘렀다.

4공장 조합원들은 촛불을 하나 밝혔고, 종이를 한 장 붙였다.

"황인화 동지! 빠른 쾌유를 빕니다. 우리 꼭 승리해서 사원증 가지고 면회 갑시다. 투쟁!"

조합원들이 광장으로 모였다. 이상수 지회장이 분신 사실을 알렸다. 그의 눈에서도 눈물이 쏟아졌다.

"수십 명의 동지들을 병원으로, 경찰서로 보내는 현대 자본에게 지금 분노밖에 남지 않았습니다. 동지들, 우리는 살려고 여기 들어왔습니다. 당혹스럽고 멍하지만 우리가 왜 이곳에 있는지 그 이유를 동지들께서 다시 한 번 가슴속에 새겨 주십시오. 한 점 흔들림 없이 이곳을 사수하는 우리 모습이 바로 현대 자본을 압박하는 큰 무기임을 잊지 않았으면 좋겠습니다."

죽어야 할 사람은 우리가 아니라고, 아무도 죽지 않아야 한다고, 반드시 살아서 정규직이 되어 우리가 정당하다는 것을, 우리가 옳았다는 것을 보여 줘야 한다고, 더는 울지 말고 더는 눈물을 흘리지 말자고 다짐한다.

7일차_ 11. 21.

목욕

일요일이다. 농성장이 평화롭다. 한 노동자가 자기 몸을 스스로 불사른 후에야 저들은 농성장에서 물러났다. 목숨을 던져 얻어진 평화다.

갈아입을 겉옷은커녕 속옷과 양말도 없다. 아무리 추워도 일주일에 하루는 목욕을 하기로 마음먹었다. 매주 일요일은 목욕하는 날이다. 노팬티 상태로 양말과 속옷을 빨고 목욕을 했다. 물을 몸에 바로 끼얹지 못하고, 다리부터 적시고 팔을 씻은 후 상체에 뿌린다. 머리를 감으니 머리통이 깨질 것 같다. 온몸이 쭈뼛거린다. 기분은 상쾌하다.

목욕을 마치고 나오는데 한 남자가 서 있다. 180cm가 넘는 키에 얼굴이 잘생겼다. 꽃미남이다. 웃통을 벗는데, 권상우 몸이다. 근육질 몸매에 왕(王) 자가 선명하다.

서른 살. 그러나 그는 솔로다. 얼굴이 잘생겨도, 아무리 착해도 비정규직을 신랑감으로 환영하는 부모는 없다.

그는 이곳에 들어온 11월 15일부터 지금까지 매일 목욕을 했단다. 동료들에게 미안해 화장실 줄이 줄어든 새벽 시간을 이용한다. 헬스로 단련된 몸을 유지하는 데 냉수마찰이 도움이 된단다. 그런데 그가 말한다.

“잘 먹으면서 몸을 만들었는데, 하루에 김밥 한 줄 먹다가 나가면 몸이 다 망가질 것 같아 걱정이에요.”

1층부터 3층까지 농성장을 둘러봤다. 누구는 부족한 잠을 자고,

누구는 책을 읽는다. 누구는 편지를 쓰고, 누구는 핸드폰을 가지고 논다. 스마트폰을 쓰는 신세대 조합원들은 뉴스를 보고 세상 돌아가는 얘기를 실시간으로 전해 준다. 특히 하루에도 백 개가 넘는 글이 올라오는 비정규직 노조 홈페이지 자유게시판에서 눈을 떼지 못한다.

추위와 바람을 막는 '비닐하우스'가 곳곳에 지어졌다. 창문 쪽에서 생활하는 조합원들은 두 겹으로 비닐하우스를 만들었다. 그나마 추위를 피할 수 있어 다행이다.

어디서 구해 왔는지 가는 곳마다 장기가 있고 대전이 벌어진다. 원래 농성장에 있던 장기도 있고, 나무를 깎아 만든 것도 있다. 경품은 주로 담배다. 정규직 형님들에게 부탁해 어렵사리 구한 담배 내기 장기다. 꼬불쳐 놓았던 초콜릿, 컵라면도 내기에 걸린다.

조합원 하나가 찾아왔다. 기독교 신자인데, 교회에 갈 수 없어서 농성장 2층 컴퓨터실에서 혼자 기도를 하고 예배를 드렸단다. 다음 주부터 다른 신자들과 함께 예배를 드리고 싶다며, 조합원들에게 알려 달라고 부탁한다. 대자보에 써서 조합원들에게 알리겠다고 약속했다. 하늘에 계신 이가 그의 기도를 꼭 들어주시길 빌었다.

배고픔을 잊게 하는 노래

농성장에 현수막이 하나 둘 늘어난다. 정규직이 보내온 현수막, 다른 노조 이름의 현수막, 진보정당과 사회단체들의 현수막까지 매일매일 늘어난다. 통제를 뚫고 어떻게 들어오는지 능력들도 대단하다.

지난 금요일부터 중앙 광장에 현수막이 새로 걸렸다. 금속노조 이름으로 '우리는 정규직이다'라고 쓴 대형 현수막이다. 간단명료하고 명쾌하다. 대법원도 고등법원도 현대차 사내하청 노동자들을 하청 업체 직원이 아니라 현대차 정규직이라고 판결했다. 당연히 우리는 정규직이다.

조합원들이 광장으로 모여들었다. 아침은 초코파이, 점심은 건너뛰고, 저녁엔 주먹밥이다. 가족들이 밤새 만들어 정성이 가득한 주먹밥 한 개로 저녁을 때웠고, 물로 주린 배를 채웠다. 절반만 먹고 남겨 놓는 이들도 있다. 밥이 안 나올 때를 대비하는 것이다.

오늘 보고대회는 노동가요 배우기다. 강사는 현대차지부 노래패 허명호 대의원. 그에게 마이크가 넘어가자 걸쭉한 입담을 선보이며 조합원들을 흥분시킨다.

> 누가 나에게 이 길을 가라 하지 않았네.
> 내게 투쟁의 이 길을 가라 하지 않았네.
> 그러나 한 걸음 또 한 걸음 어느새 적들의 목전에
> 눈물고개 넘어 노동자의 길 걸어 한 걸음씩 딛고 왔을 뿐
> 누가 나에게 이 길을 일러 주지 않았네.
> 사슬 끊고 흘러넘친 노동 해방 이 길을~

그가 한 곡을 뽑았다. 감미롭지는 않지만 따뜻하고 투박한 목소리를 타고 노래가 공장을 휘감는다. 조합원들 감동 먹는다.

〈파업가〉밖에 모르는 노동자들에게 노동가요가 빼곡히 적힌 악보가 한 장씩 주어진다. 〈단결투쟁가〉, 〈철의 노동자〉, 〈연대투쟁가〉, 〈비정규직 철폐 연대가〉….

학창시절 음악시간에 했던 '한 줄씩 따라 부르기'다. 더듬더듬하

금속노조에서 만든 현수막 "우리는 정규직이다"

던 조합원들이 어느새 씩씩하게 부른다. 노래 교육이 끝나고, 1공장의 한 조합원이 마이크를 잡고 배운 노래 한 곡을 멋지게 뽑는다. 모두들 열광한다. 노래방에서 마이크 좀 잡아 본 솜씨다. 강사가 노래자랑과 장기자랑을 제안한다. 가수들을 뽑아 비정규직 노래패를 만들고, 춤꾼들을 뽑아 비정규직 율동패를 만들자고 한다. '우리의 노래가 이 그늘진 땅에 따뜻한 햇볕 한 줌 될 수 있다면' 정말 좋겠다. 배고픔을 잊게 하는 노래라는 무기의 위력을 오늘 실감한다.

술

"국장님, 술 안 땡기세요?"
"술 생각이야 간절하죠. 근데 별수 있나요. 할 수 없죠."

"진짜 땡기시면 얘기하세요."

"됐거든요."

1공장 김성욱 대의원이 한쪽 눈을 찡그리며 사라진다. 술을 구해 주겠다는 건지, 한잔하자는 건지, 술 좋아하는 나를 약 올리려는 건지 모르겠다. 그렇지 않아도 막걸리 생각이 간절한데….

1공장 A 조합원은 술꾼이다. 최근 몇 년간 단 하루도 술 없이 지낸 적이 없다는 그다. 야간을 마치고 아침 해가 동녘을 밝힐 때도, 특근이 없는 날 집에서 널브러져 있을 때도 그의 친구는 술이다. 컨베이어 벨트에 묶여 온종일 나사를 박는 일의 시름과 비정규직이라는 설움을 달래 주는 유일한 벗이다.

농성이 시작되고 나서도 그가 계속 술을 먹는다는 소문이 들려왔다. 그를 찾아갔다. 아니라며 펄쩍 뛴다. 들어올 때 가방에 있던 술이었고 지금은 없단다.

그런데, 수상쩍다. 어디선가 향긋한 술 내음이 풍긴다. "술은 안 됩니다. 잘못하면 큰 사고 나요." 모른 척하고 돌아섰다.

하지만 간부들이 들려준 얘기는 달랐다. 같은 라인에서 일하는 정규직 형님을 통해 팩소주를 조달한다는 것이다. 어쨌든 회의를 통해 공식적으로 금주를 결정했기 때문에 다행히 지금까지 대놓고 술을 마시거나 사고를 치는 일은 없었다.

김형우 부위원장이 했던 얘기가 떠올랐다. 2005년 7월 10일부터 30일 동안 '불법 파견 정규직화'를 요구하며 트럭공장 점거농성을 이끌었던 그는 그 기간에 술이라고는 단 한 방울도 구경하지 못했다고 했다. 금주령을 내렸기 때문이었다.

그러나 농성이 끝난 후 조합원들이 실토한 얘기는 충격적이었다.

수단과 방법을 가리지 않고 술이 조달됐고, 야심한 시간에 술잔이 돌았다. 한 잔의 술은 피로회복제이자 수면제였다. 간부들도 일탈에 합세했다. 김형우 부위원장만 몰랐단다. 그렇게 술을 좋아하는 사람인데.

새벽 2시가 넘었다. 이를 닦고 세수를 하고 양말을 빨아 널고 잠자리를 정돈했다. 비닐봉투 속에 발을 막 넣으려는데 누군가가 다가온다.

"할 얘기가 있는데 잠시 나오시죠?"

그는 2층 구석진 곳으로 안내했다. 무슨 걱정거리가 있어서 이 야심한 시간에 나를 보자고 하는 것일까 생각하며 그를 따라나섰다. 조합원들이 보이지 않는 은밀한(?) 곳에서 그가 가방에서 꺼낸 것은 팩소주와 삶은 계란 두 개였다. 정규직 형님이 추워서 잠이 오지 않으면 마시라며 주머니에 찔러 넣어 주고 간 것인데 차마 혼자서 마실 수 없었다고 한다.

안 된다고 했는데 막무가내다. 눈을 질끈 감고 입안으로 소주를 털어 넣었다. 싸한 기운이 목구멍을 타고 넘어간다. 캬~ 혹시나 누가 볼까 봐 후딱 자리로 돌아와 비닐이불 속으로 몸을 집어넣었다. 향기가 오래도록 남았다.

2부

민심 쟁탈전

8일차_ 11. 22.

최선의 방어(1)

길었던 주말과 휴일이 지나갔다. 정규직 조합원들이 출근해 멈춰 선 라인을 돌아보는 모습이 발아래로 보인다. 농성장을 지켜 줄 노동자들이 있다는 것은 행복이다.

11월 16일 2, 3공장 500명을 현장으로 내려 보낸 후 530여 명이 남아 있었다. 일주일 동안 두 차례의 농성장 공격과 봉쇄, 가족을 통한 회유, 관리자들과 정규직을 동원한 협박이 쓰나미처럼 몰려왔지만 조합원들의 사기는 떨어지지 않았다.

조합원 숫자는 식사를 배급할 때 정확히 확인되는데 어제 오후 467명이었다. 20여 명이 늦은 밤에 복귀했으니, 농성장은 굳건히 잘 버티고 있다.

비정규직의 파업을 무력화하고, 정규직과의 연대를 깨뜨리고, 사회적으로 고립시키는 것이 회사가 정한 방향이다.

현대차 자본의 첫 번째 목표인 파업 무력화는 절반의 성공을 거뒀다. 17, 18일 단행된 2, 3공장의 파업을 용역 경비의 집단 폭력으로 진압하고, 대규모 대체인력과 알바를 동원해 라인을 돌렸다. 잔인한 폭력에 대해 역풍이 일긴 했지만, 앞으로 2, 3공장에서 기습파업을 벌인다고 하더라도 생산에 심각한 타격을 주는 것은 매우 어려

11월 20일 회사 관리자들이 농성장 출입구의 집기를 철거하자, 정규직 간부가 항의하며 달려가고 있다.

운 상황이다.

16일부터 파업했던 아산 공장 역시 관리자들과 용역으로 인해 라인을 전혀 세우지 못하고 있다.

하지만 회사는 1공장 점거 파업 농성장을 흔들지 못했다. 지난 일주일 동안 두 차례나 공격했지만 조합원들은 흔들리지 않았다.

회사는 전주의 파업도 파괴하지 못했다. 비정규직의 조직력이 가장 탄탄하고 정규직과의 연대가 튼튼한 전주 공장은 트럭 생산에 적잖은 타격을 가했다. 특히 11월 19일 정규직과 비정규직의 첫 번째 공동 잔업 거부와 20, 21일 특근 거부로 트럭과 버스 생산을 중단시켰다.

현대차는 2, 3공장과 아산의 파업을 무력화했지만, 1공장 점거 파업과 전주 파업을 파괴하지는 못한 것이다.

현대차 자본의 두 번째 목표인 정규직 노동자들과의 연대를 깨뜨리는 일도 성공하지 못했다. 회사는 강호돈 대표이사가 직접 선전물을 나눠 주며 정규직과 이간질을 시도하고 외부세력론으로 현혹했지만 정규직의 마음을 움직이지 못했다.

우리는 회사의 거짓선동을 놓치지 않고 반박했고, 진실을 세상에 알렸다. 정규직 동지들에게 연대를 간절히 호소했고, 조합원들은 함께 일하는 정규직에게 절절한 호소문을 보냈다. 정규직 간부들과 활동가들은 농성장을 지켰고, 정규직의 지지 방문이 끝없이 이어졌다.

현대차 자본의 세 번째 목표인 사회적 여론을 회사에 유리하게 만드는 것도 실패했다. 1공장장과 대표이사를 잇따라 농성장에 투입해 폭력을 유발하려 했으나 우리는 말려들지 않았다. 여론 작업을 통해 비정규직 노동자들을 불법과 폭력으로 덧씌우려고 했으나, 역시 실패할 수밖에 없었다.

현대차 비정규직의 비참한 현실과 농성장의 처참한 모습, 불법 파견에 대한 대법원의 판결이 언론을 통해 세상에 알려지면서, 국민들의 관심과 지지는 더욱 높아져 갔다. 서울에서 부산, 목포까지 전국의 노동자들이 울산으로 달려와 우리를 지켰다.

최선의 방어는 공격이다. 1공장으로 국한되어 있는 점거 농성을 확대하고, 투쟁을 전국적으로 확산하는 것이다. 현재 점거 파업이 가능한 곳은 전주 공장이다. 조합원들이 많은 트럭공장을 점거한다면 울산에 이어 전주로 농성의 거점이 확산된다. 정규직과의 연대가 튼튼하기 때문에 회사의 공격을 막아 내기가 용이하다. 설령 용역 깡패에게 침탈당한다고 하더라도 손해 볼 게 없다.

양재동에 대한 공격도 중요하다. 기아차 모닝을 만드는 동희오토 해고자들이 복직을 이뤄 낸 곳이 바로 현대차그룹 본사다. 특히 아산 공장의 경우 서울 양재동과 가깝고, 현재 생산에 전혀 영향을 미치지 못하는 상황에서 서울 상경 투쟁에 집중하는 것을 적극 검토할 필요가 있다.

서울은 양재동 본사도 있지만 정몽구 회장의 한남동 집도 있다. 여론화에 절대적으로 유리하다. 국회와 청와대에 문제 해결을 촉구하는 것도 중요하다. 현대차 직영점에서 판매노동자들과 함께 이 싸움을 알린다면 상당한 효과를 낼 수 있다.

무엇보다 금속노조를 중심으로 한 전국적인 연대파업이 핵심이다. 대의원대회에서 파업이 결정되고, 현대차와 기아차 정규직 노동자들이, 부품사 노동자들이 파업에 참가한다면 승리는 한 걸음 가까워진다.

현대차 정규직과의 연대는 약간 위태롭다. 현재 1공장 정규직은 잔업과 특근을 하지 못해 상당한 압박을 받고 있는 데다 휴업이 강행될 경우 정규직 정서가 어떻게 변할지 모른다. 조합원들의 편지와 호소문처럼 정규직의 민심을 잡기 위한 다양한 방안이 마련되어야 한다.

사회적 여론은 굉장히 좋지만 앞으로 회사가 어떻게 나올지 모른다. 쌍용차 파업 때처럼 '외부세력' 얘기가 나오고 있다. 보수언론의 왜곡보도에 맞서 즉시 진실을 알리고, 농성장의 생생한 목소리가 신문과 방송에 나갈 수 있도록 해야 한다.

그동안 점거 농성을 함께했던 금속노조 김형우 부위원장이 지난 금요일 농성장을 내려갔다. 전주 공장 비정규직지회장 출신인 그는 전주로 점거 파업을 확대하는 임무를 들고 전주로 향했다. 그는 2005년 30일간 트럭공장에서 점거 파업을 벌였었다.

전주로 전화를 걸었다. 주간 6시간 파업, 야간 전면 파업 후 퇴근이 결정됐다고 한다. 지난주 잔업 거부에서 한 걸음 나아갔지만, 점거 파업이 절실한 상황인데 아쉬움이 남는다. 그런데 전주 지회 대의원이 걱정하지 말라며 씩씩하게 말한다. 그의 노력이 허사가 되지 않기를….

비정규직 연봉 4천만 원

1공장의 조합원 하나가 헐레벌떡 뛰어온다. 현대차 비정규직 연봉이 4천만 원이라는 기사를 보여 준다. 현대차 대표이사 강호돈은 "현대차 사내하청업체 근로자 4, 5년차 평균 연봉은 4000만 원 수준으로, 이는 고용노동부가 발표한 올해 전국 근로자 임금 평균의 1.4배나 되는 금액"이라고 주장했다.

강호돈은 오늘 "사내하청 노조는 자신들이 마치 열악한 처우와 근로조건으로 고통받고 있는 것처럼 선전하며 정규직화만이 불평등을 해소할 수 있다고 주장한다."는 내용의 가정통신문을 정규직 노동자들의 집으로 보냈다.

1공장 민성기업의 한 조합원이 10월분 월급명세서를 들고 왔다. 그는 9년차다.

시급 4806원, 시간급여액 154만 원, 기타급여액(상여금 포함) 129만 원, 총급여액 283만 원이다. 세금 31만 원을 공제하고 252만 원이 월급통장에 찍혔다. 상여금이 없는 달은 130만 원이다. 일주일은 주간, 일주일은 야간에 일하고 매일 두 시간씩 잔업과 특근을 한 결과다.

다른 공장에서 일하는 오 조합원은 시급 4569원으로 기본급이 72만 6927원밖에 안 된다. 연장근무 116시간, 주휴수당을 합쳐 170만 원이었고, 상여금 110만 원을 더해 287만 원이다. 세금 24만 원을 빼고 263만 원이 그의 통장에 찍혔다.

다음의 아고라를 비롯해 여기저기서 연봉 4천만 원에 대한 논란이 시작되었다. 사실 여부에 대한 논쟁에서부터 정당성에 대한 의견까지 다양하게 나타났다. 비정규직 귀족이라는 얘기도 튀어나왔다.

트위터를 배운 조합원들이 나선다. 'hymk8282'라는 아이디의 조합원은 새로 만든 트위터에 "현대차 사내하청 근로자 4, 5년차 연봉이 4천만, 5천만 원이란 것은 말이 안 된다. 정규직은 학자금 근속연수가 높아 그렇지만 나는 최저시급 4110원을 겨우 넘고 한 달 일해봐야 140만 원 정도를 번다."고 올렸다.

'Gbboy84'라는 아이디를 쓰는 조합원은 "저희 월급이 4천만 원이 넘는다고 하는데 기본급 100만 원 가지고 어떻게 그런 금액이 나오는지 의문이다. 주야간 매일 반복되는 더러운 현실에 4~6년 일해도 노동 최저시급보다 조금 더 받는데 왜곡보도에 피눈물이 흐른다."고 썼다.

노조 홈페이지에도 조합원들이 연차별 연봉을 올리기 시작했다. 이들의 활약상으로 기사는 왜곡보도에서 찬반논란으로 바뀌기 시작했다. 〈국민일보〉의 '쿠키뉴스'가 홈페이지 톱기사로 올렸다.

공장 밖 상황실에서도 '현대차 비정규직 연봉 4000만 원?'이라는 제목의 보도자료를 내 "12시간 주야 맞교대, 특근 안 빠지고 일해야 8년차 연봉 3천만 원"이라고 밝혔다.

비정규직 파업에 대한 우호적인 국민 여론으로 궁지에 몰렸던 자본이 여론을 돌리려고 짜낸 궁여지책이 연봉 4천만 원이었다.

하지만 연봉이 3천만 원이냐 4천만 원이냐의 문제가 아니었다. 현대차 비정규직보다 가난한 노동자들이 수도 없이 많다는 것이다. 법정 최저임금으로 살아가는 노동자가 널렸고, 월 100만 원의 일자리도 갖지 못한 실업자들이 보기에 현대차 비정규직은 부러움의 대상이 된 것이다.

가난한 비정규직 노동자들에게 이 정도인데, 연봉 6천만, 7천만 원을 받는 정규직의 파업에 대해 학을 떼고 덤벼드는 것은 어찌 보면 당연하다.

그렇다면 우리는 나보다 힘들고 어려운 처지에 있는 이들과 연대했는가? 우리는 더 열악한 환경에 있는 이들의 손을 잡았는가? 같은 공장에서 일하는 2, 3차 사내하청 노동자, 한시하청 노동자, 아르바이트 노동자들과 함께하려고 했는가? 우리는 함께 생활하는 청소, 식당 노동자들에게 관심을 가져 본 적이 있는가?

낮은 곳을 향한 연대를 하지 않고서는 저들의 공격 앞에서 자유로울 수 없다. 6천만 원을 받는 정규직과 3천만 원을 받는 비정규직, 1천만 원을 받는 최저임금 노동자가 함께 손을 잡고 싸워야 한다.

아산과 전주를 만나다

현대차 전주 비정규직 강성희, 아산 송성훈 지회장이 점심시간에 농성장에 들어왔다. 회사와 한참 실랑이를 벌였고, 현대차지부가 나서서 겨우 올 수 있었다. 송성훈 지회장은 회사 관리자들에게 두들겨 맞았지만 씩씩했다. 세 지회장 모두 삭발한 머리가 조금 자라 있었다. 모처럼 만나 서로의 근황도 묻고 조합원들 얘기도 전한다.

금속노조 불법파견 특별대책팀과 현대차 비정규직 3지회가 회의를 했다. 황인화 조합원의 분신 항거는 회의 분위기를 더욱 강경하게 만들었다. 3지회는 파업의 수위를 더 높이기로 결정했다. 11월 24일 주야 전면 파업을 전개하고, 모든 조합원이 울산으로 모이기로 했으며, 이번 주 내에 무기한 현대차그룹 본사 농성을 시작하기로 했다.

비정규직의 조직력이 좋고 정규직과의 연대가 튼튼하기 때문에 언제든지 점거 파업을 할 수 있는 곳이 전주다. 1공장 점거 파업이 고립되지 않으려면 전주에서 점거 파업이 필요한 것 아니냐는 물음에 강성희 지회장은 "현장에서도 그런 주장이 많은데, 조금만 기다려 달라."고 말한다.

11월 24일 전면 파업 및 울산 집결 이후 전주로 점거 파업이 확대되고, 현대차그룹 본사 농성이 전개될 가능성이 높아졌다. 공격이 최선의 방어라는 것을 비정규직 3지회가 확인한 것이다.

교섭과 관련해서는 동성기업 고용승계가 아니라 '불법 파견 교섭이 이루어질 수 있도록 최선을 다해 노력한다.'고 분명하게 못 박았다. 비정규직 3지회의 입장을 정리하라는 현대차지부에 정확하게 답한 것이다.

이와 함께 정규직과의 연대를 강화하기 위해 조합원 서명운동을 울산, 아산, 전주 공장에서 동시에 진행하고, 농성장 음식물 반입을 위해 간식 모으기 운동을 요청하기로 했다.

정규직 노동자들의 서명운동은 단시간 내에 최대한 많은 노동자들이 참여하고 큰 거부감 없이 서명하도록 하기 위해 단순하게 만들기로 했다.

> 분신으로 항거한 4공장 황인화 비정규직 조합원의 빠른 회복을 기원합니다.
>
> 불법 파견 사내하청 조속해결 촉구 서명운동
>
> 【우리의 요구】

왼쪽부터 이상수 울산 지회장, 송성훈 아산 지회장, 강성희 전주 지회장

1. 대법원과 고등법원 판결의 정신을 존중하고 따라야 합니다.
1. 폭력진압을 중단하고 평화적으로 해결되어야 합니다.
1. 불법 파견 정규직화를 위한 노사 교섭을 통해 빠른 시간 안에 해결 되어야 합니다.

현대차지부가 운영위원회에서 결정하고 사업부별로 서명운동을 진행하면 가장 좋다. 그런데 지부가 거부하거나 미적지근한 반응을 보일 것 같아 걱정이다. 처음부터 서명운동을 못하겠다고 하면, '정규직 · 비정규직 일동'이라는 이름으로 사업부 대표들과 현장조직들에게 부탁해 서명을 받으면 된다. 그런데 하지도 않으면서 어영부영 뭉갤 가능성이 높다.

정규직과의 연대에서 조합원의 참여가 굉장히 중요한데 어찌 될지 걱정이 이만저만 아니다.

금속노조 연대파업 결정과 우려

기다렸던 금속노조 대의원대회 결과가 농성장에 전달됐다. 조합원들이 광장으로 모였다. 전주 공장에서 6시간 파업을 벌여 버스와 트럭 생산을 중단시켰다는 소식과 금속노조에서 12월 초 총파업을 하기로 결정했다는 소식이 전해지자 분위기가 한껏 고조된다.

그런데 대의원대회 결정 내용이 뭔가 꺼리하다. 11월 24일 확대간부 파업, 11월 26일 잔업 거부, 11월 27일 전국노동자대회는 분명하지만 파업이 분명치 않다.

첫 번째 결정사항은 '1공장 농성장에 구사대 및 공권력 진압 시 즉각 전면 총파업'이다. 그렇다면 지난 토요일처럼 관리자들이 농성장으로 들어가는 계단을 밀고 올라오면 어떻게 되는가? 진압은 진압이지만 투입이나 공격과 다르다. 농성이 진압되어 중단된 후 총파업이 무슨 의미가 있을까?

마지막 결정사항은 '현대자동차 회사가 11월 30일까지 불법 파견 교섭에 나오지 않을 경우 금속노조는 12월 초 1차 총파업 투쟁을 전개하고 세부방침은 12월 1일 중앙쟁대위에 위임하여 결정한다.' 이다.

12월 초는 언제인가? 파업에 반대한 현대차 이경훈 지부장의 입김이 큰 중앙쟁대위에서 파업을 유보하면 어떻게 되는 것인가? 이경훈은 대의원대회에서 찬반투표를 할 수밖에 없다고 했는데, 부결되면 어떻게 되는 것인가?

현장발의 안건에는 12월 1일로 파업 날짜가 못 박혀 있었으나 통과된 결과는 12월 초다.

파업은 결정됐지만 실제 파업이 진행될 것인지는 불확실한, 애매

11월 22일 금속노조 대의원대회 모습

한 결정이다. 답답하다.

9일차_ 11. 23.

외부세력(1):가문의 영광

서울 금속노조 사무실에서 전화가 한 통 왔다. 노조 자유게시판에 이름이 올라왔다는 얘기였다. 정신없이 바빠 대수롭지 않게 넘겼다. 그런데 한 조합원이 농성장 아래 1공장 화장실에서 주웠다며 이름도 없는 유인물 한 장을 가져왔다.

'사실대로 똑바로 알자'라는 제목의 한 장짜리 종이에는 농성 조합원에 대한 협박, 외부세력, 유언비어가 일목요연하게 적혀 있었다.

회사는 11월 15일부터 1공장 라인 중단으로 전 공장 관리자가 동원돼서 대응하고 있고, 계속 안 나오면 생산손실액에 대해 손배, 가압류로 끝까지 간다고 한다. 1공장의 경우 하루 라인 정지하면 매일 120억의 손실이 나기 때문에 시간이 갈수록 손해배상 청구액수는 천정부지로 늘어날 것이고 그 대상도 일부 지도부에만 가지 않고 점거 인원 전체에게 청구될 수 있다.

현재 하청 지회는 이상수 지회장 중심으로 일사불란하게 움직이지 못하고 외부세력인 최병승, 박점규 등의 인원과 극좌파 세력인 사노위, 노동전선 등이 결합되어 우왕좌왕하고 있으며 내부가 매우 혼란스러워 점거상황이 계속되고 회사와 물리적 충돌이 지속될수록 내부 통제가 더욱 어려울 것이다.
지도부인 김○○ 등은 학출 출신으로 평소 하청 지회 활동을 열심히 하지도 않았고 대법원 판결 이전까지 외부에 잠적해 있다가 지금 나타나서 투쟁을 부르짖고 온갖 선동을 다 하고 있어 경계해야 할 인물이다.

회사는 지금 생산을 돌리려고 혈안이 되어 있는 만큼 휴일, 야간, 새벽 등 시간을 가리지 않고 지속적으로 침탈을 시도해 올 것이며 1공장 점거지역 주변에 대해 단전, 단수를 실시하고 음식물 반입을 철저히 차단할 것으로 알려지고 있다.
이 경우 2, 3일이면 대오에서 이탈하는 인원이 속출할 것이며 4, 5일이 지나면 견뎌 낼 조합원이 몇 명이 될지 의심스러운 상황이 초래될 것이다.

농성장에서는 다수 인원이 이탈을 희망하지만 활동가들이 만들어 놓은 5호 담당제로 눈치가 보여 이러지도 못하고 저러지도 못하는 상황이다. 벌써 2, 3공장은 회사와 충돌과정에서 3공장 대표 등이 연행되어 구속되면서 조직력이 와해되고 생산은 계속 정상적으로 이루어지고 있다.

회사에서는 대오에서 이탈하는 세력에 대해서는 길을 열어 준다고 하고 1공장 대의원 몇 명과 타 공장의 활동가 수명도 벌써 대오를 이탈한 상황이므로 남아 있는 하청 조합원들도 좌파세력의 선동에만 따르지 말고 현명한 선택이 필요한 상황이다.

한 조합원이 소감을 묻는다. "가문의 영광"이라고 말했더니 깔깔 웃는다.

최병승은 비정규직지회 조합원이자 금속노조 비정규국장이다. 대법원 판결의 당사자인 그는 2002년 3월 13일 입사해 대법원 판결에 따라 2004년 3월 13일부터 현대차 정규직이다. 공장 밖에 있지만 진정한 내부세력이다.

금속노조 단체교섭국장인 나는 불법파견 특별교섭단의 교섭위원이다. 울산에 오기 전까지 금속노조 사용자들과 중앙교섭을 했고, 기륭전자 회사와 교섭해 노사합의를 이뤘고, 아반떼 룸에서 현대차 회사와 마주 앉아 교섭하기 위해 울산에 파견됐다. 웃기는 괴문서가 화장실을 비롯해 공장 곳곳에 뭉텅이로 뿌려졌다.

그런데 웃기는 문서가 아니다. 11월 20일, 그러니까 지난주 토요일 금속노조 자유게시판에 올라온 문서는 공장 안팎의 상황을 정확히 꿰뚫고 있다. 앞으로 현대차 자본의 공격 방향까지 보여 준다.

손해배상 협박

농성을 중단하지 않으면 손해배상을 청구하는데, 처음에는 간부들에게 하고, 농성장에서 나오지 않으면 조합원에게까지 한다는 것이다. 오늘까지 회사는 간부들 64명을 업무방해로 형사고발했고, 민사로 65명에 대해 각 10억 원씩 손해배상을 청구했다. 이 뉴스를 보신 4공장 조합원의 아버지가 아들에게 전화를 걸어 농성장을 내려오라고 했다. 이 회사 안 다니면 그만이지만, 손해배상으로 집까지 다 날릴 수는 없지 않겠냐는 것이다. 평조합원들에게 손해배상을 청구할 수 없다고 설명했지만, 불안한 아버지에게는 이 얘기가 들리지 않는다.

외부세력론

앞으로 회사는 농성장의 조합원들을 흔들고 정규직과의 연대를 깨뜨리기 위한 이데올로기로 '외부세력론'을 적극적으로 펼치겠다는 것이다.

아니나 다를까, 회사는 〈함께 가는 길〉에 "하청노조가 외부세력과 연계해 사태 장기화가 우려된다."며 "직원 의지와 상관없이 생산라인이 멈춰 서고 외부세력과 연계한 투쟁이 계속되면 현대차는 또다시 깊은 갈등과 혼란의 늪으로 내몰릴 것"이라고 주장했다. 이어 "지금 안팎에서 구호를 높이고 생산타격 투쟁을 부추기는 사람 중 현대차 미래를 책임질 사람은 아무도 없다."며 "외부세력 개입을 차단하고 법 테두리 내에서 원만히 해결하고자 하는 합리적인 노력이 필요하다."고 썼다.

회사는 앞으로 연일 유인물과 담화문을 통해 '외부세력론'을 유포하여 정규직과 갈등을 부추길 것이다.

침탈협박

괴문서는 시도 때도 없는 공장침탈, 단전 단수, 음식물 반입 차단으로 2, 3일이면 대오에서 이탈하는 인원이 속출할 것이라고 썼다. 지난 일주일간 이탈하는 인원이 거의 없었다는 사실을 괴문서는 알고 있는 것이다.

괴문서대로 어제 처음 단수가 시작됐다. 아침 8시 화장실 변기 물이 나오지 않았고, 9시에 세면대의 물까지 완전히 끊겼다. 식수대의 물만 나왔다. 단수 조치를 예상해 쓰레기통 10개에 비닐을 씌우고 물을 받아놓았다. 이 물로 화장실 변기를 내리고 양치를 하고 있다.

유언비어

괴문서는 2, 3공장 조직력이 와해됐고, 활동가들도 농성장을 이탈했으니, 하청조합원들도 좌파세력의 선동에만 따르지 말고 농성장을 이탈하라고 촉구하며 글을 맺는다.

뛰어난 선동이다. 지금까지의 전쟁은 전초전에 불과했다. 이제부터는 전면전이다. 전면전에는 육탄전과 함께 심리전, 이데올로기전이 병행된다.

현대차 자본은 최고의 대학을 나왔다는 머리 좋은 놈들, 최고의 변호사들로 구성된 법률팀, 군사학과 심리학 전문가들을 모아 놓고 점거 파업을 무너뜨리는 모든 병법을 동원할 것이다. 그들은 돈과 사람이 있고, 마음대로 주무를 수 있는 언론과 경찰을 가졌다.

비정규직 노동자들이 가진 것은 자본에 대한 분노와 정규직화에 대한 열망이다. 분노와 열망만으로는 전쟁에서 이길 수 없다. 동지에 대한 굳건한 신뢰와 정규직과의 강력한 연대, 사회적 지지를 통해 심리전과 이데올로기전에서 이길 때 비로소 이 투쟁은 승리할 수 있다.

계급 대리전

나와 내 가족과 내 아이를 위한 싸움은 우리 모두를 위한 싸움이 되었다. 비정규직을 영원히 사용하려는 자들에게, 더는 비정규직을 착취하지 말라고 요구하는 싸움이다. 비정규직을 더욱 확대하려는 자들에게, 모든 비정규직을 정규직화하라고 요구하는 싸움이다. 숨죽이고 살아왔던 100만 사내하청 노동자, 850만 비정규직 노동자들을 대신하는 싸움이다.

계급 대리전이다.

1998년 현대자동차 정규직 노동자들이 정리해고에 맞서 36일간 벌였던 파업이 그랬다. 경제위기와 구제금융을 이유로 정규직을 대규모 정리해고하려고 했던 현대차 자본. 아무런 잘못도 없는 노동자들을 외환위기의 희생양으로 삼으려고 했던 김대중 정권.

현대차 노조가 이 싸움에서 패배하면, 전국의 모든 사업장에서 대규모 정리해고와 구조조정의 태풍이 불어올 것이 자명했다. 자신의 일자리를 지키기 위한 싸움이 곧 전체 노동자 계급을 위한 싸움이었다. 그러나 1998년, 현대차 노조는 외롭게 싸워야 했고, 정리해고를 막아 내지 못했다.

10월 27일 경총 회장에 취임한 이희범은 현대자동차 사내하청 노동자 문제에 대해 "경제논리로 풀어야지 투쟁이나 노동법 논리로 해결해선 안 된다."며 경총 차원에서 대응하겠다고 했다. 그들은 현대차 비정규직의 파업이 임박하다는 것을 체감하고 있었다.

동지들의 투쟁은

390만 비정규노동자들의 희망입니다.

꼭 승리합시다.

몽구야! 법을 지켜라.

전국금속노조비정규투쟁본부

금속노조비정규투쟁본부에서 보내온 현수막

우리들이 파업에 돌입하자, 경총을 필두로 한 5대 사용자단체가 어제 성명서를 발표했다. 사용자단체는 '현대자동차 사내하청노조의 불법행위에 대한 경제계 입장'을 발표하면서 현대차 비정규직에게는 농성을 중단할 것을, 현대차 자본에게는 타협하지 말 것을, 이명박 정부에게는 폭력으로 진압할 것을 요구했다.

5대 사용자단체는 "회사는 사업장 점거로 생산이 중단되고 피해액이 급증하고 있으나, 물리력에 밀려 고육지책으로 정당치 못한 요구나 행위와 타협해서는 안 된다."며 "현대자동차는 인내를 갖고 '불법과는 타협하지 않는다'는 원칙을 세워 사업장 점거와 폭력행위로는 더 이상 원하는 것을 얻을 수 없다는 것을 보여 주어야 한다."고 했다.

자본가들은 비정규직 정규직화라는 계급전선의 핵심인 현대자동차가 밀려서 타협할 경우 삼성, LG, SK 등 수많은 사업장의 사내하청, 비정규직 노동자들이 떨쳐 일어날 것이 두려웠던 것이다.

재벌들은 "정부는 법에 따른 엄정한 대응이 사태의 장기화와 피해발생을 최소화하는 유일한 방안임을 유념해 불법행위에 대해 신속한 조치를 취해야 한다."고 주문한다.

자본가들의 주문에 이명박 정권은 울산 경찰을 통해 현대차에게 넘겨받은 파업 조합원을 연행하고, 지도부에 대해 신속하게 체포영장을 청구하고, 공권력 투입을 협박한다.

2010년의 계급 대리전에서 자본과 정권은 업종과 지역을 넘어 강력히 연대하며 싸우고 있다. 그러나 우리는, 정규직과 비정규직, 생산직과 사무직은 어떻게 연대하며 싸우고 있는가?

연평도 폭격과 트위터

오후 3시가 조금 넘은 시간이었을까. 난리가 났다. 스마트폰으로 뉴스를 검색하던 조합원이 뛰어와 북한이 연평도를 포격했다는 소식을 전한다. 부랴부랴 컴퓨터를 열어 뉴스를 본다.

연평도 포격 소식에 농성장이 순식간에 얼어붙는다. 곧 전쟁이 날 것 같은 분위기다. 신문과 방송이 연평도로 도배된다. 뉴스의 중심에 있던 우리의 이야기가 차츰 밀려나기 시작하더니 아예 자취를 감춘다. 황인화 조합원의 분신 소식마저 사라진다. 눈앞이 캄캄해진다.

농성장에 와 있는 기자들의 반응도 싸늘해졌다. 한 기자는 회사의 호출을 받는다. 특별한 기삿거리 없으면 나오라는 거다. 우리 기사도 '연평도 블랙홀 현대차 파업도 삼킬까' 이런 식으로 나오기 시작한다.

인터뷰를 하기 위해 서울로 올라간 김형우 부위원장에게 전화가 걸려왔다. 인터뷰가 연기되고, 연평도 포격으로 대체됐다는 얘기였다. 군인 한 명이 사망했다는 속보가 떴다. 또 다른 희생자가 있을 수 있단다. 아득해진다. 뉴스의 중심이던 민간인 사찰, 청와대 대포폰, 현대차 비정규직, 4대강 사업은 포연 속에 침몰하고 말 것인가.

"북한은 왜 꼭 우리가 싸우면 이런데요?"

"이명박이 김정일한테 미사일 쏘라고 한 거 아니에요?"

노동자들의 얼굴에 분노가 서린다.

분단조국의 아픔이라고 치부할 수만은 없다. 냄비언론을 비난한들 달라지지 않는다. 천안함은 몇 달 동안 모든 뉴스를 삼켰다. 이북이

쏘았다는 1번 어뢰 때문이든 아니든 상관없다. 이명박이 저지른 온갖 악행은 순식간에 자취를 감추고, 오직 남북대결만이 판을 친다.

기자들을 나무랄 수도 없다. 이곳을 취재하고 싶은 기자들도 높으신 분들의 지시에 따라 모두들 연평도로 떠난다. 특별취재단이 구성되고, 온갖 자잘한 소식들까지 방송을 탈 것이다.

무슨 다른 방법이 있겠는가. 우리의 처절한 현실을 알리는 길밖에 없다. 현대차 울산 공장, 이곳이 전쟁터이고, 여기가 연평도라는 것을 보여 주는 수밖에 없다.

스마트폰을 가지고 있는 조합원들을 모아 서클룸에서 트위터 교육을 했다. 고립된 농성장의 생활을 트위터를 통해 세상에 알리고 소통하기 위해서였다.

젊은 노동자들답게 스마트폰을 가진 이들이 많았다. 지메일과 트위터에 계정을 만들고, 농성장의 소식을 쓰고 알리는 일들을 배웠지만 쉽지 않은 모양이다. 밤낮으로 자동차만 만들던 이들에게 낯설고 힘든 일이다.

그렇지만 20대 후반, 30대 초반 젊은 노동자들의 눈빛은 빛났다. 여론의 관심이 싸늘해진 상황에서 어떻게든 공장의 소식을 밖으로 알려야 했다.

트위터 전사들이 나선다.

비정규직 노동자의 삶을 알리기 위해, 현대차 사내하청 노동자의 현실을 보여 주기 위해, 1공장 농성장의 처절한 모습을 들려주기 위해, 그리하여 네이버 검색 1위를 탈환하기 위해, 마침내 회사를 교섭장에 끌어내기 위해, 지긋지긋한 출입증을 버리고 사원증을 받아내기 위해 이들은 오늘도 핸드폰을 두드린다.

아름다운 연대(3):기아차 비정규직

연평도 폭격 소식으로 우울한 농성장에 반가운 소식이 날아들었다. 기아차 비정규직 노동자들이 우리와 연대하기 위해 주야 2시간씩 잔업을 거부했다는 소식이다. 화성 공장에서는 28개 하청업체 전체 조합원, 광주와 소하 공장은 간부들이 함께했다.

화성 조합원들은 5시 30분부터 라인을 멈추고, 200여 명이 노동조합 앞 광장에서 결의대회를 열어 대법원 판결에 따라 비정규직 노동자들을 정규직화하라고 촉구했다. 회사는 잔업 거부가 불법이라며 유인물을 냈고, 조합원들이 일손을 놓자 대체인력을 투입했다.

기아차 화성 비정규직 이상언 분회장에게 전화를 걸었다. 그는 겸손해하며, 일찍 투쟁을 벌이지 못한 것을 미안해했다. 기아차는 비정규직 투쟁의 맏언니, 맏형이다. 2005년부터 3년 동안 화성 공장을 멈춰 세웠고, 원청인 기아자동차를 교섭에 끌어냈으며, 대공장 중에서는 처음으로 1사 1조직으로 정규직 노조와 하나가 된 사업장이다.

혹독한 희생이 뒤따랐다. 기아차 비정규직 김수억 지회장과 이동우 부지회장이 2년 6월의 실형을 선고받아 지금도 차디찬 감방에 갇혀 있다. 회사가 고소고발하고 손해배상을 청구한 정규직과 비정규직 수백 명이 재판을 받아야 했다.

이상언 분회장은 농성하는 조합원들에게 앞으로 더 강력한 연대투쟁을 벌이겠다는 얘기를 전해 달라고 말한다.

신나는 소식이 연달아 날아들었다. 울산혁신네트워크가 울산사회조사연구소에 의뢰해 울산 시민들을 대상으로 실시한 설문조사에서 응답자 73.9%가 현대차가 교섭에 나와야 한다고 했으며 49.5%가 대법원 판결을 인정하고 비정규직을 정규직화해야 한다고 대답했다.

기업경쟁력 향상을 위해 비정규직 제도가 필요하다고 응답한 시민은 16.2%에 불과한 반면 46.7%의 시민들이 자녀의 미래를 위해서라도 비정규직 제도는 폐지돼야 한다고 답변했다. 공권력을 투입해 비정규직 파업을 강제 해산해야 한다는 응답은 3.4%에 불과했다.

오랫동안의 반노동자 이데올로기와 '귀족노조' 악선동으로 인해 노동운동에 대한 국민들의 반감이 크다. 특히 울산에서는 고액 연봉에 대한 상대적인 박탈감으로 현대차 정규직의 파업에 대한 시선이 매우 차갑다. 오죽하면 조합원들은 파업하고 욕먹기 싫다며 임금협상을 빨리 끝내자고 할까?

울산 시민들의 열렬한 지지 소식에 조합원들도 신이 난다. 연평도 포격으로 여론의 관심에서 멀어져 가고는 있지만 바깥에 있는 조합원들, 해고자들, 가족들의 노력이 열매를 맺은 것이다.

그런데 공권력을 투입해 파업을 강제 해산해야 한다고 대답한 3.4%의 사람들은 누구일까? 500명을 조사했으니 17명인데, 이들은 어떤 사람들일까? 강호돈 대표이사와 가족들, 9개 사업부 공장장과 가족들, 울산 공장에 있는 96개 사내하청 바지사장들과 가족들일까? 응답자가 누군지 진짜 궁금하다.

이번 여론조사에서 정규직 노동자들의 태도에 대한 질문에 '모른 체하라'고 대답한 사람이 12%였다. 이에 대해 울산혁신네트워크는 "정규직 지부가 비정규직 파업을 외면하거나 총파업 찬반투표를 부결시킬 경우 정규직 노동자 이기주의와 자신들의 배만 채우려는 노동귀족이라는 사회적 비난에 휩싸일 것"이라고 지적했다.

그러나 알 수 없다. 지금까지는 정규직 노동자들이 비정규직에 우호적인 태도를 보이고 있지만 회사가 어느 순간 정규직의 마음을 빼

앗아 갈지 모른다. 폭력을 유발하고, 정규직 지부와의 갈등과 반목을 부추기고, 휴업과 조업 단축으로 정규직의 주머니를 털어 가면 정규직의 분노가 회사가 아닌 비정규직을 향할 수도 있다. 공장의 민심이 중요한 이유다.

10일차_ 11. 24.

전기공의 숨바꼭질

오전 11시 갑자기 전기가 나갔다. '괴문서'의 경고대로다. 한 줌의 햇빛이 창문 틈으로 들어오고 있었지만, 조합원들은 적잖이 당황했다. 단전은 처음이었기 때문이다.

1공장 정규직 이상호 대의원이 다급하게 뛰어온다. 농성장 방어를 위해 창문에 철조망을 치면서 용접하고 있었는데, 그 불똥이 떨어져 회사에서 단전 조치를 했다는 얘기였다. 마침 오늘 강호돈 대표이사가 공장 앞에 있었다고 한다.

불이 나가자 기자들도 당황한다. 기사를 송고할 수 없기 때문이다. "기사도 사진도 보낼 수 없으니 노동해방이 된 거네요."라고 농을 건네자 웃으면서도 근심스런 표정이다.

곁에 서 있던 한 조합원이 "기사 보내는 게 제일 급하시죠?"라면서 LCD 패널에 있는 전기를 끌어오더니, 10분 만에 기자실로 전원을 연결한다. 기자들의 얼굴이 금세 밝아졌다.

곳곳에서 전기공들이 등장했다. CCTV, 전산실 등 비상전류가 흐르는 곳이라면 전기공들이 달라붙어 전기를 연결한다. 조합원들이 모이는 집회 장소에 형광등 4개가 켜진다. 환호성이 터진다.

농성장 2층에서도 불이 하나 둘 켜지기 시작한다. 불안해하던 조합원들의 얼굴이 밝아졌다. 농성장 20여 곳에서 불이 밝혀지자 공장 밖에서 금속노조 결의대회를 하던 노동자들에게 '회사가 단전을 해제했다'는 오보가 전해졌다는 얘기도 들려왔다.

그러나 어둠이 몰려오자 전기를 끌어 쓰고 있다는 것을 알아챈 회사가 CCTV부터 비상전기를 하나씩 차단하기 시작했다. 순식간에 공장이 암흑으로 변했다. 조합원들은 약간 웅성거렸지만 "어차피 닥칠 일인데, 뭐."라며 냉정을 찾는다.

다시 등장한 전기공들이 활약한다. 일차적으로 차단되지 않은 전원을 찾아내 집회장소와 화장실, 배급소, 상황실에 형광등이 켜졌다. 하지만 전압이 부족한지 여러 차례 불이 꺼졌다 켜진다.

매일 밤 진행하는 파업승리 결의대회 시간. 어둠을 뚫고 조합원들이 하나 둘 모여든다. 마이크를 사용하면 과부하에 걸려 전기가 나갈지 모른다는 우려에 생목소리로 집회를 한다. 조합원들의 집중도는 생목소리가 확실히 짱이다.

기아차 비정규직 김영성 전 지회장이 2005~2007년 경험을 들려준다. 조합원들 눈빛이 빛난다. 비정규직 노동운동의 맏이인 기아차 화성 공장, 3년 동안 공장을 들썩였던 전사들. 화성과 울산이 어쩌면 이렇게 똑같은지, 너무나 생생한 교육에 공감한 조합원들의 사기가 더 높아진다. 교육이 끝나자 박수가 끊이질 않고 이어진다.

전기 없는 긴 하루가 지난 후 밤 11시 전기가 들어왔다. 언제 또 전기가 나갈지 모른다. 그렇지만 불을 밝히는 전기공들이 있는 한 우리는 행복하다.

농성장 풍경

新홍길동전

오늘 하청업체 바지사장 30여 명이 현대차 윤여철 부회장과 현대차지부 이경훈 지부장을 찾아왔다고 한다. 현대기아자동차 통합협력회(회장 이영섭)라는 이상한 이름을 가진 사장들이 "파업이 일주일 이상 이어지면서 협력업체 피해가 걷잡을 수 없이 커지고 있다."며 "생산라인이 다시 돌아갈 수 있도록 노력해 달라."고 했단다.

현대차 울산, 아산, 전주에는 124개의 사내하청이 있다. 현재 울산 1공장과 전주 공장은 파업으로 생산차질이 빚어지고 있지만, 나머지 공장은 팽팽 돌아가고 있다. 아무 피해가 없는 다른 공장 사장들이 일은 안 하고 회사에 몰려왔다. 윤여철 부회장과 이경훈 지부장이 그렇게 한가하고 만만한가 보다.

현대차 울산 공장 사내하청 최병승 조합원과 현대차 아산 공장 4명의 조합원이 법원에 '친자 확인소송', 아니 '친사장 확인소송'을 냈다. 우리는 현대차의 직원이라고 주장했고, 현대차는 자기 직원이 아니라고, 사내하청업체 바지사장들은 자기 직원이라고 우겼다. 대법원은 사내하청 노동자들이 현대차 정몽구의 직원이라고 판결했다. 그런데 다시 가짜 아버지가 나타나 자기 자식이라고 떠들고 있다.

노동부에서 현대차 1만 명과 기아차, GM대우차에 대해 불법 파견 판정을 내린 후 비정규직 사내하청 노동자들이 떨쳐 일어나 전국에서 투쟁을 벌였던 2005년 7월 25일 쓴 글이다.

〈新홍길동전〉

아버지를 아버지라 부르지 못하고….

조선시대 초인 15세기 중엽 명문가의 아들로 태어난 실존인물 홍길동. 그는 첩의 자식은 관리등용을 제한하는 악법 때문에 좌절과 울분 속에서 지내다 집을 뛰쳐나왔다. 양반들로부터 차별받던 민중들을 규합해 활빈당을 만든 길동은 조선사회의 신분타파와 만민평등을 위해 싸웠다. 조선왕조와 양반계급의 집중적인 탄압으로 관군에 체포되었으나 무리를 이끌고 탈출하여 백성의 아픔을 대변하는 선구자가 됐다.

사장을 사장이라 부르지 못하고….

2005년 7월. 형님들과 똑같은 라인에서 똑같이 일하면서도 현대자동차 사장을 사장이라 부르지 못하고 반장을 반장이라 부르지 못했던 하청 노동자들. 온갖 차별과 멸시에 시달리던 하청 노동자들이 민주노조를 결성해 신분타파와 평등사회를 위해 나섰다. 정권과 자본의 극심한 탄압으로 노조위원장을 비롯해 수십 명의 간부들이 투옥되고 수백 명이 폭력에 시달렸지만 좌절하지 않았다. 마침내 전주에서 공장을 세웠고 이제 분노의 불길은 아산과 울산 공장으로 번져 나가고 있다.

"호부호형을 허하노라."

홍길동 : "아버지를 아버지라 부르지 못하고 형을 형이라 부르지 못하니 심장이 터지고 애간장이 녹아내릴지라. 이 어찌 통한치 않으리오."

홍 판서 : "네 무슨 흥이 있어 야심토록 잠을 자지 아니 하는다."

홍길동 : "소인이 마침 월색을 사랑함이어니와 대개 하늘이 만물을 내
심이온즉, 사람이 귀하오나 소인에게 이르러서는 귀하옴이 없
사오니 어찌 사람이라 하오리까."

길동이 집을 나서려고 하자 홍 판서는 "내 호부호형을 허하노라."라고
말한다.

"나는 너희들을 모른다."

GM대우 닉 라일리 사장. 843명 전원에 대한 불법 파견 판정이 내려졌
고 노동자들이 금속노조에 가입해 14차례 교섭을 요청했는데도 단 한
번도 교섭에 나오지 않았다. 세종 소속이라고 세종 이름 달고 물건 나
오는 것도 아니고, '지그 일' 시키고 '지그 지시' 받는데, 하다못해 조퇴
증을 끊어도 GM대우 조퇴증을 달고 나가는데 끝까지 모른단다. 그리
고 앵무새처럼 되뇐다. "우리가 채용한 적 없다."

현대자동차 전주 공장은 문서 한 장으로 협력업체 인원을 줄이라고 통
보하고 심지어 협력업체 사장의 나이까지 제한했다. 7월 6일 SBS 8시
뉴스는 명백한 위장도급이라고 보도했다. 그런데 현대자동차는 "우리
직원이 아니다."라며 손바닥으로 하늘을 가리고 있다.

민중의 피눈물을 닦아 주었던 조선시대 혁명가 홍길동의 뒤를 이어 21
세기 홍길동들의 '위대한 반란'이 시작되고 있다.

11일차_ 11. 25.

쫓겨났다가 돌아오다

회의가 열렸다. 정문 밖에 있던 간부들도 회의에 참석하기 위해 농성장에 들어왔다. 노트북을 열어 회의록을 치고 있는데 분위기가 이상하게 돌아간다. 늦게 농성에 참여한 한 간부가 비정규직지회 조합원이 아닌 사람은 쟁의대책위원회 회의에 참석해서는 안 된다는 의견을 낸다.

누구를 말하는 건지 헷갈렸다. 회의에 참석하는 사람은 금속노조에서 파견된 나를 제외하고는 모두 비정규직지회 조합원들이다. 장황하게 설명하던 그가 나를 지목한다.

당황스러웠다. 이상수 지회장도 아무 말 하지 않는다. 순간 어떻게 해야 할지 망설였다. 금속노조 교섭국장이며 불법파견 특별대책팀 성원이기 때문에 당연히 지회 쟁의대책위원회 회의에 참석해야 한다고 말하려다 참았다.

그는 기자들에 대한 대책도 안건으로 올렸다. 기자들이 너무 많으니 내려 보낸다는 것이었다. 언론도 내가 담당하고 있었고, 특별한 문제가 없었다. 사전에 논의하고 나를 찍어 안건을 제출한 듯한 느낌을 받았다.

노트북을 김성민 회계감사에게 넘기고 회의실을 나왔다. 눈물이 핑 돌았다.

농성장 3층의 구석진 곳으로 올라갔다. 조합원들이 없는 곳에서 한참을 생각했다.

왜 나를 찍어서 회의장에서 내보냈을까? 내가 무엇을 잘못했을까? 지회장은 왜 침묵했을까?

아무리 생각해도 떠오르지 않았다. 지난 열흘 동안 우리는 잘 싸워 왔다. 쟁대위 내부에 여러 가지 정치적 입장이 있지만, 분열되지 않고 단결해서 잘 헤쳐 나왔다. 간부들이 내게 굳건한 신뢰를 보여줬고, 조합원들도 잘 따랐다.

김형우 부위원장과 이재인 교섭실장에게 전화를 걸었다. 회의에 참석하지 못하는데 이곳에 있을 이유가 없었다. 이곳에 내가 필요하지 않다면 정문 상황실에서 역할을 하면 된다. 아니면 양재동 현대차본사 농성에 참여해도 된다.

그런데 조합원들이 눈에 밟힌다. 저녁 보고대회 시간에 조합원들에게 얘기하고 내려가야 하지 않을까 하는 생각이 들었다.

전화가 빗발쳤다. 김성욱, 박영현, 김성민, 노덕우에게 전화가 왔지만 받지 않았다. 받고 싶지 않았다. 속상했다. 그들은 한 시간 넘게 공장을 뒤져 나를 찾았다. 김성욱과 박영현이었다. 자신들이 잘못했다고, 갑자기 벌어진 상황이어서 대응하지 못했다고 했다. 아니라고, 내가 필요하지 않다면 내려가서 다른 일을 하겠다고 했더니, 그럼 자신들도 내려가겠다고 한다.

내가 회의실을 나온 후에야 간부들은 무슨 상황인지 이해했다. 다시 안건에 올려 교섭국장이 회의에 참석해야 한다고 결정한 후 나를 찾으러 다닌 것이었다.

나를 붙잡고 놓아주지 않았다. 이상수 지회장도, 나를 지목했던 조합원도 내게 찾아와 사과했다. 내려가지 말라고 간곡하게 호소했다.

그렇게 나는 비정규직 조합원들에게 쫓겨났다가 돌아왔다.

세상에서 가장 후진(?) 프레스센터

상황실 앞자리에 10여 명의 기자들이 앉아 있다. 농성장 기자실이다. 세상에서 가장 열악한 프레스센터에서 기자들도 모처럼 한가롭게 얘기를 나누고 있다.

농성 첫날부터 같이 생활한 〈레프트21〉의 모승훈 기자는 프레스센터가 아니라 조합원들과 같이 생활한다. 신문이 격주간지이다 보니 실시간으로 속보를 내지 않아도 되기 때문이지만 그보다는 이 싸움의 시작과 끝을 보고 싶어서 서울 생활을 정리하고 울산으로 내려온 이유가 더 크다.

농성 2일째 올라온 인터넷신문 〈참세상〉의 김용욱 기자가 최고참이다. 가장 안쪽에 자리를 잡고 있다. 이어 민주노총 신문 〈노동과세계〉, 〈매일노동뉴스〉, 〈레디앙〉, 〈프레시안〉, 〈민중의소리〉, 〈미디어충청〉 기자들이 잇따라 올라왔다. 〈한겨레〉, 〈한겨레21〉, 〈시사IN〉, 〈KBS 생생정보통〉, 〈MBC 피디수첩〉도 농성장을 찾았다.

이곳은 기자라고 특별대우를 받을 수 없는 곳이다. 조합원들에게 김밥 한 줄이 돌아가면 기자들에게도 똑같이 한 줄이다. 기자들도 박스를 깔고 비닐을 덮고 잔다. 〈레디앙〉과 〈매일노동뉴스〉의 여기자들만 특별대우를 받아 회의실과 환자 휴식처로 사용하는 서클룸에서 이불을 덮고 잘 수 있는 호사(?)를 누리고 있다.

새로 기자들이 들어오면 몇 가지 부탁을 한다. 사진을 찍으면 조합원들의 얼굴은 모자이크로 처리해 주고, 사연을 내보낼 때는 신원이 드러나지 않게 해 달라고 한다. 낮 시간에도 자는 사람들이 많기 때문에 농성장을 마구 돌아다니는 것을 삼가 줄 것도 요청한다.

보안이 필요하기 때문에 기사화되어서는 안 되는 사건들은 지도부와 사전에 상의해 주고, 정규직과의 갈등을 비롯해 논쟁이 될 만한 기사도 논의를 거쳐 내보내 줄 것을 부탁한다. 모두들 흔쾌히 동의한다.

바깥에서 따뜻한 밥 실컷 먹고 술도 마음껏 마실 수 있는 부자신문 기자들과는 달리, 농성장에 들어온 종군(?)기자들에게 줄 혜택이 별로 없다. 비정규직 회의 결과를 맨 먼저 알려 주는 것, 보도자료를 내기 전에 미리 건네주는 것, 취재에 적합한 조합원을 찾아 주는 것 정도다. 그래서 회의가 끝나면 프레스센터를 찾아 브리핑을 하고 공식 멘트도 한다.

가급적 많은 기자들이 찾아와 우리 소식을 널리 알려 주는 게 좋지만 '조중동' 기자들이나 경제신문 기자들, 울산 지역신문의 악질 기자들은 사절이다. 그런 신문의 기자들이 이곳에 와서 추위와 배고픔에 떨며 기사를 쓰지도 않겠지만, 우리도 왜곡보도의 달인들에게 진저리가 난다. 아마 그들은 따뜻한 곳에서 회사가 건네주는 보도자료를 '받아쓰기'하고, 어두워지면 아늑한 모처에서 회사 관리자들과 술잔을 기울일 것이다.

현대차의 나팔수가 아니라면 더 많은 신문, 방송에 노동자들의 파업 소식이 알려져야 한다. 특히 지난 11월 23일 연평도 포격 사건 이후 모든 신문과 방송이 연평도로 뒤덮였기 때문에 우리 소식을 알리는 일이 더욱 중요해졌다.

그런데 황당한 사건이 벌어졌다. 내가 회의실에서 쫓겨난 직후였다. 회의를 하고 있던 비정규직지회 간부 하나가 기자들을 회의장으로 불렀다. 모두 열 명이다. 기자들이 너무 많은 데다 회사와 충돌이 있을 때 기자들이 사진을 찍어서 불편하며, 조합원들의 사생활이 너무 노출되기 때문에 기자들을 내보낸다는 것이었다.

합동취재단이라는 이름으로 공동기사를 내보내는 〈참세상〉, 〈울산노동뉴스〉, 〈미디어충청〉과 쌍용차 파업 때 끝까지 남아 있었던 〈민중의소리〉를 제외하고 나머지 기자들은 철수할 것을 요구했다는 것이다.

기자들은 특정 매체를 지정해 철수를 요구하는 것을 이해할 수 없고 선정 기준도 납득하기 어렵다며, 인원수를 조정하라고 하면 나갈 예정인 기자들도 있으니 자율적으로 논의해 결정하겠다고 했다.

이에 대해 비정규직지회 한 간부는 "오늘 회의가 많이 예민하고 앞으로 향후 상황이 어떻게 될지 모른다"며 "음식물도 어찌 될지 모르는 상황에서 조합원들 먹을 것도 부족하다"고 했다. 4명 빼고 나머지는 나가라는 것이다.

기자들이 모두 열 받았다. 이게 말이 되는 소리냐며 따졌다. 한 기자는 이것은 명백한 언론탄압이라며, 편집국에 보고하고 강력하게 문제제기하겠다고 말한다. 기자들의 항의가 빗발친다. 결국 이상수 지회장은 뜻이 잘못 전달됐다며 사과했고, 모든 기자들이 남기로 했다.

지금까지 아무런 문제도 없었고, 우리의 투쟁을 알리기 위해 추위와 배고픔을 견디고 있는 기자들에게 비정규직지회가 큰 아픔을 준 것이었다. 기자들의 분노는 가라앉았지만 상처는 깊게 남았다.

아름다운 연대(4):김밥 복대

이곳에 500명의 식사를 책임지는 사람이 있다. 2공장 조합원이자 금속노조 대의원인 김미진. 농성장에 있는 유일한 여성 조합원이다. 농성 첫날부터 들어오는 모든 물품을 헤아리고, 정돈하고, 조합원들

숫자를 세고, 음식물을 나눠 주는 책임자다. 늘 웃음이 넘치고 밝은 그녀의 얼굴은 음식물이 반입되지 않으면 어김없이 그늘이 진다. 그녀의 표정 따라 간부들도 근심어린 얼굴로 변한다.

회사가 또 음식물을 허용하지 않았다. 보다 못한 1공장 정규직 대의원들이 나섰다. 대의원들은 야간조 중식시간인 밤 12시~새벽 1시에 식사를 마친 조합원들과 음식물 반입을 위한 한 가지 꾀를 냈다. 회사가 농성장에 가방을 가져가지 못하게 막는 것에 착안해, 조합원들 가슴부터 등까지 김밥을 두르고 청테이프로 동여맨 후 그 위에 잠바와 노동조합 조끼를 입혀 농성장에 들여보내는 것이었다.

밤 12시 30분, 야간조 식사를 마친 정규직들이 하나씩 농성장으로 올라온다. 현대차지부 조끼와 회사 잠바를 벗으니 가슴에서 등까지 20여 개 남짓 되는 김밥이 빽빽하게 둘려 있다. 테이프를 떼어내고 김밥을 하나씩 내려놓는다.

회사 몰래 온몸에 김밥을 칭칭 감은 노동자들이 줄지어 올라오고, 배급소 앞에서 테이프를 떼어 김밥을 내려놓는 진풍경이 벌어진다. 어느새 김밥이 수북이 쌓인다.

이 광경을 지켜본 비정규직 조합원들은 정규직 형님들에게 연거푸 고맙다는 인사를 건넸다. 이름도 얼굴도 모르는 정규직 조합원들은 쑥스러운 듯 "아니요, 고생이 많으십니다."라고 대답하고, 야간조 오후 근무를 하기 위해 총총걸음으로 농성장을 내려간다.

"꼭 군대에서 쓰는 탄창을 몸에 두른 것 같은데요, 김밥 탄창."

"김밥 복대가 더 어울리지 않아요?"

가슴 뭉클한 풍경을 보던 기자들이 "진짜 아름다운 연대인데, 기사로 나가면 안 되겠죠?"라고 묻는다. "참 좋은데~ 정말 좋은데~ 직접 말하기도 그렇고~ 어떻게 표현할 방법이 없네."

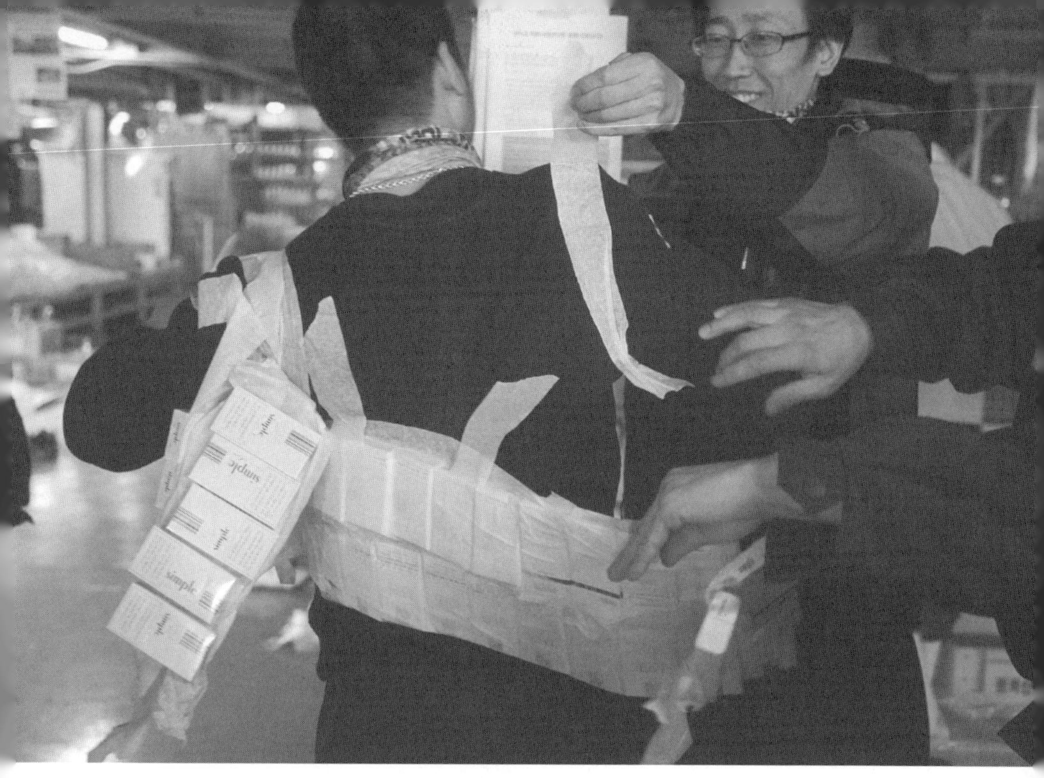

농성장에 올라온 한 조합원이 몸에 두른 담배를 풀고 있다.

김밥만이 아니었다. 흡연자들에게는 김밥보다 더 절실한 담배도 복대를 통해 농성장으로 들어왔다. 정규직 노동자들은 새벽 5시 한 차례 더 '김밥 복대'를 차고 농성장을 올라왔다. 가족들의 간절한 소망이 담긴 1천 줄의 김밥은 정규직 조합원들 가슴의 온기까지 가득 담겨 농성자들 손에 건네졌다.

정규직 지부의 중재? 협박?

11월 23일 오후 2시 현대차지부는 기자회견을 열어 △동성기업 고용보장 △즉각 교섭창구 개최 △조업 단축과 휴업조치 계획 철회 △공권력 투입이나 폭력사태 방지 등 4대 요구안을 발표했다.

이경훈 지부장은 "현대차지부의 '중재안'에 대해서 사측의 전향적인 답변이 나온다면 비정규직 동지들도 전략과 전술의 변화를 주어야 한다고 판단한다."며 "최우선 해결과제와 불법 파견의 중장기적인 과제를 분리해야 한다."고 밝혔다.

현대차지부의 기습적인 기자회견 소식에 농성장이 뒤숭숭해졌다. 정규직의 중재안인 4대 요구안은 동성기업 고용보장이 되면 농성을 중단한다는 내용이었기 때문이다.

"동성기업 고용보장을 위해 여기 올라온 게 아니다."

"누구 맘대로 농성을 푼다는 말이냐?"

"사원증 달기 전에는 못 내려간다."

"정규직화에 대한 구체적인 합의 없이 파업을 풀어서는 안 된다."

이곳저곳에서 분노의 목소리가 터져 나왔다.

현대차지부는 11월 24일 지부 운영위원회를 열어 아래와 같이 결정했다.

1) 최악의 상황을 피하기 위해 총회 전에 정리한다.
2) 파업전선 구축을 위해 쟁의행위 찬반투표를 실시한다.
3) 교섭창구를 연다.
4) 동성기업 고용문제를 우선 해결한다.
   단, 3자회동(금속노조+현대차지부+비정규직지회)에서 합의점을 찾지 못하면 현대차지부 역할에 대해 최종적으로 논의한다.

현대차지부의 4대 요구안의 핵심은 간단하다. 동성기업이 고용승계되고 교섭창구가 열리면 농성을 중단하라는 것이다. 비정규직이 이 안을 받아들이지 않으면 발을 빼겠다는 것이다. 금속노조 대의원대회에서 결정한 파업에 대해 조합원 찬반투표를 강행해 사실상 파업하지 않겠다는 뜻이다.

금속노조 박유기 위원장을 배출한 민노회 출신의 사업부 대표들을 포함해 다른 운영위원들은 왜 이런 주장에 동의한 것일까?

금속노조 대의원대회 결정에 따라 찬반투표를 하지 않고 파업해야 한다고 왜 주장하지 않았을까?

구체적인 정규직화 계획이 제출되지 않는다면 연대파업을 해야 한다고 왜 싸우지 않았을까?

주요한 현장조직들은 도대체 어떤 판단을 내리고 있었던 것일까?

궁금했지만 대답해 주는 이가 없었다. 정규직 조합원들이 비정규직의 점거 파업을 지지하고 있고, 연대의 손길이 계속 이어지고 있는데, 사업부 대표들과 현장조직들은 왜 현대차지부와 이경훈 지부장의 편을 들고 있는 것일까?

현대차지부 운영위원회의 결정은 이경훈 지부장에게 강력한 무기가 됐다. 그는 금속노조, 현대차지부, 현대차 비정규직 3지회가 모이는 회의에서 요구안을 확정하자고 했다. 금속노조도 이경훈 지부장의 손을 들어주게 되고, 비정규직 지도부는 흔들리기 시작한다.

흔들리는 지도부

정규직 노조의 요청에 따라 11월 24일 저녁 6시 45분부터 현대차지부 사무실에서 금속노조 박유기 위원장, 현대차 이경훈 지부장, 비정규직 이상수 울산지회장, 강성희 전주지회장, 송성훈 아산지회장이 한자리에 모였다. 이들은 현대자동차 비정규직지회 파업 관련 3주체회의를 열어 아래의 내용을 결정하고, 비정규직 3지회 각각의 회의에서 의견을 수렴해 11월 26일 오후 1시 다시 모여 논의하기로 한다.

※ 교섭 개최 관련 사항

1) 현대자동차(주) 특별교섭 개최와 창구를 요구한다.

2) 특별교섭단을 구성한다.(단, 구성단위와 세부 방식은 차기 회의에서 논의한다.)

※ 교섭 의제 관련 사항

동성기업 폐업으로 파업사태가 촉발된바,

– 농성장의 비정규직 고소고발, 손해배상, 치료비 등을 해결토록 한다.

– 금번 농성자의 고용을 보장한다.(울산, 전주, 아산)

– 사내에서 비정규직지회 지도부의 신변을 보장한다.

– 불법 파견 교섭에 대한 대책을 요구한다.

이는 11월 23일 현대차지부가 기자회견을 통해 밝힌 '동성기업 고용보장 및 교섭창구 개최'에 살을 조금 덧붙인 내용이다. 파업의 목적인 정규직화에 대해서는 '대책'을 요구한다고 표현했다. 즉, 불법 파견 교섭을 앞으로 언제쯤, 어떻게 할 것인지를 논의한다는 것이다. 농성을 중단하고, 4대 요구사항을 가지고 '특별교섭'을 개최하자는 의미다.

물론 문구에 '선 농성해제 후 교섭'이라는 표현은 없다. 그러나 이경훈 지부장은 줄곧 동성기업 해고자 문제가 해결되면 농성을 중단해야 한다는 입장을 밝혀 왔다.

그런데 비정규직 3지회장은 왜 이런 합의서를 거부하지 않았을까? 울산과 아산, 전주의 의견이 하나로 모이지 않아서 그랬다는 얘

금속노조, 현대차지부, 비정규직 3지회 지회장이 현대차지부 회의실에서 처음으로 회의를 하고 있다.

기가 들린다. 설령 강성희 지회장이 현대차지부 편을 들었더라도 3지회장 회의를 열어 의견을 모으고, 여의치 않았으면 이 안건을 현장으로 가져오지 않았어야 한다. 그런데 이들은 25일 자정을 넘긴 시간에 마치 '합의안'인 것처럼 포장된 4대 요구안을 가지고 농성장에 나타났다.

금속노조는 현대차지부 뒤에 숨었고, 비정규직 지도부는 현대차지부의 압박에 흔들린 것이다. 흔들린 것이 아니면 노련한 정규직에게 어리버리하게 당한 것일까? 현대차 자본은 지금 이 광경과 흔들리는 지도부를 보며 무슨 생각을 하고 있을까?

현장에서 지도부를 바로잡다

농성장이 밤새도록 들썩거렸다. 이미 핸드폰으로 내용이 알려졌다. 별의별 소문이 다 돌았다.

25일 오후 조합원들을 긴급히 모았다. 이상수 지회장은 "교섭창구가 열리면 농성을 해제하느냐는 말도 나오는데 교섭이 열려도 저희의 요구가 관철되지 않는다면 계속 농성을 진행한다."며 "더 이상 거기에 대한 오해와 말은 없어야 한다."고 못 박았다.

그러나 떠도는 소문은 쉬 가라앉지 않았다. 조합원들은 공장별로, 부서별로 자발적으로 토론하기 시작했다. 정규직화에 대한 분명한 계획이 나오지 않으면 절대 농성장을 나갈 수 없다는 의견이 압도적이었다. 이경훈 지부장에 대한 분노의 목소리와 지도부에 대한 불신의 얘기들이 터져 나왔다.

교섭창구를 열어야 한다는 조합원들도 먼저 농성을 해제해서는 절대 안 된다고 했다. 지도부는 선 농성해제는 결코 있을 수 없다는 점을 분명히 했다.

공장 바깥에 있는 조합원들은 이날 삼산 근로자종합복지회관에 모여 토론을 벌였다. 동성기업 고용보장을 핵심으로 하는 4대 요구안을 절대 받아들일 수 없다는 의견이 압도적이었다. 공장 밖 조합원들은 4대 요구안을 폐기하기로 결정했다.

현대차 아산 공장은 4대 요구안을 거부하고, 불법 파견 교섭을 실시하며, 농성해제를 전제로 어떤 논의도 하지 않기로 결정했다. 그러나 전주 공장은 표결까지 벌여 찬성 14, 반대 6으로 이 안을 통과시켰다.

점거 파업의 중심인 울산 지회는 긴급회의를 열어 4대 요구안을 수용할 수 없다는 것을 분명하게 확인했고, '선 농성해제 후 교섭'은 절대 인정할 수 없다고 결정했다. 특히 금속노조, 현대차지부, 비정규직 3지회라는 3주체회의가 결정단위가 아니라는 점을 확인했다.

지회 쟁대위 회의와 조합원 총회라는 민주적인 절차를 거치지 않고 지회장이 독단적으로 결정할 수 없다는 뜻이다.

〈요구안〉

1. 대법 판결에 따른 특별교섭(8대 요구) 실시
2. 전제조건 없는 교섭 실시

※ 3주체회의에서 충분히 토론할 수는 있으나 쟁대위 권한을 위임하지는 않는다.

그러나 전주 공장의 결정은 비정규직의 단일한 입장에 결정적으로 찬물을 끼얹었고, 현대차지부가 비정규직을 공격하는 빌미가 됐다.

현장 노동자들의 거센 반발로 혼란은 매듭지어졌지만, 이날의 혼란은 앞으로 닥칠 대혼란의 서막에 불과했다.

12일차_ 11. 26.

금속노조 위원장 박유기

금속노조 박유기 위원장이 농성장에 올라왔다.

그는 7월 22일 현대차 사내하청은 정규직이라는 대법원 판결 이후 지금까지 불법 파견 정규직화 투쟁을 진행하는 데 중요한 역할을 했다. 불법 파견 특별대책팀을 구성하고, 예산과 인력을 투입해 전방위적으로 사업이 진행될 수 있도록 했다.

그가 변호사들과 함께 대법원 판결 설명회를 하고 나면 사내하청 노동자들이 100여 명씩 그 자리에서 노동조합에 가입했다. 600명에 불과하던 울산 공장 조합원은 3배 이상 증가했고, 아산과 전주도 2배가량 늘었다. 공장 안팎에서 벌어진 수십 차례의 집회에서 그의 연설은 정규직화에 대한 열망과 승리에 대한 자신감을 크게 북돋았다.

물론 그는 이명박 정권의 민주노조 무력화와 타임오프에 맞서 조합원들이 결정한 4·28 총파업을 유보하는 등 제대로 된 투쟁을 벌이지 못했고, 금속노조의 무너진 신뢰를 회복하지 못했다.

하지만 남은 1년의 임기 동안 그가 비정규직 싸움에서 성과를 만들어 내고 금속노조를 다시 일으켜 세워 이명박 정권에 맞서길 바란다. 11월 초 기륭전자의 교섭을 끝내자마자 울산으로 내려가라는 그의 요구를 외면하지 못한 이유가 여기에 있었다.

26일 오후 4시 30분, 박유기 위원장과 현대차지부 조직강화실, 비정규직지회 16명의 간부들이 모였다. 박 위원장은 금속노조－현대차지부－비정규직 3지회가 특별교섭을 하기로 한 배경을 장황하게 설명했다. 회사가 물품 공급을 막고 단전·단수하고 휴업하게 되면 정규직과 비정규직 간에 갈등과 충돌이 발생할 수 있다는 우려를 전했다.

그는 "교섭 자체를 열지 않고 농성을 계속할 경우 어려워질 수 있기 때문에 교섭을 열고 우리의 요구가 어떻게 관철될 것인지에 따라 판단하면 된다."며 "농성 중단도 전제조건이 아니다. 교섭의 결과를 가지고 판단하는 것"이라고 설명했다.

그러나 일단 교섭이 시작되면 1공장 점거 농성을 정리해야 하는 것 아니냐는 우려가 가시지 않았다. 비정규직 노동자들의 목소리가 높아진다.

"교섭 의제 3가지는 농성장을 푸는 것이 전제로 보인다. 누가 보더라도 농성장을 해제하는 것을 전제로 하는 합의다. 동성기업이 주된 내용이 아니라고 하지만 그렇게 보이지 않는다. 동성기업 폐업으로 파업사태가 촉발됐다고 했는데, 동성기업이 없었다면 우리 파업이 없었던 것이냐? 아니다. 단지 앞당겨진 것뿐이다."

"우리도 교섭을 원한다. 불법 파견 교섭의 대책을 요구하는 것이 아니라 8대 요구안을 가지고 불법 파견 교섭이 진행되어야 농성장을 어떻게 할 것인지가 논의될 수 있다."

박유기 위원장은 "농성 중단도 전제조건이 아니"라고 말했지만, 비정규직 실무책임자인 현대차지부 강정형 조직강화실장의 말은 달랐다.

"우리는 농성장과 금속노조 파업이라는 두 가지 무기가 있다. 이 두 개의 무기만 가지고 불법 파견을 뚫을 수 없다. 그것 이상을 만들려고 해야 한다. 그것도 없는 상황에서 계속하자고만 할 수는 없다. 계속 무기를 만들어야 하고, 이후를 도모할 방법을 찾자는 것이다. 이 동력을 그대로 유지하고 앞으로 강화하도록 하자는 것이다. 농성을 푼다고 망하냐? 그렇지 않은 방법을 찾는 것이다."

박유기 위원장은 특별교섭이 열리면 농성을 중단한다는 것을 알고 있었다. 그는 이날 간담회에서 마무리 발언으로 이렇게 말했다.

"교섭창구가 열리면 교섭 그 자체가 우려가 아니라 농성을 풀었을 때의 우려다. 현안 문제를 안 걸고는 회사가 안 나오기 때문에, 그걸 걸고 불법 파견을 끌어내자는 것이다. 그걸 받아들이지 않으면 우리가 농성을 풀기 어려운 것이다. 그런데 이걸 거부하면 결국 우리 농

금속노조 위원장 박유기

성장을 강고하게 지켜 내는 것만 남는 것이다. 일단 교섭창구를 열어 놓고 가는 것이 유리하겠다고 보는 것이다. 그런데 쟁대위가 유리하지 않다면 그렇게 판단하면 되는 것이다. 우려되는 것이 있다면 대책을 요구하면 되는데, 비정규직지회가 폐기하라고 하면 안 된다."

박유기 위원장과 강정형 실장의 얘기는 명확했다. 동성기업 등 현안 문제와 불법 파견 교섭에 대한 대책을 논의하는 '특별교섭'이 열리면 농성을 해제하자는, '선 농성해제 후 교섭'이었다.

회사는 농성장 고립과 공격을 더욱 강화할 것이고, 금속노조와 불법 파견 교섭에 나오지 않을 것이다. 결국 금속노조의 파업이 유일한 무기인데, 현대차는 조합원 찬반투표에 부치겠다고 선포했고, 지부의 태도로 봤을 때 부결 가능성이 높다는 것을 그는 잘 알고 있다.

그와 같은 조직에 있는 금속노조 이재인 단체교섭실장은 현대차 자본이 박유기 위원장이 아니라 이경훈 지부장을 선택했고, 교섭과 관련해 박 위원장이 할 수 있는 일이 거의 없다고 했다. 그가 '선 농성해제 후 교섭'을 요구하는 이유였다.

그러나 박유기 위원장이 속해 있는 '민주노동자회'라는 현장조직은 현대차 울산 공장 9개 사업부위원회 중 3개의 사업부 대표를 맡고 있고, 대의원을 많이 확보한 3대 메이저 조직 중의 하나다. 또 7개 현장조직 중에서 민투위, 평의회는 가장 앞장서서 연대하고 있고, 민주현장, 현장투, 현장연대 등을 설득한다면 충분히 정규직의 연대를 만들어 낼 수 있다.

그는 현대자동차 노조위원장 출신인 금속노조 위원장이다. 그가 직접 나서서 조합원들을 설득하고 현대차지부를 압박한다면 파업도 가능하다.

그러나….

"위원장께서 이곳에서 농성하면서 돌파구를 뚫어 볼 생각은 없는가?"라는 한 대의원의 질문에 그는 이렇게 답한다.

"그럴 수 있다. 여기 앉아 있는 것이 유리한 것인지, 밖에서 우리 파업대오를 조직하고 확대하는 것이 좋은 것인지 판단하는 것이다. 내가 위원장이지만 정규직도 조합원이고 비정규직도 조합원이다. 이 상태로 마냥 갈 수는 없다. 회사랑 교섭이든 투쟁을 조직하는 집회든 농성이든 해야 한다. 투쟁을 지휘해야 하는 문제도 있고, 교섭국면을 어떻게 할 것인지도 있다. 지부가 나서지 않으면 교섭국면이 열리지 않는다는 것은 다 알고 있다. 현재 우리의 대오와 투쟁으로 우리의 요구를 다 따낼 수는 없다."

‘정규직화에 대한 성과 없이 농성 중단 없다’

숨 가쁘다. 하루에 세 번씩 회의가 열린다. 현장 분위기도 긴장감이 역력하다. 조합원들을 모으는 일도 잦아진다. 교섭과 관련된 논의가 진행되기 때문에 조합원들의 궁금증도 더하다. 무엇보다 여러 가지 유언비어와 소문이 농성장을 떠돌기 때문에 바로잡기 위해서도 모든 상황을 숨김없이 알려야 한다.

우리가 4대 요구안을 거부하자 금속노조 박유기 위원장이 총대를 멨다. 조합원들의 거센 반발과 간부들의 항의에 에둘러 표현하지만 분명한 것은 4대 요구를 받으라는 것이다. 즉, 동성기업 문제를 ‘미끼’로 교섭을 열고 농성을 중단해 후일을 도모하자는 것이다.

현대차지부에서도 이경훈 지부장, 이상수 수석부지부장, 강정형 조직강화실장이 수시로 올라와 비정규직지회 이상수 지회장과 면담한다. 독대하는 시간이 점점 늘어난다. 비정규직 흔들기가 점점 가속화된다.

박유기 위원장이 내려가고, 저녁시간에 다시 회의를 열었다. 이번에는 사업부별로, 조별로 조합원들의 의견을 수렴해 회의를 했다. 이상수 지회장이 사업부별로 돌며 간담회를 진행했다. 누구보다도 가장 중요한 이는 바로 이곳, 1공장 농성장에서 점거 파업을 하고 있는 조합원들이기 때문이다.

> “정규직화 쟁취할 때까지 1공장을 사수하자는 의견도 있었고, 교섭창구를 열어야 정규직화에 좀 더 다가갈 수 있는 것 아니냐는 의견도 있었다. 솔직히 얘기해서 정규직화를 완벽하게 쟁취하고 내려갈 것이라는 기대를 하는 조합원들은 별로 없다. 하지만 여기에서 틀을 만들고

내려가야 한다."

"이런 협의안 받을 것이라고 했으면 아무도 안 올라왔을 것이다. 끝까지 싸워 보자는 것이 모두의 의견이다."

"정규직화 쟁취 없으면 못 내려간다고 했다. 지부장이 내일 새벽까지 답을 안 주면 총회 부치겠다고 하는데, 불까지 싸지르자면서 요구안 관철 안 되면 안 내려간다고 했고, 지회장의 의지가 무엇인지 물었다."

이상수 지회장을 믿고 특별교섭을 열어 보자는 의견도 있었으나, 다수는 정규직화 쟁취에 대한 분명한 입장과 대책이 있어야 한다고 했다. 그러나 이상수 지회장은 상당히 흔들렸다.

"첫째, 농성을 풀지 않는다는 전제조건이고, 그 판단은 우리가 한다는 것이다. 둘째, 현대차지부 발목을 잡는 것은 우리와 정규직 동지들의 갈등을 줄이는 것이다."

이상수 지회장은 농성을 풀지 않는 전제조건에서 동성기업 문제를 미끼로 교섭을 열 수 있다고 판단하고 있었다. 이에 대해 다른 간부들은 단호했다.

"우리는 앞으로 지부, 노조의 압력을 계속 받을 수밖에 없다고 본다. 단호하지 않으면 계속 그렇게 할 것이다. 차라리 다 끊어 버리고 다음을 기약하는 게 낫다. 이 안을 가지고도 압박하는데, 실제 교섭에 들어가서는 훨씬 더 압박할 것이다."

"지회장은 아니라고 하지만 이 안을 받는 순간 농성을 푼다는 것이다. 이경훈 지부장의 생각은 선 농성해제다."

토론은 쉽게 끝나지 않았다. 우리는 이미 정해 놓은 회의의 원칙에 따라 표결하지 않고 최선을 다해 모두가 동의할 수 있는 대안을 마련하기로 했다. 정회와 속개가 이어졌다.

회의장 안에 흰색 대자보 두 장을 붙였다. 매직으로 논의된 내용을 정리하며 다시 토론을 진행했다.

비정규직지회는 이번 투쟁과 교섭의 3대 원칙으로 △명분 있는 합의 △정규직과의 연대 △사회적 여론을 정했다. 명분 없이 농성을 중단할 수 없으며, 정규직과의 연대가 깨지거나 사회적 여론을 잃어버리면 이 싸움이 끝내 승리할 수 없다는 점을 전체가 공유했다.

그리고 가장 핵심적인 원칙에 만장일치로 합의했다.

"정규직화에 대한 성과 있는 합의 없이 농성을 중단하지 않는다."

이는 '선 농성해제 후 교섭'이라는 압력을 분명하게 거부하면서, 동시에 교섭 과정에서 정규직화에 대한 일정한 성과를 쟁취해 조합원의 찬반투표를 거쳐 농성장을 내려가겠다는 뜻이었다. '정규직화에 대한 성과 있는 합의'가 구체적으로 무엇인지 논의하자는 의견도 있었으나, 회사가 교섭에 나오지도 않는 상황에서 미리 우리가 제한할 필요는 없다는 점에 인식을 같이했다.

교섭 개최에 대해 '정규직화에 대한 성과 있는 합의'를 핵심적 내용으로 정하고, 회사에 특별교섭을 요구하며, 금속노조, 현대차지부, 현대차 비정규직 3지회로 특별교섭단을 구성하기로 했다.

교섭 의제와 관련해 고용보장 등 4대 요구를 포함해 교섭을 진행하기로 하되, '동성기업 폐업으로 파업사태가 촉발된바'라고 한 내용은 삭제하기로 했다. 동성기업 폐업이 없었어도 당연히 파업했을 것이고, 동성기업 해결이 점거 파업 중단과 무관하다는 점을 분명히 하기로 한 것이다.

간부들은 '정규직화에 대한 성과 있는 합의'에 대해서는 절대 양보할 수 없는 마지막 요구라는 것을 거듭 강조했다. 밤 12시가 넘은 시간이었다.

늦었지만 조합원들의 의견을 물어야 했다. 조합원들을 중앙 광장으로 모았다. 쟁대위에서 논의한 내용을 대자보로 정리해 붙였고, 이상수 지회장이 결정 내용을 설명했다. 조합원들은 '정규직화에 대한 성과 있는 합의'가 없으면 절대 농성장을 떠나지 않겠다고 만장일치로 결의했다.

이상수 지회장은 이 카드를 들고 정규직 노조 사무실로 떠났다.

〈11월 26일 현대차 비정규직지회 쟁대위 결과〉

※ 교섭 개최 관련 사항

1) 현대자동차(주) 특별교섭 개최와 창구를 요구한다.

2) 특별교섭단을 구성한다. (단, 구성단위와 세부 방식은 차기 회의에서 논의한다.)

3) 정규직화에 대한 성과 있는 합의 없이 농성을 중단하지 않는다.

※ 교섭 의제 관련 사항

– 농성장의 비정규직 고소고발, 손해배상, 치료비 등을 해결토록 한다.

– 금번 농성자의 고용을 보장한다.(울산, 전주, 아산)

– 사내에서 비정규직지회 지도부의 신변을 보장한다.

– 불법 파견 교섭을 요구한다.

※ 특별교섭단 : 금속노조+현대차지부+비정규직 3지회

아름다운 연대(5):금속노조 10만 명 잔업 거부

11월 22일 금속노조 대의원대회 결정에 따라 오늘 전국에서 2시간 잔업 거부라는 정규직의 연대행동이 진행됐다. 11월 15일 점거파업 이후 12일 만의 일이었다. 금속노조 현대차, 기아차를 포함해 10만 명 이상이 오후 5시부터 2시간 잔업을 거부했고 지역별로 결의대회를 열었다. 공장 밖에서는 오후 5시 30분부터 현대차 비정규직지회 조합원들과 현대차지부, 금속노조 울산 지부, 진보정당과 시민사회단체 500여 명이 참여했다.

전국에서 10만 명이 현대차 비정규직 파업을 엄호하기 위해 잔업 거부 투쟁을 전개했다는 사실은 농성하는 조합원들에게 큰 힘이 되었다. 많은 민주노총 사업장에서 정규직이 비정규직 투쟁을 엄호하기보다 외면했던 과거를 생각할 때 이번 금속노조의 잔업 거부 투쟁은 적지 않은 의미가 있다.

현대차 정규직 조합원 4만 5천 명이 비정규직 문제를 해결하라며 잔업을 거부한 것은 역사상 처음이다. 오늘 조합원들은 주간조는 물론 야간조도 잔업을 거부하고 퇴근한다. 전주 공장에서 올해 초 비정규직 18명 해고에 반대하는 잔업 거부를 세 차례 했지만, 현대차 전 공장에서의 잔업 거부는 처음이다.

정규직 조합원들이 잔업 거부 투쟁으로 받지 못하는 임금은 2만 3천 원 정도로 이를 조합원 4만 5천 명으로 환산하면 10억 원이 넘는다. 금속노조 10만 명의 조합원들이 현대차의 불법 파견 정규직화를 촉구하며 20억 원이 넘는 임금을 포기하면서 투쟁에 나선 것이다.

지금까지는 간부들 중심으로 비정규직 투쟁을 지지해 왔는데, 오늘 처음으로 조합원들까지 행동에 나섰다. 물론 비정규직을 지지하지 않는 조합원들도 있을 것이다. 오늘 잔업 거부 지침이 있기 전까지 점거 농성 사실을 모르는 조합원도 있었다고 한다. 공장이 하도 넓으니까 그럴 수도 있다.

대의원들이 잔업 거부의 취지를 설명했는데, 대놓고 반대하거나 비판하는 조합원들이 거의 없었다고 한다. 정규직이 비정규직 농성을 마음속으로 지지하고 있었던 것이다.

5공장에서는 안현호 대의원을 중심으로 비정규직 노동자들의 파업 소식을 알리면서 1인당 1만 원 모금운동을 벌였다. 결과는 놀라웠다. 거의 모든 조합원이 돈을 낸 것이다. 안현호 대의원은 조합원들의 반응이 뜨거웠다고 전했다.

정규직이 1공장에 들어가 비정규직과 같이 농성해야 하는 것 아니냐고 제안하고, 대법원에서까지 판결이 났으니까 이번에는 꼭 정규직이 되어야 한다고 얘기하는 조합원이 한둘이 아니었다고 한다.

모금운동은 5공장을 넘어 전체 공장으로 확산되고 있다.

이미 5년 전 노동부가 불법 파견이라고 했고, 대법원까지 정규직이라고 판결한 사내하청 노동자들이 점거 파업을 하고 있다. 10년을 같은 공장에서 마주 보며 문짝을 달고 전조등을 끼우며 생활했던 동생이고, 조카이며, 후배들이 처절하게 싸우고 있다. 잔업 거부도 했는데, 4시간 파업을 못할 이유가 없다.

농성장 이탈과 규율

교섭에 대한 논란으로 정신이 없을수록 투쟁을 더욱 확대해야 한다.

회의에서는 한동안 잠잠했던 2, 3공장에 대한 기습파업을 다시 시도하기로 결정했다. 하지만 조합원에게 문자메시지가 가는 순간 관리자들과 용역 경비들이 자리를 선점해 게릴라 파업이 몹시 어려운 상황이다.

따라서 현장에서 라인 사수가 막힐 경우 2, 3공장 파업 조합원을 1공장으로 모아 물품 보급 투쟁을 하기로 했다. 회사는 이날까지 침낭과 음식물은 물론 의약품까지 철저하게 가로막고 있었다.

비정규직 3지회가 결정했던 양재동 상경 투쟁도 아직까지 진행되지 않고 있다. 3지회가 함께 결정했는데, 전주와 아산에서 조합원을 선발하지 못했다고 한다.

1공장, 시트, 변속기, 2공장 해고자, 전주, 아산 공장 등에서 100여 명을 상경 투쟁에 보내기로 한다. 상경 투쟁은 양재동 현대차그룹 본사, 한남동 정몽구 회장 집, 현대차 직영판매점 등에서 하기로 했다.

주말에는 태화강에서 민주노총 전국노동자대회가 열리고, 밤샘 문화제와 농성장을 지키기 위한 48시간 공동행동이 이어진다. 매서운 날씨에 바깥 동지들의 고생이 이만저만 아니다.

혼란의 시기일수록 농성장에 대한 규율을 강화하는 것이 무엇보다 중요하다. 지난주에 비해 농성장을 이탈하는 조합원들이 늘고 있다. 남아 있는 조합원들의 불만이 높아 간다. 어제부터 이틀 연속으로 이 문제를 토론했다.

농성장을 내려가는 조합원과 사업부 대표들의 실랑이가 벌어진다. 거짓말을 하고 내려가는 조합원들을 징계해야 하지 않겠냐는 제기도 나왔다. 몇 가지 대책을 마련했다.

〈농성장 이탈에 대한 방침〉

1. 환자는 최대한 설득하고, 서클룸에서 약을 먹고 휴식을 취한 후에도 심각할 경우 복귀 약속을 전제로 병원에 보낸다.
2. 부모님 위독, 친척 부고 등 중대 가정사로 불가피한 경우 복귀 약속을 전제로 일시 귀가한다.
3. 개인 사유는 이탈을 금지하며, 옷가지 등 필요한 물품은 쟁대위에서 확보해 지급한다.
4. 사업부 대표는 위 기준을 분명히 하고, 당사자를 최대한 설득한다.

환자들이 많다. 일반 감기환자 외에 복합 환자를 파악해 양약, 한약을 제조해 들여오기로 했다. 개인 의약품도 모두 취합해 가족대책위에 일괄 연락해 보급하기로 했다. 농성이 길어지면서 긴급 환자가 발생하는 등 비상상황이 생겨, 밤 12시부터 아침까지 야간상황실을 운영하기로 했다.

하지만 역부족이다. 내려가고 싶은 이들은 멀쩡히 살아 있는 할머니와 삼촌, 고모를 둘러댈 것이고, 건강하신 부모님을 핑계 댈 것이기 때문이다. 확인할 수도 없고, 확인할 필요도 없다. 우리 스스로 들어온 것처럼, 싸우기 싫으면 나가면 된다. 무엇보다 왜 우리가 함께 싸워야 하는지를 가슴으로 느끼고 싸움의 전망을 공유한다면 남아서 싸울 것이다.

할 일이 많다. 금속노조에서 결정된 파업이 현대차지부 대의원대회에서 통과될 수 있도록 대의원들에게 연대를 호소하는 전화를 해야 한다. 단전과 단수에 대한 대책도 시급히 마련되어야 한다. 회사 관리자의 출입을 막기 위해 방문자 리스트를 작성하고 신원을 확인하기로 했다.

긴 하루가 지나간다.

13일차_ 11. 27.

다시 흔들린 이상수

11월 27일 자정을 넘긴 시간에 현대차지부에 도착해 새벽 5시 20분까지 회의를 진행한 이상수 지회장이 초췌한 얼굴로 농성장에 나타났다. 잠시 눈을 붙이게 한 후 오전 10시부터 회의를 열었다.

그는 '동성기업 폐업으로 파업사태가 촉발된바'를 삭제하자는 요구는 받아들여졌다고 했다. 그러나 비정규직 3지회가 한목소리로 주장했던 '정규직화에 대한 성과 있는 합의 없이 농성을 중단하지 않는다.'는 요구는 받아들여지지 않았단다. 농성 중단 여부는 해당 주체가 결정할 문제라는 것이었다.

회의 결론은 간단했다. 정리된 내용을 받아들이면 주말에 현대차지부에서 회사에 요구안을 발송하고, 받아들이지 않으면 손을 떼겠다는 것이었다.

> "3주체가 정규직화에 대한 성과 있는 합의를 따내기 위해 머리를 맞대자고 한 것이다. 농성 중단의 주체가 누구냐는 문제는 아니다. 정규직 노조는 시트 문제만 가져가려고 한 것이고, 우리는 불법 파견과 엮어서 가려고 한 것이기 때문에 정규직화에 대한 성과 있는 합의라는 내용이 중요했다."
>
> "논리적 해석을 차치하고라도 약속을 파기한 것이다."

"누가 봐도 '정규직화에 대한 성과'가 명분이었다. 그게 안 되면 그냥 나오기로 한 것이었다."

"이것은 정규직화 교섭을 하지 않는다는 의미다."

간부들의 항의가 빗발쳤다. 이상수는 "결정사항을 어긴 잘못을 했다."며 "이 안을 받아들이지 않으면 제가 책임을 지겠다."고 말했다. 이번 파업의 상징이자 아이콘인 지회장이 사퇴까지 거론하자, 간부들이 당황한다.

회의가 장시간 계속되는 사이, 현대차 회사와 하청업체 바지사장들, 정규직 어용대의원들이 농성장에 있는 조합원들에게 유언비어를 뿌리기 시작한다. 지회장 사퇴 소문도 떠돈다. 조합원들에게 빨리 알려서 함께 토론하고 논의해야 한다. 1차 토론을 중단하고, 사업부별로 조합원들과 토론하기로 했다.

사업부별, 조별로 토론을 진행한 후 다시 회의가 열렸다. 밤 10시가 가까운 시간이었다.

I) 안을 받지 말자는 의견이 조금 더 많았다.

G) 정규직화에 대한 성과 있는 합의는 집행부의 의지로 반드시 가져가야 한다는 입장이었다.

B) 전체 조합원 의견이 폐기였다.

J) 한 업체는 반반이었다. 다른 업체는 정규직화에 대한 성과 있는 합의가 들어가면 된다고 했다. 또 다른 업체는 지도부의 의지가 확고하다면 따라가겠다는 의지였다. 지회장이 너무 처져 있으니 힘을 냈으면 좋겠다.

이상수) 제가 결정하고 온 것은 맞는데, 전체 지도부는 쟁대위다. 공식적인 회의에서 번복되면 신뢰성이 무너진다. 그런 상황에서 지회장 업무를 수행할 수 있을까 하는 의문이다. 동지들이 얘기하는 건 단 하나다. 그냥 내려갈 수는 없다는 것이다. 쉽게 결정을 내리지는 않겠다.

C) 의견이 반반이다. 원래 반대 의견이 더 많았는데 지회장 거취문제로 인해 혼란이 생겼다.

I) 밖의 조합원, 시민들까지 지회장 사퇴한다는 얘기가 쫙 퍼졌다. 그건 우리를 흔들려는 의도다. 쟁대위에서 어떤 경우에도 지회장 사퇴는 없다는 것을 명확하게 해야 한다.

이상수) 내가 결정하고 저질러 놓은 일에 내가 책임져야 할 일이 있다.

C) 투쟁의 연속성이라고 얘기했다. 지회장이 자신감을 가지고 이전 모습으로 되돌아가서 의지를 보인다면 충분히 할 수 있다고 본다. 여기 농성 조합원들도 그래야 따라간다.

G) 생각이 다를 수 있다. 바깥의 대오도 의견이 갈리고, 사업부별로도 편차가 존재한다. 이럴 때 의견을 하나로 모아서 진군해 나가는 게 수장의 역할이다. 우리의 역할은 지회장이 어떤 결정을 내리면 따르고 지지하는 것이다. 우리도 잘못한 것 있고, 지회장도 마찬가지다. 우리가 반드시 승리하기 위해서 지회장을 중심으로 함께 가는 것이 필요하다.

H) 공장 밖에 많이 모였는데, 굉장히 혼란스러워하고 있다. 쟁대위가 흔들리고 지회장이 제대로 서 있지 못한다는 얘기가 나왔다. 현장에서도 똑같이 흔들리고 있다. 우리가 혼란스러워하는 모습이 그대로 조합원에게 나타나고 있다. 2, 3일간의 혼란에 대해 조합원들에게 얘기하고 굳건히 가자.

이상수) 회사와 직접 교섭이 이루어지지 않은 상황에서 교섭 창구를 마련하자고 한 것이지, 정규직화를 위한 투쟁은 계속 이어 갈 것이다. 8대 요구안에 대해 성과 있는 합의가 나오지 않으면 그 입장을 내면 된다고 본다.

K) 금속노조와 현대차지부가 무조건 농성을 중단하라는 게 아니라면 '정규직화에 대한 성과 있는 합의 없이 농성을 중단하지 않는다.'는 비정규직지회의 입장을 지지 엄호하도록 요구하고, 공동 기자회견이나 성명서를 내자. 5주체 논의안에 대해 다수의 조합원이 반대하고 있다는 사실도 회의 결과에 명시하자.

정규직화에 대한 성과 있는 합의 없이 농성을 중단하지 않는다는 것을 천명하면 우리의 요구가 분명해지고, 우리가 무조건 교섭을 거부한다는 비난도 받지 않으며, 정규직과의 연대와 사회적 여론도 유리하게 끌고 갈 수 있는 것이다. 회사가 나오지 않을 것이고, 우리는 파업을 계속하면 되는 것이다.

A) 우리 입장을 밝히자는 의견에 동의한다. 3지회 입장으로 밝히고, 그 내용을 현대차지부, 금속노조에 존중, 엄호한다는 의사 표현을 해 주기를 전달하는 것까지는 괜찮은 생각이라고 본다. 금속노조는 동의할 것이고, 현대차지부가 어떻게 할 것인지에 대해서는 얘기해 보자.

이상수) 그럼 금속노조와 현대차지부의 의견을 물어 내일 기자회견을 하자.

※ 교섭 개최 관련 사항

1) 현대자동차(주) 특별교섭 개최와 창구를 요구한다.

2) 특별교섭단을 구성한다. (교섭단은 금속노조, 현대차지부, 3지회로 구성한다.)

보고대회가 끝나자 조합원들이 현대차 비정규직 교섭 관련 결정사항을 핸드폰으로 찍고 있다.

※ 교섭 의제 관련 사항

- 농성장의 비정규직 고소고발, 손해배상, 치료비 등을 해결토록 한다.
- 금번 농성자의 고용을 보장한다.(울산, 전주, 아산)
- 사내에서 비정규직지회 지도부의 신변을 보장한다.
- 불법 파견 교섭에 대한 대책을 요구한다.

〈지회 쟁대위 결정사항〉

1. 비정규직지회 쟁대위는 현대자동차와 불법 파견 정규직화 교섭을 열기 위한 과정으로 이번 특별교섭에 참가한다.
2. 11 · 27 5주체회의 결과에 대해 다수의 조합원이 반대하고 있다는 사실을 분명히 공유한다.
3. 쟁대위는 "정규직화에 대한 성과 있는 합의 없이 농성을 중단하지 않는다."는 입장이며, 금속노조, 지부에 지지 연대 엄호 의사를 요

청한다.

4. 지회 쟁대위는 성명서와 기자회견을 통해 위 사실을 분명하게 밝힌다.

오전 10시부터 밤 12시까지 14시간에 걸친 회의와 조합원 토론이 끝났다. 이상수 지회장이 다시 조합원 앞에 섰다. 그동안의 혼란을 딛고, '정규직화에 대한 성과 있는 합의 없이 농성을 중단하지 않는다.'는 분명한 원칙을 조합원들 앞에 설명했다.

그는 "논의에 끝을 냈다. 이틀 동안 내부적 혼란과 지도부 판단에 대한 망설임으로 농성자와 바깥 투쟁 대오에 혼란을 야기한 것을 사과드리겠다."며 "오늘 회의에서 명확한 안을 내놓고 이후 강력한 투쟁을 하기로 했다."고 말했다.

지도부 사퇴까지 고민했던 나약한 모습은 어느새 사라졌다. 그의 얼굴에 윤기가 나기 시작한다. 그의 말이 계속 이어진다.

"이번 교섭이 정규직화를 위한 과정임을 분명히 밝힌 것으로 성과 있는 합의가 없으면 농성을 중단하지 않는다는 우리의 입장을 확인하는 것입니다. 비록 혼란이 있었지만 교섭이 있어야 정규직화 내용을 확보한다고 판단했습니다. 현장의 혼란은 분명한 입장으로 종식시키고 이후 가열차게 투쟁해 나갈 것입니다. 결론을 냈으니 즐겁게 투쟁해 나갑시다."

회의에서 만장일치로 확정한 안을 조합원들은 박수로 받아들였다. 혼란스러웠던 조합원들의 얼굴도 밝아진다.

땜장이와 배관공

땜장이들의 대활약이 시작됐다. 용역들의 침탈에 대비해 유리창마다 철조망을 설치하기로 했는데 용접공 경력이 있는 조합원들이 자발적으로 나섰다. 솜씨가 끝내 준다. 용접 불꽃이 튀고, 매캐한 냄새가 난다. 창문에 하나 둘씩 철조망이 쳐지기 시작한다.

예전에는 어디서 일했을까? 현대중공업에서 사내하청 노동자로 일한 건 아닐까? 여러 가지가 궁금해진다. 동료 형님이 묻는다.

"야, 그렇게 용접 잘하는데 뭣하러 자동차 들어왔노? 중공업 가제?"

그는 웃음으로 대답을 대신한다.

지난해 현대차 이경훈 지부장은 임금협상 결과를 조합원들에게 알리면서, 현대중공업의 벽을 넘어 "조합원의 자존심을 지켰다"고 했다. 그는 현대중공업과 임금 비교표를 만들어 연간 24만 원을 더 받게 됐다는 소식지를 배포했다.

조선소는 용접공을 필두로 여러 가지 기술과 자격증을 가지고 있는 노동자들이 일하는 곳이고, 자동차는 특별한 기술이 요구되지 않아 단순 조립공들이 가는 곳이었다. 당연히 조선소의 임금이 자동차보다 높았다.

그래서 단순 조립공이 용접공보다 월급을 많이 받았다는 것은 자랑할 만한 일일지도 모른다. 노조가 없는 회사, 어용노조가 있는 회사보다 민주노조가 있는 회사가 더 높은 임금과 노동조건을 보장받을 수 있다는 것은 중요한 일이다.

그러나 20년 전에는 고등학교만 졸업하면, 직업훈련원만 나오면

농성장 방어를 위해 철조망을 용접하고 있는 모습

누구나 정규직으로 취직할 수 있었다. 지금은 용접기술이 뛰어나도, 전기 · 전자 자격증이 몇 개씩 있어도 정규직으로 취업할 곳이 없다.

현대중공업, 현대자동차는 해마다 수조 원의 순이익을 내면서도 정규직을 채용하지 않는다. 정규직으로 채용해야 할 자리에 비정규직, 사내하청을 이용한다.

회사가 전기를 끊으면 전기공들이 나서서 비상 전원을 찾아 전기를 연결한 것처럼, 회사가 단수조치를 단행하자 배관공이 등장한다. 유일하게 나오는 식수대를 뜯어 배관을 찾아 화장실로 연결한다. 얼마 지나지 않아 물이 나오기 시작했다.

지난주 일요일부터 노동가요 배우기를 시작했는데, 마이크 설치대가 없었다. 허명호 대의원은 기타를 치면서 노래했기 때문에 사회자가 마이크를 들고 있어야 했다. 이 광경을 보던 한 조합원이 마이크 설치대를 만들어 냈다. 공장 안에 있는 파이프를 땜질해 멋진 마이크 스탠드가 등장했다.

어느 조합원은 쓰다 남은 고무로 슬리퍼를 여러 켤레 만들었다.

마이크 스탠드와 슬리퍼를 보여 주자 조합원들이 박수와 함성을 보낸다. 멋지다. 이렇게 노동자들은 자동차를 만들고 배를 만들어 낸다. 노동자는 세상을 만드는 주역이다.

빨랫비누

"비누 좀 주세요."

조합원들이 상황실을 찾아 비누를 요청한다. 공장에서 쓰이는 세숫비누가 농성장 옆 책장에 놓여 있다. 400명이 넘는 사람들이 24시간 화장실을 사용하다 보니 비누가 빨리 닳는다. 시도 때도 없이 비누와 화장지를 찾는다.

세숫비누는 세수하고 머리 감고 목욕하는 데만 쓰이지 않는다. 양말과 옷을 빠는 일에도 쓰인다. 거품이 잘 나지 않고 잘 빨리지도 않는다. 정규직 조합원들에게 빨랫비누를 부탁했다.

빨랫비누가 도착했다. 세면대에는 세숫비누를 놓고, 샤워실 안쪽에 빨랫비누를 놓았다.

"빨랫비누가 있으니까 좋은데요. 옷도 잘 빨리고. 진즉 들여오지 그랬어요?"

바지를 빨고 있던 조합원이 웃으며 말한다. 그래, 이렇게 농성하게 될 줄 알았으면 빨랫비누도 준비했을 텐데….

빨랫비누가 문제가 아니다. 빨래야 안 하고 지낼 수 있지만 먹지 않고는 살 수 없다. 이렇게 농성할 줄 알았다면 비상식량을 준비해 왔을 것이다.

2009년 77일간 공장 점거 농성을 했던 쌍용차 조합원들은 미리 농성에 대해 충분히 준비했다. 처음에는 사내 식당에서 밥을 먹었고 나중에는 보름 정도 컵라면과 주먹밥을 먹었다고 한다.

쌍용차 굴뚝에서 86일을 보낸 서맹섭 비정규직지회장의 주식은 전투식량이었다. 군대에서 훈련을 나갈 때 먹었던 볶음밥이다. 뜨거운 물을 부으면 10분, 찬물은 40분을 기다리면 맛있는 밥이 된다. 군대에서 몰래 들여온 술을 먹을 때 최고의 안주가 전투식량이었다.

서맹섭은 처음에는 굴뚝 아래에서 올려 준 밥을 먹었고, 나중에는 라면과 전투식량으로 버텼다고 한다. 위염을 앓고 있어서 전투식량 하나로 하루 세 끼를 먹기도 했다. 그래도 전투식량이 있어서 굶지 않았다. 조합원들이 배낭에 전투식량을 가득 채워 이곳에 들어왔으면 얼마나 좋았을까?

부질없는 얘기다. 농성할 생각이 있었다면 침낭부터 챙겨 왔을 것이다. 오죽했으면 내복도 안 입고 잠바 안에 반팔 차림으로 이곳에 왔을까?

현대차지부 전 집행부에서 비정규직 부장을 했던 주재일 조합원이 농성장을 방문해 방한복을 벗어 놓고 간다. 회사가 침낭 반입을 막고 있어 정규직 조합원들이 옷을 벗어 주고 가기로 한 것이다.

동지애가 가득한 방한복이 하나 둘씩 쌓인다.

14일차_ 11. 28.

혼란에 종지부를 찍고

지난 며칠간의 혼란에 종지부를 찍는 회의와 조합원 보고대회가 끝났지만 간부들은 잠을 잘 수 없다. 당장 내일 기자회견을 준비해야 했기 때문이다. 1공장 점거 농성 14일 만에 처음으로 공개적인 기자회견을 하는 자리였다. 또 '정규직화에 대한 성과 있는 합의 없이 농성을 중단하지 않'기로 결정했기 때문에 보수언론들의 왜곡보도에 대해 충분한 준비가 필요했다.

정규직 노조는 동성기업 문제가 해결되면 농성을 중단하라고 했고, 26일부터 소중한 연대세력을 '외부세력'이라며 끌어내고 있었다. 회사가 이를 이용해 정규직과 비정규직을 갈라치기하려는 것에 대해서도 세심하게 대비해야 했다.

11월 28일 농성장에서 열린 비정규직지회의 기자회견

수차례 내용을 검토하고 질의 응답을 준비한 후 기자회견문이 작성됐다. 이상수 지회장을 비롯해 쟁대위 전원이 기자회견에 참석하기로 했다. 기자회견 현수막은 한 사회단체에서 걸어 놓은 것 중에서 '비정규직 철폐'라고 씌어진 것을 빌려 와 '땜빵'하기로 했다.

20여 명이 계단을 내려가자 방송 3사를 포함해 50명이 넘는 사람들이 카메라를 들고 우리를 기다리고 있었다. 회사 관리자들도 '똑딱이' 카메라를 들고 기자들 사이에 숨어 사진을 찍어 댔다. 비정규직 노동자들이 태어나서 이렇게 많은 기자들 앞에 서 본 것은 처음이었다.

이상수 지회장이 기자회견문을 읽어 내려갔다. 왜 우리가 파업을 시작하게 되었는지, 파업 과정에서 정권과 자본의 폭압이 어느 정도였는지를 먼저 말한다. 우리를 지지하기 위해 정규직 노동자들이 보여 줬던 헌신적인 연대에 진심어린 감사의 인사를 전한다.

마지막으로 그는 가장 중요한 부분을 천천히, 단호한 목소리로 읽어 나간다.

> "비정규직지회 쟁대위는 현대자동차와 불법 파견 정규직화 교섭을 열기 위한 과정으로 이번 특별교섭에 참가하기로 하였으며, '정규직화에 대한 성과 있는 합의 없이 농성을 중단하지 않는다.'는 것이 저희의 분명한 입장입니다.
> 불법 파견 정규직화를 위한 투쟁 과정에서 발생한 고소고발, 손해배상, 고용보장, 지도부 신변보장도 필요하지만, 저희 비정규직 조합원들은 불법 파견 교섭에 대한 대책을 논의하면서 반드시 '정규직화에 대한 성과 있는 합의'가 이루어져야 한다는 점을 분명하게 밝힙니다.
> 저희는 현대자동차 회사가 8대 요구안에 대한 전향적 검토를 통해 정규직화를 전제로 조합원들이 동의할 수 있는 정규직화 안을 제시한다면 농성 중단을 검토할 수 있습니다.
> 그러나 정규직화에 대한 어떤 언급도 없이 형식적인 대화 정도로 조합원과 국민들을 기만한다면 우리는 2공장을 비롯해 파업투쟁을 더욱 강화할 것이며, 서울 양재동 현대기아차그룹 무기한 농성투쟁도 벌일 것입니다. 회사가 대화와 교섭을 거부한다면 현대차 정규직 동지들도 금속노조의 결정에 따라 연대파업을 전개할 것이며, 현대차는 전체 노동자와 국민들의 준엄한 심판과 저항에 직면하게 될 것입니다."

이상수 지회장은 2005~2006년 대화를 전제로 파업을 일시 중단하고 농성을 풀었지만 현대차 회사가 어떻게 나왔는지 기억을 토해냈다. 지도부를 구속하고 고소고발과 대량징계를 해서 노동조합을 박살 냈던 것을 얘기했다. 그는 "회사를 믿지 못하는 것은 회사의 과오"라며 먼저 농성을 해제하지 않는 이유를 명료하게 짚고 넘어갔다.

'정규직화에 대한 성과 있는 합의 없이 농성을 중단하지 않는다.'고 했기 때문에 교섭이 열릴 가능성은 높지 않다. 회사는 처음부터 지금까지 '선 농성해제 후 대화'를 주장해 왔고, 현대차지부를 통한 회유가 실패할 경우 더욱 강도 높은 공격을 해 올 것이 뻔하다.

현대차 자본과 정권은 지금보다 훨씬 무자비한 탄압과 공격, 정규직을 통한 협박과 회유, 각종 유언비어와 내부 흔들기를 통해 농성장을 무너뜨리려고 할 것이다.

이에 맞서 2, 3공장에서 기습 파업을 성사시키고, 점거 파업을 전주로 확대하며, 양재동 현대차그룹 본사 농성투쟁을 더욱 강화해야 한다. 정규직과의 연대를 강화해 금속노조 총파업을 성사시켜야 한다.

어느 것 하나 쉽지 않다. 그러나 이대로 무너질 수는 없지 않은가?

외부세력(2):아, 김진숙

지난 11월 26일부터 농성장을 발칵 뒤집어 놓은 사건이 3일 동안 연달아 벌어졌다.

26일 저녁 7시경 현대차 이경훈 지부장과 사업부 대표, 상무집행위원 등 30여 명이 농성장에 올라왔다. 비정규직 노조의 전 수석부위원장이었던 김태윤 조합원이 "방문 목적을 확인하겠다"며 이경훈을 가로막았다. 격분한 이경훈 지부장과 간부들이 격렬하게 항의했다.

이상수 비정규직지회장은 이경훈에게 공식적으로 사과했고, 이런

한진중공업 해고자 김진숙 민주노총 부산본부 지도위원이 농성 조합원들에게 교육하는 모습

일이 벌어지지 않도록 재발방지 대책을 마련하겠다고 했다. 비정규직 회의에서 농성장 방문에 대해 신원을 확인하기로 해서 우발적으로 생긴 일이라고 해명했다.

그러나 이경훈은 이를 거부했고, 지부 간부들은 김태윤을 끌어냈다. 그는 현대차지부 사무실로 끌려갔다가 공장 밖으로 쫓겨났다.

정규직 노조 간부들은 "박유기 위원장은 막지 않았으면서 이경훈 지부장을 가로막은 것은 의도가 있었던 것 아니냐"며 좀처럼 분을 삭이지 못했다. 이경훈은 자신이 폭행당했다고 주장했다.

비정규직 조합원들은 순식간에 벌어진 일에 대해 어찌할 바를 모르고 지켜봐야 했다. 노동조합을 떠났다가 11월 15일 점거 파업 이후 노조에 복귀해 함께한 조합원이 어처구니없는 이유로 정규직 간부들에게 끌려 나가는 모습에 모두들 멍한 표정이었다.

그러나 이날의 일은 해프닝으로 끝나지 않았고, 이후 농성장에 연대하러 온 동지들이 '외부세력'이라는 이름으로 정규직 노조의 간부들에게 끌려 나가는 빌미가 되었다.

농성하는 조합원들에게 소중한 경험을 나누고 용기와 희망을 심어 주기 위해 교육이 진행되고 있었다. 기륭전자 김소연 분회장, 기아차 비정규직 김영성 전 지회장, 쌍용차 77일 파업 간부, 박훈 변호사가 농성장에 와서 힘을 북돋아 줬다. 민주노총 부산본부 김진숙 지도위원께 교육을 부탁드렸는데, 시간을 내는 게 쉽지 않았다.

전국노동자대회가 울산에서 열리던 11월 27일 오후였다. 김진숙 위원이 울산에 온다는 연락을 받았다. 공장에 들어와 교육을 해 달라고 요청했다. 하지만 농성장에 들어오는 일이 쉽지 않았다. 마침 현장조직인 '금속민투위'의 정규직 활동가들 세 명이 농성장에 올라왔다. 그들에게 부탁했다. 한 대의원이 오토바이로 김진숙 지도위원을 공장 안으로 모셨다.

그녀가 교육하고 있는 시간, 이경훈 지부장과 간부들이 음식물을 전달하러 농성장을 올라와 이 장면을 보게 됐다. 그는 이상수 지회장을 서클룸으로 불렀고, 곧이어 나를 불렀다. 그는 소리를 버럭버럭 지르며 누가 김진숙을 불렀고, 누가 데리고 들어왔냐며, 왜 지부의 사전 허락 없이 외부사람을 공장 안에 들였느냐고 했다.

사전에 알리지 않은 것에 대해 사과했지만 그의 분노는 가실 줄 몰랐다. 그는 밖으로 나가지 않고 서클룸에 앉아 씩씩거렸다. 한 정규직 간부가 다가오더니 교육을 빨리 끝내라고 요구했다. 시작한 지 얼마 되지 않았는데 그럴 수 없었다.

교육이 끝나자 이경훈 지부장은 "외부인이 어떻게 들어왔느냐?

왜 허락도 없이 들어왔느냐?"고 대놓고 소리를 지르기 시작했다. 그는 반말로 시비를 걸었고, 그녀는 가져온 가방도 챙기지 못한 채 공장 밖으로 쫓겨나야 했다.

김진숙.

그는 한진중공업의 전신인 대한조선공사 최초의 여성 용접공으로 1982년 스물한 살 때 입사해 스물여섯에 해고되고, 대공분실 세 번 끌려갔다 오고, 수배생활 5년 하고, 징역 두 번 다녀왔다. 2003년 김주익 지회장이 85호 크레인에서 목을 매 자결한 이후 지난 7년 동안 방에 불을 때지 않고 살았던 그다.

올해도 그는 정규직 정리해고와 비정규직 대량해고에 맞서 20일 넘게 단식농성을 벌였다.

> "1970년에 죽은 전태일의 유서와 세기를 건너뛴 2003년 김주익의 유서가 같은 나라. 세기를 넘어, 지역을 넘어, 업종을 넘어, 자자손손 대물림하는 자본의 연대는 이렇게 강고한데, 우린 얼마나 연대하고 있습니까? 우리들의 연대는 얼마나 강고합니까?
> 비정규직을, 장애인을, 농민을, 여성을 외면한 채 우린 자본을 이길 수 없습니다. 아무리 소름 끼치고 아무리 치가 떨려도 우린 단 하루도 그들을 이길 수 없습니다. 저들이 옳아서 이기는 게 아니라 우리가 연대하지 않으므로 깨지는 겁니다. 맨날 우리만 죽고, 맨날 우리만 패배하는 겁니다.
> 아무리 통곡을 하고 몸부림을 쳐도 그들의 손아귀에서 한시도 벗어날 수가 없습니다. 이 억장 무너지는 분노를, 피가 거꾸로 솟구치는 이 억울함을 언젠가는 갚아 줘야 하지 않겠습니까?

어버이날 요구르트 병에 카네이션을 꽂아 놓고 아빠를 기다린 용찬이. 아빠 얼굴을 그려 보며 일자리 구해 줄 테니 사랑하는 아빠 빨리 오라던 혜민이. 그 아이들이 살아갈 세상은 좀 달라져야 하지 않겠습니까?"

김주익 열사가 목을 맨 후 부산역 광장에서 외친 절규에 광장에 있던 모든 사내들이 고개를 떨구고 눈물을 펑펑 쏟아내게 만든 그다. 이경훈에게 절대 이런 수모를 당해서는 안 되는 그다.

민주노총 지도위원이 민주노총 조합원을 교육했는데 무엇이 문제란 말인가? 김진숙 위원은 얼마 전 이 공장에 들어와 정규직 대의원 교육을 했는데, 비정규직 파업 현장에 와서 교육했다고 어떻게 이럴 수 있을까? 너무나 힘들었다.

정규직 대의원에게 그의 가방을 전달해 달라고 요청했다. 이경훈에게 쫓겨난 그의 뒷모습이 계속 어른거렸다. 죄송하다는 문자를 보내자 답장이 왔다.

"박점규 동지가 얼마나 힘드실지 조각이나마 겪었네요^^; 그래도 흔들리지 마시고 꿋꿋이 견디시길."

농성장에서 두 번째 맞는 일요일 저녁이었다. 1공장 부대표 신석구 대의원이 오후 5시 농성장에 올라와 권우상 울산연대노조 전 사무국장에게 어느 업체 소속이냐고 물었고, 권우상은 연대하러 왔다고 대답했다. 그러자 신석구 부대표는 마침 농성장에 있던 이경훈 지부장에게 뭔가를 이야기했고, 이경훈은 권우상의 뺨을 때리면서 정규직 간부들에게 끌어내라고 소리쳤다.

노조 사무실로 끌려간 그가 이경훈에게 맞고 있다는 소문이 돌았다. 이상수 지회장과 간부들을 급히 지부 사무실로 보내 폭력을 중단시키도록 했다.

> "무릎 꿇고 눈 깔아. 네가 공장생활 한 번이라도 해 봤냐? 너 어느 학교 나왔냐? 외부세력이, 공장생활도 안 해 본 놈들이 지회 조합원들을 부추기냐? 배후세력 때문에 지회가 자기 의견을 이야기 못하고 있다."

그는 한 언론과의 인터뷰에서 이경훈이 10여 분간 욕을 하면서 목을 누르고 뺨을 때리면서 이렇게 얘기했다고 했다. 이경훈이 나가자 다른 간부들이 들어와 외부세력이 몇 명이 있냐며 심문했다고 한다. 2시간 정도 노조 사무실에 잡혀 있던 그는 공장 밖으로 끌려 나갔다.

권우상이 이경훈에게 린치를 당하고 있는 사이에 정규직 노조 노동안전보건실에서 안전점검을 이유로 농성장을 샅샅이 뒤지는 일이 벌어졌다. 혹시나 시너와 같은 인화물질이 있을 경우 분신사태가 우려된다는 이유였다. 그들은 침탈에 대비한 방어장비들을 촬영했다.

조합원들의 항의가 빗발쳤다. 보초근무를 마치고 자고 있는 노동자들의 취침을 방해하면서 잠자리를 들추기까지 한 모양이었다.

아무리 정규직과의 연대가 중요하지만, 아닌 건 아니다. 비정규직 간부들은 도저히 그냥 넘어갈 수 없다며 분개했다. 긴급하게 회의가 소집됐다. 비정규직지회의 자율권을 침해하고, 농성장 분위기에 악영향을 미치는 일이었다.

지부에 항의를 전달한 후 폭력과 인화물질에 대한 지회의 입장을 밝히기로 했다. 폭행사건과 농성장의 자율권에 대해 조별로 토론해서 이후 어떻게 대처할 것인지 논의하기로 했다.

회의를 하고 있는 사이에 농성장 계단에 경고장이 붙었다.

"만약 지부 집행부의 확인 없이 농성장 방문으로 인해 생기는 신분상의 불상사는 지부에서 절대 책임질 수 없다는 것을 밝히는 바입니다. 이에 동조하는 일부 활동가들의 책임 또한 보호할 수 없다는 것을 아울러 밝힙니다."
금속노조 현대자동차지부 지부장 이경훈

암담하다.

현대차지부 이경훈 지부장

그가 처음 1공장 농성장에 나타난 것은 11월 19일 금요일 저녁이었다. 진보정당 국회의원들과 함께 농성장에 들어온 그는 서슬 퍼런 눈빛으로 노려보더니 이렇게 내뱉었다. 그 자리엔 비정규직 이상수 지회장, 노덕우 수석부지회장이 함께 있었다.

"어이 박 국장, 이곳을 해방구로 만들어서 좋나? 사회주의 해방구 만들어서 좋냐고?"
"무슨 말씀이세요?"
"조합원들 눈과 귀를 가리고 뻠뻐질해서 어쩌자는 거야?"
"누가 누구 눈을 가린다는 거예요?"

그로부터 사흘 뒤인 11월 22일 금속노조 대의원대회에서 연대파업이 결정되자, 늦은 밤 그가 다시 농성장에 나타났다. 그는 조합원들을 불러 모은 후 금속노조가 사기를 쳤다며, 중앙교섭에서 사내하도급을 인정한다고 해 놓고 우리에게만 사내하청을 모두 정규직화하라고 한다며 소리쳤다. 그는 대의원대회 자료집을 펼쳐 보였다.

그러나 그 내용은 노사 합의안이 아니라 회사의 제시안이었다. 금속노조는 이미 불법 파견 정규직화에 대한 중앙협약을 확보하고 있었다. 사실이 아니라고 분명하게 얘기하자, 그제야 확인해 보겠다며 물러섰다.

그는 조합원들에게 금속노조 규약 69조에 따라 대의원대회에서 결정된 파업에 대해 조합원 총회를 해야 한다고 말했다. 그러나 규약 20조 및 26조에 따르면 총회가 아닌 대의원대회로 갈음할 수 있도록 되어 있다. 2007년 6월 한미 FTA에 반대하는 총파업도 조합원 총회가 아니라 대의원대회에서 결정했고, 현대차도 파업에 참여했다.

그는 누구에게나 반말을 했다. 비정규직 이상수 지회장도, 공장별 대표도 예외가 없었다.

"야, 이상수, 그럴 거야? 이런 식으로 할 거냐고?"

사석과 공석을 가리지도 않았다. 정규직과 비정규직 대표들의 간담회에서도 반말이었고, 욕설도 섞어 말했다. 한 정규직 사업부 대표가 "회의에서 반말하는 것은 좀 심한 것 아니냐"고 얘기할 정도였다.

그는 민주노총 부산본부 김진숙 지도위원에게도 시종일관 반말로 말했고, 곁에 있는 사람조차 수치심과 모욕감이 들 만큼 무례하게 말했다.

"어이 박 국장, 계속 그렇게 뻠뻐질할 거야? 자꾸 그러면 공장 밖으로 쫓아내. 내가 가만있을 것 같아?"

"왜 그러십니까?"

"외부세력 누구누구야? 남아 있는 외부세력 어딨어? 또 보이면 가만 안 둬."

시간이 지날수록 그가 농성장에 나타나는 횟수가 잦아졌고, 그의 행패는 더욱 심해졌다. 배고픈 노동자들에게 김밥을 올려 주면서 듣기 싫은 소리를 쏟아 놓고 가는 그를 향해 조합원들은 '악질산타'라는 별명을 붙여 줬다.

사실 함부로 반말을 지껄이는 사람은 그뿐이 아니었다. 정규직 간부들이 비정규직에게 존댓말을 쓰는 경우를 보기 힘들 정도였다. 임원이든, 실장이든, 부장이든 똑같았다. 금속노조 박유기 위원장과 몇몇 사업부 대표들이 말을 까지 않은 것이 고마울 지경이었다.

지난주 금요일인 11월 26일 그는 조합원들을 불러 놓고 이렇게 말했다.

> "육 개월, 일 년 만에 정규직이 되면 좋지만 현실은 냉혹하다."
>
> "지회장, 노조위원장이 동의한 것도 부정하면 아무것도 못한다."
>
> "시트사업부 동성기업이 발단이었다. 11월 15일은 디데이(D-day)가 아니었다. 전쟁도 선전포고가 있는 것이다. 해결 안 되면 11월 15일 파업한다고 해야 하는데 그런 얘기가 없었다. 대단히 기분 나빴다."
>
> "금속노조, 현대차지부, 비정규직지회가 의견을 모은 것도 안 된다면 무슨 얘기를 하냐? 여기 와서 물어봐야 하냐? 그러면 전망 없다."
>
> "여기 올라오는데, 지부장 가슴을 팍팍 치며 안 된다고 한다. 매일 상

집, 대의원 올라오는데 여러분 지원하는 사람이다. 개인적으로 분하다. 내가 사측이냐?"

"여러분의 눈과 귀를 누가 이렇게 만들었는가?"

그가 처음부터 요구했던 '선 농성해제 후 협상'을 거부했기 때문에 앞으로 그는 더 자주 이곳에 올라올 것이다. 그가 올라올 때마다 농성장은 휘청거린다. 앞으로의 나날들이 두렵다.

영화 상영

1공장에서 일하는 박 군은 이곳 울산 공장에서 사내하청 노동자로 10여 년을 살아왔다. 정규직 노동자들이 파업하면 어쩔 수 없이 장갑을 벗어야 했고, 라인에서 대기하다가 퇴근했다. 더러는 정규직 노동자들의 집회에 참가하기도 했지만, 그는 자기 일이 아니다 보니 뻘쭘해서 멀리서 바라보기만 했다.

가끔 정규직 형님과의 술자리에서 1998년 정리해고에 맞선 점거파업에 대한 얘기를 들었지만 그렇게 실감나지는 않았다. 구사대와 용역 깡패, 전투경찰…, 36일간의 전투가 그에게는 영화처럼 허황되게 느껴졌었다.

농성장에 스크린이 설치되고, 빔프로젝트를 들여오고, 컴퓨터와 영화 DVD가 반입되면서 영화 상영이 시작됐다.

맨 먼저 1998년 정리해고에 맞선 36일간의 파업을 보여 줬다. 조합원들의 눈이 말똥말똥해진다. 흑백필름의 영화, 12년의 세월을 건너 오늘 비정규직의 파업.

형님들에게 들은 이야기가 화면에 펼쳐진다. 쇠파이프를 들고 정문 앞으로 달려가는 사수대, 최루가스와 지랄탄으로 뒤덮인 거리, 관리자들을 이끌고 공장을 휘젓는 정몽규 사장, 울부짖는 여성 노동자들의 절규…. 그의 눈에 눈물이 맺힌다. 영화가 끝났지만 여운이 오래 남았다.

두 번째 상영된 영화는 장산곶매의 〈파업전야〉다. 1990년 세계노동절 101주년을 기념해 만들어진 〈파업전야〉는 '눈물 없이 볼 수 없는 영화'였다. 당시 노태우 정부가 상영금지 처분을 내렸고, 상영하는 곳마다 백골단을 투입해 최루가스가 자욱한 상영관에서 눈물 콧물을 닦으며 봐야 했다. 관람객은 대부분 여자들이었고, 남자들은 쇠파이프를 들고 상영관을 지켰다.

4년 전인 2006년 여름, 기아차 화성 공장에서 다시 이 영화를 만났다. 8월 22일 밤 10시 30분, 야간조 파업을 전개한 기아차 화성 비정규직 조합원 400여 명이 야외 스크린 앞에 앉았다. 크지 않은 화면은 끊임없이 흔들렸고, 더빙도 시원치 않아 말과 행동이 엇나가기도 했지만 비정규직 노동자들은 화면에서 눈을 떼지 않았다.

> "PG공장은 기계가 쇳물로 주조하고 남은 찌꺼기를 비정규직 노동자들이 일일이 수작업으로 떼어내는데 시끄럽고 철가루가 날려 이곳 조합원들이 영화를 보면서 느끼는 게 많았다."

비정규직 파업으로 지금 춘천 교도소에서 옥고를 치르고 있는 기아차 비정규직 이동우 전 부지회장은 16년이나 세월이 흘렀는데 노동의 현실은 변하지 않았다며 안타까워했었다.

조합원들은 주저하던 노동자들이 스패너를 들고 공장에서 걸어나오는 마지막 장면에서 눈을 떼지 못했다. 20년 전의 공장과 우리의 현실이 이렇게 닮아 있다.

영화보다 현실이 주는 감동이 훨씬 크고 깊다.

11월 27일 민주노총 전국노동자대회 후 정문 앞에서 열린 촛불문화제가 농성장에 생중계됐다. 조합원들이 스크린 앞으로 모여들었다. 아내와 아이들, 농성장에서 내려간 2, 3공장 조합원들을 한 번도 볼 수 없었던 조합원들은 눈을 크게 뜨고 영상을 바라보았다.

가족들의 모습이 화면에 잡힌다. 한 노동자가 말한다. "저기 저 맨 앞에 목도리 한 사람이 제 아냅니다. 예쁘죠?" 그의 말이 이어진다.

"마음이 괴롭죠. 하필 비정규직 남편을 만나서… 신랑 정규직 만든다고 저렇게 추운 날씨에 길거리까지 나왔네요. 그래도 이렇게 보니까 힘이 많이 나네요."

내 아내의 얼굴은 보지 못했고, 내 아이의 모습은 찾지 못했지만, 가족들의 얼굴이 보일 때마다 노동자들의 얼굴에 미소와 함께 미안한 마음이 아로새겨진다.

3부

8부 능선

●

15일차_ 11. 29.

연합군의 폭격

농성장 유리창 너머로 아침 햇살이 비친다. 계속되는 단전으로 어두운 공장에 살며시 스며드는 햇살이 반갑다. 지난밤 목욕을 했더니 몸은 개운한데 한기가 느껴진다. 따뜻한 물로 몸을 녹이고 잠자리를 정돈한다.

3차 전쟁이 시작됐다. '선 농성해제 후 교섭'을 거부하고, 정규직화에 대한 성과 있는 합의가 있을 때까지 점거 농성을 계속할 것이라고 밝히자 강호돈 대표이사는 현대차지부로 달려와 "협의를 시작하기 위해선 농성해제가 우선돼야 한다."고 했다.

결국 회사를 교섭으로 끌어내기 위해선 더 강도 높은 생산타격이 이루어져야 한다. 무엇보다 2, 3공장의 기습파업이 성공하고, 전주공장이 부분파업이 아닌 전면파업, 점거파업에 돌입해야 한다. 많이 늦었지만 오늘부터 시작된 양재동 현대차그룹 본사 투쟁을 더욱 강화해야 한다.

울산.

2, 3공장 조합원들의 기습파업은 성공할 수 있을까? 만약 어렵다면 추위와 배고픔에 떨고 있는 농성자들에게 침낭과 김밥을 전달하는 반입투쟁을 벌이자고 결정했다. 명분도 좋고, 여론의 지지도 받

조합원들이 걸어 놓은 소원지

을 수 있다.

회사는 피의 보복을 할 것이다. 용역 깡패와 관리자들의 폭력에 얼마나 많은 조합원들이 쓰러질지 모른다. 그러나 가야 하는 길이다.

무엇보다 가장 중요한 것은 농성장이다. 조합원 수가 400명으로 줄어들었다. 100여 명 이상이 공장 밖으로 나갔다가 되돌아오지 못했다. 더는 흔들리지 않도록 해야 한다.

정규직과의 연대를 복원해야 한다. 내일 현대차지부 정기대의원대회가 열린다. 전국에서 온 대의원들에게 정확한 사실을 알리고 연대를 호소하기로 했다. 현대차지부의 노골적인 협박과 왜곡을 바로잡고, 금속노조 대의원대회에서 결정한 연대파업이 성사되도록 해야 한다.

전주.

전주 공장의 한 대의원은 걱정하지 말라며 여전히 씩씩한 목소리였지만, 지난주에도 마찬가지였다. 지금이라도 전주에서 점거 파업에 들어간다면 1공장 농성장은 고립에서 벗어나고 전선은 확대될 것이다. 어느 때보다도 중요한 시기이며, 어느 공장보다 정규직과의 연대가 탄탄한 곳인데, 왜 주저하는 것일까?

서울.

현대차그룹 정몽구 회장의 한남동 자택과 양재동 본사는 가장 집중해야 할 곳이다. 무엇보다 서울은 여론의 중심, 정치의 중심이다. 서울에서의 위력적인 투쟁은 어느 곳보다도 언론보도에 유리하다. 현대차 직영판매점에서 정규직 판매노동자들과 함께 집회를 열고 1인시위를 한다면 효과도 있을 것이다.

현대차의 한 판매노동자는 직영점 중에서 절반 정도, 최소한 3분의 1 정도는 정규직이 나와서 비정규직과 함께 점심시간에 1인시위를 할 수 있다고 한다. 최대한 연락해서 함께 싸우겠다고 말한다. 고맙다.

박재완 노동부장관이 불법 파업을 중단하라는 기자간담회를 했다.

"오늘부로 현대차 울산 공장에서 불법적으로 점거하고 있는 근로자들이 대승적 결단을 내려서 점거 농성을 즉각 중단해 줄 것을 촉구한다. 이유 여하를 막론하고 주요 생산시설을 볼모로 무력으로 점거함으로써 국민경제 활동을 위축시키는 것은 불법이다. 즉각 불법행위를 중단해야 한다. 그리고 사내하청 노조의 파업과 관련해 금속노조 쪽에서

12월 초로 거론하고 있는 총파업 계획도 사용자 처분 가능한 범위와 무관하므로 명백한 불법 연대파업이라고 하겠다. 현명한 판단을 내려 자제할 것을 촉구한다."

불법은 우리가 아니라 현대차 정몽구 회장이 저지르고 있다. 지난 10년간 당연히 정규직으로 채용했어야 할 자리를 불법으로 비정규직으로 채워 파견법을 위반하고, 임금을 갈취하고, 부당해고를 일삼았다. 대법원이 불법이라고 했는데도 계속 불법을 저지르고 있다.

불법행위를 중단해야 하는 것은 정몽구고, 불법을 방치 묵인하여 불법행위를 방조하고 있는 자가 이명박 정부이고 박재완 장관이다.

파견법 위반이라는 불법행위는 인신매매와 같은 파렴치한 범죄행위다. 만약 한 초등학교에서 학생들 납치가 10년째 계속되고 있다면 정부는 모든 경찰병력을 동원해 납치범을 잡았을 것이다.

박재완 장관은 대법원 판결 때문에 미안했는지, "이유 여하를 막론하고 불법"이라고 말한 후 "내년 초까지 사내하도급 근로자 보호를 위한 가이드라인을 만들기 위해 초안을 만들고 있다."고 사족을 단다. 사내하청은 보호를 위한 가이드라인이 필요한 게 아니라 정규직화해야 한다는 것이 대법원의 판결이다.

노동부장관에 이어 경찰이 나선다. 울산동부경찰서는 이상수 지회장과 임원, 주요 사업부 대표에게 업무방해 혐의로 체포영장을 신청했다. 법원은 체포영장을 발부할 것이고, 주요 간부들은 모두 수배자가 될 것이다.

1공장의 한 조합원이 핸드폰을 들고 상황실로 왔다. 사내하청업체 바지사장이 보낸 문자를 보여 준다. 내일 오전 9시에 하청업체 사무실로 와서 징계위원회에 참가하라는 문자다. 현대차는 바지사장들을 불러 징계하겠다는 협박 문자를 보내도록 해 농성장을 흔들겠다는 것이다.

또 현대차는 금속노조 김형우 부위원장, 최병승 비정규국장, 교섭국장인 나를 포함해 7명을 추가로 고소고발했다. 경찰은 출두요구서를 보낼 것이고, 우리는 출두하지 못해 체포영장이 발부될 것이다.

공격은 여기서 그치지 않았다.

> 현대자동차 울산 공장 사내하청 노조가 지난 15일부터 정규직화를 요구하면서 보름째 불법 공장 점거 파업을 벌이고 있는 파업현장에서 시너 등 인화성 물질이 잇따라 발견돼 경찰이 수사에 나섰다. 향후 어떤 식으로든지 파업현장에서 시너가 사용될 경우에는 공장 화재나 폭발, 더불어 인명피해의 위험성까지 뒤따를 가능성을 배제할 수 없는 것으로 보인다.
> (중략)
> 경찰과 회사는 현재 발견된 것 외에도 파업현장에 시너가 더 있을 수 있다고 추정하고 있다.
> 이에 따라 시너가 더 있다면 이후 현대차 관리자와 또다시 몸싸움이 벌어지거나 사태가 장기화하고 국민 여론에 맞춰 공권력이 투입되는 시점에 사용될 수 있다는 지적이 없지 않다.
> 시너가 실제 사용된다면 엄청난 인명, 물적 피해가 예상되는 등 안전에 대한 우려가 커지고 있다.
> 이는 도어탈부착공정 바로 옆에 각종 휘발성 인화물질이 가득한 도장공장이 위치하고 있어 공장 폭발, 화재 등으로 인해 큰 인명피해까지 발생할 수 있기 때문이다.

> 경찰 등은 현재 시너 등이 어떻게 파업현장에 들어갔는지 등에 관해 기본적인 조사를 시작한 것으로 알려졌다.(〈연합뉴스〉 장영은 기자 / 최종수정 2010-11-29 20 : 34)

이명박 정권, 현대차 자본, 보수언론이 육상, 해상, 공중에서 핵폭탄을 퍼붓는다. 우리 조합원들이 연합군의 폭격을 견뎌 내야 할 텐데….

동맹군의 배신(1)

농성장으로 현대차지부 소식지가 전달됐다.

> "그런데 29일 비정규직지회 쟁의대책위는 회의를 통해 '정규직화에 대한 성과 있는 합의 없이 농성을 풀지 않는다'는 회의결과를 내놓으며 앞선 금속노조, 현자지부, 비지회 3주체회의의 결과를 정면으로 부정하는 행위를 하고 말았다. 이는 어떤 식으로든 사태를 풀어 보고자 하는 현대차지부 의지에 찬물을 끼얹는 것 같아 참담할 따름이다."

아니, 이게 또 무슨 말인가? 일주일 동안 토론하면서 정규직과의 연대를 깨지 않으려고 양보에 양보를 거듭하며 어렵게 교섭에 참여하기로 한 결정에 대해 '찬물을 끼얹는 행위'라니….

소식지를 본 조합원들의 분노와 한숨이 교차한다. 연대하러 온 동지들을 외부세력이라고 폭행을 가해 쫓아내고, 농성장 방어를 위한 물품을 사진을 찍어 언론사에 갖다 주더니, 이제는 비정규직지회를 대놓고 비난한다. 끔찍하고 참담하다.

더군다나 기자회견문 초안은 현대차지부 조직강화실을 통해 이경훈 지부장에게 전달했고, 언론을 담당하는 공보부장에게도 내용을 알렸는데, 하루 만에 뒤통수를 친다.

한 간부가 말한다.

"이경훈이 이럴 줄 몰랐나요? 그나마 김밥이라도 갖다 준 게 어디예요?"

이경훈 지부장이 비정규직 정규직화 투쟁에 함께할 것이라고 기대한 조합원들은 거의 없다. 하지만 사업부 대표들에 대한 기대는 달랐다. 정규직 조합원들이 직선으로 선출하고, 운영위원이자 교섭위원인 사업부 대표 9명 중 7명이 소위 '민주파'라고 불리는 현장투, 민노회, 민주현장, 현장연대의 핵심 인물들이었기 때문이다.

사업부 대표들이 공장별로 비정규직 조합원들과 간담회를 하자고 요청했다. 간부들이 설득되지 않으니까 조합원들을 직접 설득해 농성을 해제하자고 하려는 것 아니냐는 우려가 있었지만, 조합원들을 직접 만나 진솔하게 얘기를 나누는 것이 도움이 되리라고 판단했다.

> "물론 부족하고 못마땅할 수도 있다. 그래도 지부장의 손을 놓으면 안 된다. 만약에 손을 놓게 되면 회사가 당장 진압하지 않겠느냐. 사측 힘으로 진압이 가능할 것 같다."(1공장)
>
> "일단 고용보장 받고 투쟁해야 되는 거 아닌가?"(2공장)
>
> "지금 당장 100% 목표를 쟁취할 수 없으니 일단 교섭을 열고 단계적으로 가야 하는 것 아닌가? 현장으로 들어가서 내년 1월이라도 모여서 싸울 수 있지 않느냐?"(3공장)
>
> "장렬한 전사가 아닌 더 밝은 내일을 위해 고뇌에 찬 결단이 필요한 시

1공장 김희환, 홍영출 조합원이 출근길 삼보일배를 하고 있다.

기다."(4공장)

사업부별로 약간의 차이는 있었지만 대부분 '선 농성해제 후 교섭'의 입장이었다. 그러나 조합원들의 생각은 단호했다. 농성장을 빈손으로 내려갈 수 없다는 것이었다. 조합원들은 정규직화를 장기적인 과제로 할 수 없다고 얘기했고, 정규직이 함께 농성에 참여하고, 총회를 가결시켜 줄 것을 요청했다.

조합원 간담회가 끝나고 사업부 대표들과 비정규직지회 간부들의 간담회가 열렸다. 통합사업부 김천민 대표가 입을 열었다.

"인식의 차이가 크다는 것을 확인했습니다. 반성이 됩니다. 같이 가는 투쟁이 필요하다고 생각합니다. 조기의 성과는 달성했고, 이제 지도부의 역할이 큽니다. 조합원과의 괴리가 커서 지회장이 힘들었다는 생각이 듭니다. 정규직과 비정규직 사이의 차이가 크고, 신경이 날카로운 상황입니다. 앞으로 골이 더 깊어지면 문제가 커질 것입니다."

비정규직지회 1공장 김성욱 대표가 대답한다.

"이게 바로 우리 조합원들의 정서입니다. 정규직 사업부 대표들께서는 우리가 왜 농성하는지 심정을 이해해 주셨으면 합니다."

그랬다. 강경파는 지회 간부들이 아니라 바로 조합원들이었다.

이경훈 지부장이 속한 전현노 소속 대표는 2명뿐이다. 그런데 민주파 역시 '선 농성해제 후 교섭'을 말하고 있다. 한 번에 정규직화를 따낼 수 없다고 말한다. 대법원까지 정규직이라고 판결했는데도 말이다. 입만 열면 정규직 조합원 정서를 말한다. 그들에게는 서로 다른 정파도, 신념도, 경험도 상관없다.

현대차에 '길을 아는 사람들'이라는 조직이 있다. 지역 언론에서 대서특필해 주는, 회사와 입장이 가장 가까운 정규직 조직이다. 이들이 오늘 처음으로 농성을 해제하라는 유인물을 냈다. 그들은 "농성장에 있는 외부세력들은 전원 물러가라"며 "3주체 요구안 2차 합의!! 이제는 점거 농성부터 풀어라!"라고 썼다.

민주파를 자청하는 6개 조직은 물론 이경훈 지부장의 전현노라는 조직도 아직 점거 농성 해제라는 유인물을 내지 않았다. 아직은 정규직 노동자들의 민심이 그렇게까지 회사로 넘어간 것은 아니라는 의미일 수도 있고, '길을 아는 사람들'처럼 내고 싶지만 '어용' 소리를 듣기 싫어 침묵하는 것인지도 모른다.

그러나 현장조직에 속해 있는 9개 사업부 대표들은 오늘 농성장에 올라와 조합원들을 직접 만나 '농성 중단'을 요구했다.

민주파 현장조직은 어디 있는가?

세계 최고의 명품 자동차

> "지난 26일 이경훈 위원장과 각 공장 노조 대표가 식사 지원과 사태해결을 위해 농성 조합원을 면담하려고 투쟁현장을 찾았지만 올라가는 과정에서 입구를 지키던 비정규직 조합원들이 이 위원장의 멱살을 잡고 신체가격까지 서슴지 않으면서 방문을 가로막았다."

11월 29일 현대차지부 소식지가 나간 후 정규직 분위기가 싸늘해졌다. 정규직 노동자들 사이에서 "아무리 지부가 못해도 지부장을 때리다니, 비정규직들 너무하는 것 아냐?"라는 얘기가 들려왔다. 가로막은 것은 맞지만 멱살을 잡은 적도 없고 신체를 가격한 적도 없었다. 그러나 서로 맞붙어 있는 상태였고, 대표들이 다 지켜보는 가운데 벌어진 일이어서 파장은 만만치 않았다.

무엇보다 회사가 이를 아주 효과적으로 이용하고 있었다. 지부장이 폭행당했다며 반장 조회시간에 알려서 순식간에 소식이 전 공장으로 퍼졌다.

농성장 안에서도 분위기가 심상치 않았다. 지부장을 폭행한 것은 아니지만 빌미를 준 것에 대한 비판의 소리가 여기저기서 들려왔다. 농성장이 휘청거린다.

긴급하게 회의가 열렸다. 현대차지부에 면담을 요구해 폭행과 사실 왜곡에 대해 항의하기로 했다. 정규직 간부들이 농성장에 복귀하려는 조합원의 신분을 확인하며 출입을 막은 것에 대해서도 재발방지를 요구하기로 했다.

돌아서고 있는 정규직의 민심을 바로잡는 것이 중요했다. 지회장이 정규직 조합원들에게 보내는 호소문을 작성하고, 폭행 및 인화물질에 대한 왜곡보도를 바로잡기로 했다.

무엇보다 중요한 것은 농성장이 흔들리지 않도록 하는 것이다. '정규직화에 대한 성과 있는 합의 없이 농성 중단하지 않는다'는 입장을 조합원 보고대회에서 다시 밝히며 흔들리는 마음을 추스르기로 했다.

이상수 지회장이 단식하겠다는 의사를 밝혔다. 기자회견 이후 전면적인 공습이 진행되는 데다 농성장이 흔들리고 있는 상황에서 단식하는 것이 필요하지 않겠느냐는 의견이다. 고민스럽다. 교섭이 열리면 지회장이 참가해야 하는데, 그렇지 않아도 추위와 배고픔으로 허약해진 몸에 단식까지 하게 되면 이 투쟁을 끝까지 지켜 낼 수 있을지 걱정이다. 신중하게 판단하기로 했다.

그동안 계속 미뤄 왔던 조합원 장기자랑과 '노가바(노래가사 바꿔 부르기)'를 오늘 진행하기로 했다. 경품은 배식창고에 남아 있는 음식으로 정했다. 여러 팀이 장기자랑을 준비하고 있었다. 이 얘기를 들은 현대차지부 이상수 수석부지부장이 통닭과 맥주를 들여오겠다고 제안했다. 고맙게 받기로 했다.

어둠을 뚫고 조합원들이 하나 둘씩 광장으로 모인다. 점거 농성 15일차 파업투쟁 승리 보고대회다. 조합원들이 모여 흔들리는 마음을 다잡고 결의를 다지는 것을 싫어하는 회사는 저녁시간에 불을 꺼

버린다. 그러나 조합원들은 아랑곳하지 않는다. 손전등을 들고, 휴대폰 불빛을 비추며 모인다.

4공장 황호기 대표가 다가오더니, 조합원들이 장기자랑에 참여하지 않겠다는 얘기를 전한다. 오늘 회의시간에도 아무런 문제제기가 없다가 이제 얘기하면 어쩌냐고 했지만, 4공장을 빼고 장기자랑을 할 수는 없는 노릇이었다. 간부들이 긴급하게 모여 장기자랑을 연기하기로 했다.

준비했던 경품과 통닭은 공장 대표들의 가위바위보로 정하기로 했다. 승부는 단 한 번에 났다. 변속기 조합원들의 얼굴에 함박웃음이 피었다.

조합원 하나가 가져온 손전등의 불빛이 강렬하다. 농성장 한가운데서 천장을 비춘다. 병상에 누워 있는 황인화 조합원의 편지가 도착했다. 손전등 불빛으로 비추며 편지를 읽는다.

> 안녕하십니까?
>
> 현대자동차 비정규직 노동조합 조합원 황인화입니다.
>
> 모든 분들이 저의 행동에 많이 놀라시고 심려와 걱정을 끼쳐드려 너무나 죄송합니다. 따뜻한 관심과 격려로 손목 수술도 잘 받았으며, 중환자실에서 일반병동으로 내려와 열심히 치료를 받고 있습니다.
>
> 치료를 받으면서 살고 싶고 살아야겠다는 다짐으로 이 악물고 아픔과 고통을 이겨 내고 치료를 받고 있지만 저 추운 1공장 안에서 점거 파업을 하고 있는 동지들을 생각하면 더 이상 제가 나약해질 수가 없었습니다.
>
> 정규직 비정규직 비조합원 형님 동생 여러분.
>
> 저희가 2005년에 아~! 우리가 일하는 게 법에 저촉되는 불법 파견이

사업부 대표들이 가위바위보를 하고 있다.

라는 것을 알게 되었습니다. 말로만 법대로 하라고 외치던 원청에서 편법으로 우리들의 일자리를 비정규직으로 채우고 있었습니다. 이번 우리 투쟁은 대법원 판결에서도 인정한 '정당한 투쟁'이라는 것을 모두가 알고 있을 것입니다. 이 기회에 우리의 정당한 요구인 정규직화가 관철되지 않는다면 두 번 다시는 이런 기회가 없을 것입니다.

정규직 비정규직 비조합원 여러분!

도와주십시오! 이번 기회로 서로의 벽을 깨고 하나가 되고 진정으로 형님 아우가 되어 우리 자식들에게까지 비정규직이란 명분으로 노동자를 갈라치게 하지 않도록… 꼭! 도와주십시오!! 정규직 형님들! 힘차게 저희의 투쟁을 지지 엄호해 주십시오! 함께 투쟁하여 주신다면 정말 큰 힘이 되겠습니다.

비조합원 여러분!

지금이라도 늦지 않았습니다. 당장 조합에 가입하시어 한 명이라도 더 정규직이 되어 함께 일할 수 있도록! 우리 함께 투쟁하여 이겨서 비정규직 철폐하고 떳떳하게 우리 힘으로 정규직이 되었다는 자부심을 가집시다.

'권리 위에 잠든 자는 보호해 주지 않는다'고 합니다. 우리가 당연히 가져야 할 정규직의 권리를 포기하지 말고 이번에 힘차게 열심히 투쟁하여 이번 기회에 비정규직 철폐합시다. 모두가 정규직화가 되어 '동지는 하나다'라는 것을 몸소 보여 줍시다! 많이 힘들고 춥고 배고파도 우리의 투쟁이 떳떳하기에 견뎌 낼 수가 있었습니다. 꼭! 연대해 주실 거라 믿겠습니다. 저도 꼭 다 나아서 현장에서 일하고 싶고 정규직 명찰을 달고 일하고 싶습니다.

세계에서 가장 안전하고 품질 좋은 차, 세계 최고의 명품 자동차 회사를 함께 만들어 나가고 싶습니다.

-2010년 11월 29일 병상에서 황인화 올림

회사 관리자들을 다 때려죽이고 회사에 불을 지르고 싶다고 할 줄 알았는데, 그는 일하고 싶다고 말한다. 정규직 명찰을 달고 일하고 싶다고 한다. 자신의 몸을 불사르게 만든 회사를 위해 "세계에서 가장 안전하고 품질 좋은 차, 세계 최고의 명품 자동차 회사를 함께 만들어 나가고 싶다"고 말한다.

어둠을 사르고 울려 퍼진 황인화의 편지는 흔들리는 우리들의 마음을 다잡는다. 정규직화에 대한 성과 있는 합의가 없다면 절대 농성을 중단하지 않겠다는, 결코 빈손으로 이곳을 내려가지 않겠다는 조합원들의 목소리가 불빛에 섞여 공장을 휘감는다.

이상수 지회장의 느릿하지만 단호한 목소리가 오늘따라 유난히 강렬하게 느껴진다. 온몸의 먼지가 씻겨 나가듯 길었던 하루의 번민이 흩어진다. 흔들리던 농성장은 그렇게 15일째의 밤을 보낸다.

16일차_ 11. 30.

최선의 방어(2)

아침 7시 45분 2공장.

2, 3공장 주간조 350여 명의 노동자들이 22라인 23반과 26반에 모였다. 그러나 이미 정보는 새 나갔고, 회사는 2천 명의 용역과 관리자들을 2공장으로 모아, 23반에 있던 조합원들에게 폭력을 휘두르며 몰아냈다. 남은 조합원들은 26반으로 합류했고 격렬한 몸싸움이 벌어졌다.

22라인이 40분간 가다 서다를 반복했지만, 수적으로 열세인 노동자들은 자재창고로 밀려났다. 현대차 자본은 자재창고에 있던 100여 명을 덮쳤고, 32명을 경찰서로 넘겼으며, 10여 명이 병원으로 실려갔다.

낮 12시 55분 본관 식당.

현대차 관리자와 용역 경비 50명은 2공장 이진환 대표와 4명의 조합원들이 식사를 마치고 본관 식당에서 나오자 기습적으로 덮쳤다. 그들의 머리채를 잡아 고개를 숙이게 한 후 옷으로 머리를 덮고 주먹으로 가격하고, 쓰러진 이진환을 발로 걷어찼으며, 스타렉스에 실어 안전화로 얼굴을 가격했다.

회사는 이들을 대형버스에 감금한 후 2시 15분경 부품문에 대기하고 있던 동부경찰서로 넘겼다. 이진환은 허리를 밟혀 눕지도 앉지도 못한 채 고통을 호소했고, 당황한 경찰은 구급차를 불러 울산대병원으로 후송했다.

오후 5시 양재동.

현대차 용역 경비대 200여 명은 기자회견을 마친 양재동 상경 투쟁단 40여 명을 밀어내기 시작했고, 1시간 30분가량 격렬한 몸싸움과 대치가 벌어졌다. 경찰은 우상수 조합원과 노동전선 김태연 집행위원장 등 8명을 연행했다.

지난주에 이어 이번 주에도 전주 공장은 점거 파업을 결정하지 못했다. 주간 6시간, 야간 퇴근파업이다. 주간에는 300여 명의 조합원과 정규직 간부들의 힘으로 생산을 중단시켰지만, 야간에는 관리자들과 알바 투입으로 라인이 생생 돌아간다. 주야 4시간 파업을 하고 있는 아산 공장은 생산에 아무런 영향을 미치지 못하고 있다.

회사의 가공할 폭력으로 2, 3공장의 기습 파업이 성공하지 못했다. 공장을 버리고 나오는 파업은 가능하지만 라인을 잡는 파업은 점점 어려워진다. 이제 남은 것은 1공장을 지키는 것뿐인가?

앞으로 본격적인 침탈이 시작될 것이다. 농성장을 단단히 지키는 것이 무엇보다 중요하다. 농성장을 재정비하기로 했다.

근무가 가장 힘든 곳은 농성장 출입구다. 시트1, 2부와 변속기 조합원들이 맡고 있다. 애초 농성할 때 임의로 잡았는데, 하루 8시간씩 3교대 근무를 하니 힘들 수밖에 없다. 특히 분반토론, 공장별 보고대회, 전체 보고대회가 잇따라 열리다 보니 잠자는 시간마저 부족하다. 1공장에서 계단 근무를 지원하기로 했다.

원칙과 전술(1):좌우 편향

지난밤 늦게 아산 공장 사내하청지회에서 성명서가 전달됐다. 금속-현대차지부-비정규 3지회 3주체회의에서 교섭 참가를 거부했던 아산에서 보내온 성명서였다.

아산 사내하청지회는 "다행히 11월 27일 울산 지회 쟁대위는 특별교섭에 참여하되 '현대자동차와 불법 파견 정규직화 교섭을 열기 위한 과정으로' 그리고 '정규직화에 대한 성과 있는 합의가 나올 때까지 농성을 풀지 않는다.'라고 결정했다."며 "이것은 11월 26일 3주체회의 결과가 내포하고 있는 불법 파견 정규직화 의제가 주변부로 밀려날 가능성과 농성해제에 대한 우려를 불식시켰다는 점에서 우리 지회 쟁대위는 이를 적극 지지한다."고 밝혔다.

이어 아산 지회는 "우리 지회 쟁대위는 금일 오후 6시 확대쟁대위를 통해서 위 전제조건이 보장된다면 특별교섭에 참여하기로 결정했다."고 알려 왔다.

8대 요구안이 아니면 어떤 대화나 교섭도 필요하지 않다던 아산 지회에서 울산의 결정을 지지하고 특별교섭에 참여하기로 했다니 늦게나마 다행이다.

'선 동성기업 고용승계 후 불법 파견 특별교섭'이라는 이경훈 지부장의 제안에 동의했던 전주 지회 강성희 지회장도 울산의 결정을 지지하기로 했다. 전주 강성희 지회장은 공장 점거 파업을 하고 있지도 않으면서 점거 파업 당사자인 울산의 반대를 아랑곳하지 않고 '선 농성해제 후 교섭'을 결정했었다.

늦었지만 다행이다. 비로소 비정규직 3지회가 회사의 협박과 정규직 지부의 압력을 넘어 단일한 입장을 만들어 낸 것이다.

그러나 이미 현대차 자본과 정규직 노조는 비정규직지회의 분열과 혼란을 이용해 파업을 지지했던 정규직 노동자들의 민심을 심각하게 흔들어 놓았다. 우리가 어떤 대화와 교섭도 거부하고 오직 투쟁만 일삼고 있으며, 합의한 내용을 계속 번복하고 뒤집었다고 말했다.

원칙과 전술은 다르다. 우리가 이번 불법 파견 투쟁을 통해 쟁취해야 할 전략과 목표, 원칙은 분명하다. 당연히 모든 사내하청의 정규직화이고, 불법 파견 정규직화의 교두보를 확보하는 일이다. 이를 위한 전술은 원칙이 훼손되지 않는 범위 내에서 폭넓게 활용할 수 있다.

특히 이번 파업의 경우 현대차 자본과 비정규직이 직접 교섭하는 조건이 아니다. 또 정규직의 연대 없이는 파업이 승리하기 어렵다. 따라서 정규직의 연대를 강화하고, 국민과 여론의 지지를 받으면서 교섭과 투쟁을 이어 나가야 하는 것이다.

'불법 파견 정규직화에 대한 성과 있는 합의'는 원칙을 훼손하지 않고 명분을 지키면서 공을 사측으로 넘기기 위해 장시간 토론을 통해 얻어 낸 결과였다.

우리는 오랜 기간 그런 활동에 익숙해져 있었는지 모른다. 2009년 쌍용차 노동자들이 이명박 정권의 살인전쟁에 맞서 77일 동안 점거 파업을 벌이고 있을 때 6월 26일 현대차지부 대의원대회가 열려 현장발의 안건이 올라갔다.

대의원들은 총파업과 총력투쟁 사이에서 고민했다. 총파업을 걸면 선명하지만 대의원 성향 분포상 부결될 것이 뻔했다. 실질적인 연대에 도움을 주는 투쟁방안을 논의해 수정안을 만드는 것이 필요했다. 그러나 이는 거부됐고, 총파업 안건은 부결됐다. 언론은 이 결과를 대서특필했고, 이 소식을 들은 쌍용차 조합원들은 절망할 수밖에 없었다.

원칙과 전술에 대해 더욱 깊이 고민하지 않는다면 우리는 자본의 손아귀에서 절대 벗어날 수 없다.

〈피디수첩〉

16일차 파업 승리 보고대회가 열렸다. 2, 3공장의 기습 파업과 연행, 폭행, 전주와 아산 공장 파업을 전했다. 그러나 라인이 계속 돌아가며, 울산과 서울에서 40명이 경찰에 끌려가고, 조합원들이 얻어터졌다는 소식은 농성장을 우울하게 만든다. 전주에서 6시간 동안 공장을 멈춰 세웠다는 소식이 그나마 위안이었다.

울산 시민 2차 여론조사 결과가 농성장의 분위기를 살려냈다. 울산 불법파견대책위가 11월 27~28일 울산 시민 600명을 대상으로 여론조사를 한 결과 울산 시민의 88%가 현대차 사측이 비정규직과 즉각 협상에 나서야 한다고 대답했다.

67%는 대법원의 비정규직 판결에 대해 찬성한다고 응답했다. 파업사태 해결방안에 대해서는 당사자 간 교섭이 64.3%, 정치권 · 지역사회 중재 26.3%였으며, 공권력 투입은 2.3%에 불과했다. 비정규

직에 대한 지지가 지난 1차 여론조사 때보다 더 높아졌다. 반갑다.

연평도 포격 이후 언론의 관심에서 멀어져 가 걱정이 많았지만 여전히 절대 다수의 국민들이 비정규직 투쟁을 지지하고 있다는 사실에 조합원들은 흐뭇해했다.

밤 11시. 삼삼오오 모인 조합원들이 웅성거린다. 핸드폰으로 TV를 켜 놓고 MBC 〈피디수첩〉이 방영되기를 기다리면서 즐거운 수다를 떤다. 상황실 책상 중앙에도 핸드폰이 놓였다.

방송이 시작되었지만 연평도 포격 영상만 계속된다. 좀처럼 끝날 기미가 보이지 않자 여기저기서 불만의 소리가 들린다. 어쩌랴, 분단조국에 살고 있는 우리들인 것을.

드디어 시작됐다. 지나다니는 이도 없다. 숨소리마저 고요하다. '어느 하청 노동자의 분신 – 현대자동차사태'라는 제목으로 황인화 동지와 농성장이 화면에 비친다.

방송이 끝났다. 딱 12분이다. 박수소리, 함성소리, 안도의 한숨소리, 불만의 소리들이 뒤섞여 들려온다.

아쉬움이 더 크다. 상상을 초월하는 자본의 폭력과 무법천지의 공장, 경찰서와의 정경유착, 비정규직 노동자들의 차별과 설움, 농성장의 고통과 가족의 슬픔, 정규직 지부와의 이해 차이 등 많은 이야기들이 나오지 않았다.

"이 시국에 이 정도 우리의 이야기가 나왔으면 잘 나온 거야."

이상수 지회장이 말문을 연다. 그래. 이 시국에.

12분짜리 영상이지만 흔들리는 농성장에서 〈피디수첩〉은 더할 나위 없이 고맙다.

아름다운 연대(6):신혼부부가 건넨 500만 원

현대차 비정규직지회 동지들께

안녕하세요. 저희는 지난 11월 14일 부부의 연을 맺은 이들입니다. 서울서부비정규센터의 회원들이기도 합니다.
저희의 혼인날은 전태일 열사 40주기를 맞이한 다음 날이었습니다. 결혼식을 앞두고 기억하고 보듬어야 할 것이 많아서 저희는 신랑과 신부로서 더불어 사는 행복과 즐거움보다, 이 세상에서 인간이라면 누구나 홀로 겪어 내야 하는 고통과 슬픔을 더 많이 이야기해야 했습니다. 감사하게도 부족한 저희의 뜻을 살펴 주신 여러 분들의 도움으로 결혼식을 넉넉하게 마칠 수 있었습니다.
이어 해외로 신혼여행을 떠나며 정신없는 통에 울산 현대자동차 비정규직 노동자들의 소식이 저희의 마음 한쪽을 무겁게 했습니다. 늘 현장에서 함께할 수는 없겠으나 고통을 나누겠다는 마음으로 적은 액수의 돈을 준비했습니다.
이 돈은 저희의 것이 아니라 저희가 바른 사람으로 서서 좋은 가정을 이루고 이 사회에서 제 몫을 다하길 진심으로 바라신 가족, 친척, 지인들의 것입니다.
저희 부부는 그저 현대자동차 비정규직 노동자가 이번 싸움에서, 그리고 각자 자신의 삶에서 승리하시기를 기원하겠습니다.

신랑 ○○○, 신부 ○○○ 드림

신혼부부는 11월 28일 현대차 울산 공장 앞 천막에 이 편지와 함께 500만 원을 전달했다. 금속노조 김형우 부위원장과 상의해 250만 원은 비정규직지회에, 250만 원은 가족대책위에 보냈다. 마음이 참 따뜻한 부부다.

농성장에 이 소식이 알려지자 조합원들의 얼굴에 미소가 번졌다. 아름다운 부부의 앞길에 행복이 가득하길 기도했다.

11월 15일부터 지금까지 5천만 원이 넘는 후원금이 들어왔고, 라면, 생수, 양말, 속옷 등 물품들이 끝도 없이 들어왔다. 연대가 쌓이고 또 쌓인다.

핸드폰이 울린다.

"한약은 잘 들어갔나요?"

"예, 좀 늦게 들어왔지만 잘 먹고 있습니다."

"또 보냈어요. 그리고 민중과 함께하는 한의계 진료모임 길벗에서 전국의 한의원에 연락을 했으니까 앞으로 한약이 많이 들어갈 거예요."

"정말 고맙습니다. 하루에 김밥 한 줄밖에 먹지 못해 한약을 밥으로 먹고 있습니다."

"그러면 더 많이 보내야겠네요. 아 참, 그런 일이 있어서는 절대로 안 되겠지만 혹시라도 분신하는 일이 생기면 화상을 입은 곳에 오줌을 뿌려 주면 응급효과가 좋아요. 미리 받아 놓으시면 더 좋습니다."

"정말 고맙습니다."

"꼭 진료하러 들어가고 싶었는데, 필요한 게 있으시면 언제든지 전화하세요."

전남 광양에 있는 들풀한의원 윤성현 원장이다. 농성장 한켠에 그가 보내온 보약, 설사약, 두통약, 알약들이 가득하다. 기륭전자 농성장, 쌍용차 노조사무실, GM대우 비정규직…, 그의 손길이 닿지 않은 곳이 없다. 그는 우리 시대의 허준이다.

건강사회를 위한 약사회에서 보낸 양약과 파스까지 농성장에 약품이 넘친다.

우리 사회의 양심은 아직 죽지 않았다. 여기서 이겨서 나가는 것만이 이들에게 보답하는 길이다.

17일차_ 12. 1.

정규직 민심 쟁탈전(2)

12월 1일 현대자동차 강호돈 대표이사의 담화문이 전 공장에 나붙었다.

> "이번 하청노조사태는 우리와 아무 관련 없는 외부단체의 무책임한 선동과 배후조종으로 해결에 어려움을 겪고 있습니다. 이들은 전국 노동계 현장을 돌아다니며 과격 투쟁을 부추기는 직업적 선동세력으로, 이들로 인해 하청노조는 '전원 정규직화'와 같은 현실성 없는 요구조건을 내걸고 막다른 투쟁을 벌이고 있는 것입니다.
> (중략)
> 급기야 어제는 그간 1공장에 막대한 피해를 끼친 것도 모자라 2공장 점거를 시도하였으며, 지금 이 순간에도 지속적으로 추가적인 공장 점거를 시도하고 있습니다. 이러한 행위는 회사의 생존까지도 위협하는 것으로 더 이상 좌시할 수 없는 지경까지 이르렀습니다."

11월 30일에도 회사의 유인물이 뿌려졌다.

> "농성장 안에 외부세력이 개입, 교육까지 하고 있다는 사실은 그들 스스로도 인정하고 있습니다."
> "외부세력의 무책임한 선동과 개입은 사태를 더욱 장기화할 뿐입니다."
> "그들은 지금 이 순간에도 무책임한 과격 투쟁을 선동하고 있습니다."
> "'전원 정규직화'라는 하청노조의 터무니없는 요구로 우리 생산현장의 불법과 무질서가 계속되는 가운데, 우리 모두는 외부세력의 무책임한 선전선동 속에 또다시 깊은 갈등과 혼란의 늪으로 내몰리고 있습니다. 하루빨리 우리 일터의 안정을 되찾기 위한 직원 여러분들의 지지를 당부드립니다."

현대차는 지난주 벌어진 정규직 - 비정규직 간의 충돌사태, 정규직 노조의 허위사실 유포로 인해 정규직 조합원들의 민심이 상당한 정도로 흔들리자 이 기회를 놓치지 않았다.

첫째, 1공장 휴업으로 정규직 조합원들을 협박하고 흔들었다.

강호돈은 "1공장의 경우 잔업, 특근 중단에 이어 휴업조치까지도 심각히 고민해야 할 지경에 이르렀다."며 "신차 엑센트의 생산중단으로 고객인도에 문제가 생겨 판매현장의 우리 직원들이 심각한 어려움에 처해 있다."고 했다. 1공장 정규직과 판매노동자들을 겨냥한 것이다.

둘째, 외부세력론, 살상무기, 인화물질 등으로 여론을 반전시키고, 정규직과 비정규직을 갈라치기했다.

강호돈은 "생산시설을 훼손하여 각종 무기까지 만드는 등 아수라

현대차 비정규직 노동자들이 12월 1일로 농성 17일째를 맞은 가운데 회사는 외부세력론으로 노노갈등을 유발하고 있다.

장이 되어 있다고 하니 실로 어처구니가 없다."며 사실왜곡과 유언비어까지 동원해 여론 흔들기를 시도했다. 이어 그는 직업적 선동세력이 "이번 사태에 깊숙이 관여하며 하청노조를 지지하고 있다. 도대체 이들의 안중에 우리 직원의 고용안정이 있기라도 한 것인지, 도대체 어떻게 하자는 것인지 개탄스러울 뿐"이라며 비정규직 문제로 정규직 고용을 공격했다.

셋째, 비정규직에 대한 협박이다. 강호돈은 "지금이라도 농성을 중단하고자 하는 인원에 대해서는 최대한의 선처를 베풀 것이지만, 조속한 사태해결의 실마리가 보이지 않을 경우 회사의 생존과 우리 직원의 고용안정을 위해 법과 원칙에 따라 할 수 있는 모든 특단의 대책을 강구할 수밖에 없음을 분명히 밝힌다."며 마지막으로 비정규직을 협박했다.

회사는 선무방송을 통해서도 협박과 회유를 병행했다. 그동안 농성장에서 나오지 않으면 구속되고, 고소고발되고, 손해배상을 받을 수밖에 없다는 협박을 했고, 오늘부터는 가족이 애타게 기다린다는 내용으로 바뀌었다.

회사는 전주 공장의 부분 파업에 대한 공격도 강화했다. 오전 10시부터 파업에 돌입한 350명의 조합원들이 트럭2공장 중대형 라인 점거 농성에 돌입하자, 회사 관리자 300명이 퇴거명령서를 들고 조합원들을 끌어내기 시작했다. 한 시간 동안 치열한 몸싸움이 벌어졌고, 수십 명이 부상을 입었다. 조합원들이 완강하게 저항해 관리자들을 물리쳤다.

아산은 이날 아침 7시 15분, 정규직과 비정규직 200여 명이 출근선전전을 진행한 후 민주광장에 천막을 설치했으나, 회사는 200여 명의 관리자들과 용역 경비대를 동원해 천막을 철거했고, 이 과정에서 3명의 조합원이 갈비뼈가 부러지는 등 중상을 입었다.

1공장 점거 농성이 울산 2공장과 전주 공장으로 확산되지 못한 채 장기화되고, 정규직 노조와의 갈등이 증폭되어 가는 상황에서 회사는 정규직 민심을 잡기 위해 총력전을 펼치고 있다.

허둥대는 비정규직

이경훈 지부장의 출입을 막은 사건을 시작으로 정규직 노조가 집중적인 비난을 퍼붓고, 악의적인 왜곡선동으로 현장의 민심을 뒤흔들고 있는 상황에서 비정규직지회는 신속하게 대응하지 못하고 허둥대며 시간을 허비했다.

12월 1일 회의에서 폭력사태에 대한 대책을 논의했다. 정문 상황실에서 온 초안에 대해 논란이 벌어졌다. 지부의 잘못과 사실 왜곡에 대해 분명하게 바로잡아야 하는 것에는 동의하지만, 회사와 투쟁하고 있는데 지부를 적으로 돌려서는 안 된다는 의견이 다수였다.

"말은 사측인데 내용은 지부를 겨냥한 것이고, 한판 붙어 보자는 생각 같다. 담화문 내용에 문제가 있고, 담화문 자체가 안 나갔으면 좋겠다."

"애매한 지점이 있다. 발단은 김○○ 동지가 만든 점이 있다. 박유기 위원장이나 조강실장은 그냥 통과시키고, 이경훈 지부장을 막아섰던 것은 정규직의 자존심을 건드린 것이다. 그걸 우리 스스로 사과한 것이다. 그럼 이게 과연 공장 안에 붙여졌을 때 어떻게 할 것인지다."

"지부장의 멱살을 잡고 가슴을 가격했다는 것은 사실이 아니라는 것이고, 사실관계를 명확히 해야 한다. 우리가 때렸다는 잘못된 홍보물로 인해 사실을 잘못 알게 된 정규직, 비정규직 노동자들에게 최소한 얘기해야 한다. 그런데 지부의 감정을 건드리지 않았으면 좋겠다."

"보류하자. 아무리 잘 표현한다고 해도 지부와 우리가 사실관계를 가지고 다투는 과정이 될 수밖에 없다."

"본질은 간데없고, 논쟁이 심화되어 가며, 현장조직까지 확산되고 있고, 회사가 이를 이용해 먹고 있어서 몹시 안 좋은 상황이라고 본다."

"입장표명을 하더라도 이런 식으로 해서는 안 된다고 본다."

오랫동안 토론했지만 결론을 내지 못했고, 결국 지부와 간담회를 진행한 후 입장을 정리해 발표하기로 했다.

정규직 노조와 이경훈 지부장이 아니라 현대차 회사를 상대로 사실 왜곡을 비판하는 보도자료를 긴급히 작성해 배포했다. 우리는 이

정규직으로 가는 계단

날 '초일류기업 현대자동차는 저질 왜곡선동 중단하고 교섭에 나서라'라는 제목으로 '강호돈 대표이사의 노노갈등 유발 · 시너 · 무기 · 외부세력 주장에 대해' 입장을 밝혔다.

우리는 12월 1일자 강호돈 대표이사의 담화문을 일일이 반박했다. 인화물질인 시너에 대해서 지회가 자발적으로 시너를 농성장 밖으로 내려 보낸 사실을 적시하며, "만약 저희가 시너를 이용하려고 했다면 미리 숨겨 놓았지, 우리 스스로 정규직 대의원과 보전반을 통해 다량의 시너를 내려 보내지 않았을 것"이라고 밝혔다.

"회사가 마치 조합원을 대표해 직접 선출된 임원과 쟁대위원들이 누구의 사주를 받아 꼭두각시로 행동한다고 주장하는 것은 우리를 모독하는 일입니다. 강호돈 대표이사는 '전국 노동계 현장을 돌아다니며 과격 투쟁을 부추기는 직업적 선동세력'이 누구인지 밝혀야 합니다. 만약 그렇지 못하다면 현대자동차 울산 공장의 최고 책임자로서 무책임한 거짓 선동을 일삼은 것에 대해 법적 책임을 포함해 모든 책임을 져야 할 것입니다."

흔들리는 농성장에 대해 긴급대책을 마련했다. 우리는 △투쟁의 목표와 정규직과의 관계 △농성대오를 유지 강화하기 위한 방안 △투쟁을 승리로 이끌기 위한 방안에 대해 분반별로 토론을 진행한 후 보고대회에서 발표하기로 했다.

파업의 구심인 이상수 지회장에 대해서도 밝게 웃는 모습으로 생활하고, 조별로 간담회를 진행하며, 아침저녁으로 전체 공장을 돌며 인사하기로 했다.

전직 노조위원장님, 어디 계십니까?

오전 9시 45분, 12년 전인 1998년 정리해고에 맞서 36일간의 옥쇄 점거 파업을 이끌었던 김광식 전 현대차 노조위원장이 장규호 공보부장의 안내로 농성장을 찾았다. 그는 박유기 위원장과 같은 민주노동자회 소속이고, 진보신당 당원이며, 2공장에서 일하고 있다.

그는 좋든 싫든 현대차지부와 같이 가야 하고, 이후 투쟁의 불씨를 남겨야 한다는 점을 여러 차례 강조했다. 그는 정규직 조합원들이 "왜 자꾸 지회 생각이 바뀌냐"고 한다며, 이상수 지회장의 지도력에 대한 얘기가 나오지 않도록 해야 한다고 요구했다. 소위 '외부세력'에 의해 이상수 지회장이 흔들린다는 것이 이경훈 지부장의 판단이라는 것이었다.

"이경훈 지부장은 투쟁 집행부가 아니에요. 안정적 실리를 내걸고 당선됐잖아요. 지금까지 섭섭하게 한 것은 아니에요. 과거 집행부보다는 나은 거죠."

11시 20분. 이상욱 전 현대차 노조위원장이 농성장에 올라왔고, 이어 지난해 사퇴했던 윤해모 전 지부장도 이곳에 나타나 이상수 지회장과 얘기를 나눴다. 농성을 시작한 지 17일 만에 처음 본 얼굴들이었다. 현대차 최대의 현장조직이라는 민투위에서 배출한 위원장들이다.

이상욱 전 위원장은 보궐선거를 포함해 세 차례 노조위원장을 했고 영향력이 대단하다. 하지만 비정규직의 보름이 넘는 점거 파업에서 그가 무엇을 했는지 우리는 알지 못한다.

2005년 9월 4일 울산 2공장 비정규직 류기혁 조합원이 노동조합

사무실 옥상에서 목을 매 자결했을 때 당시 민투위의 이상욱 집행부는 유서가 없다며 '열사논쟁'을 일으켰다.

정규직 노조는 9월 6일 〈노조소식〉에서 "만에 하나라도 고인의 사망원인이 노동조합 활동 관련 탄압에 기인한 것으로 확인될 시에는 모든 방법을 강구하여 투쟁할 것"이라고 했다. 증거가 없기 때문에 열사로 인정할 수 없고 함께 싸울 수 없다는 의미였다. 이어 3일 뒤 단체협상을 타결했다.

이상욱 지부장 때 수석부지부장을 했던 윤해모 전 지부장 시절, 미국에서 시작된 경제위기가 한반도를 덮쳤다. 현대차는 정규직을 전환배치하고, 비정규직을 공장 밖으로 내몰았다. 2008년 11월 에쿠스에서 일하는 비정규직 115명을 해고하는 것을 시작으로 울산과 아산 공장에서 1천여 명이 쫓겨났다.

정규직 노조와 사업부 대표들은 정규직이 비정규직 자리로 옮겨지고, 비정규직이 해고당하는 것을 방조하거나 심지어 합의하는 일까지 벌어졌다. 정규직 대의원들은 몇 년간 한솥밥을 먹으며 같이 일하던 비정규직 동생들이 하루아침에 해고되는 것을 묵묵히 지켜보거나 외면했다.

당장 모든 사내하청 노동자들을 정규직으로 전환하지 못한다고 하더라도, 우선 조합원으로 받아들여 정규직과 비정규직이 함께 싸우자는 1사 1조직 규칙 개정을 현대차지부 대의원들은 세 차례나 부결했다. 비정규직 노동자들과 노조도 같이하지 않겠다는 것이었다.

10년 전 생산공정에 사내하청 노동자들을 16.9%까지 사용할 수 있도록 합의했던 정갑득 전 위원장은 외국으로 출장을 갔다고 했다. 그는 당시 "비정규직이 갑자기 확대되는 긴급한 상황에서 16.9%에 비정규직을 묶어 두는 응급처방 차원의 선택이었다."고 말했지만, 그로 인해 현대차에 1만 명이 넘는 사내하청이 공장에 들어오게 됐다.

2004년 12월 노동부가 1만 명에 대해 불법 파견 판정을 내리고, 비정규직 노조가 정규직화 투쟁을 벌이자, 정갑득 전 위원장과 전직 위원장들은 2005년 1월 17일 "그동안 비정규직 노동자 불법 파견 사용에 대해 근본적으로 저지하지 못하고, 때로는 방치하고, 때로는 부분적인 합의를 해 준 사실을 국민 앞에 고백하고 깊이 반성한다"며 "불법 파견에 대한 더 이상의 묵인 방조는 공동 범죄행위라는 책임을 통감하는 자세로 불법을 합법적인 정규직화를 통해 올바로 시정해 나갈 것"이라고 밝혔다.

현대차 노조 전직 위원장들은 중요한 시기마다 공동행동을 마다하지 않았다. 1995년 양봉수 열사가 분신했을 때 이상범, 이헌구, 윤성근 전 위원장들은 '양봉수 동지 분신 공동대책위원회'에 들어가 투쟁에 함께했다. 1998년 정리해고에 맞선 36일간의 공장 점거 파업 때 이헌구, 윤성근, 정갑득 전 위원장이 굴뚝 농성을 벌였다.

그러나 비정규직 점거 파업이 17일이 지나도록 전직 위원장들은 아무런 행동도 하지 않았다. 성명서 한 장 발표하지 않았다. 윤성근 전 위원장은 "전직 위원장 공동 성명서 제안이 있었으나 시각 차이가 있어 '일단 보류'했다"고 했다. 모든 사내하청의 정규직화냐 2년 이상 사내하청이냐의 차이였다고 한다.

현대차 전직 노조위원장들이 정규직의 고용안정을 위해 비정규직을 희생양으로 삼아 왔던 과거의 잘못을 진정으로 반성했다면 가만히 있지는 않았을 것이다.

1998년처럼 굴뚝 농성을 할 수도 있고, 이곳 농성장에 들어와 비정규직과 함께 추위와 배고픔을 견디며 농성할 수도 있다. 현대차 정문 앞에서 공동으로 단식농성을 할 수도 있고, 공장 안에서 삼보일배를 하며 정규직의 연대를 촉구할 수도 있다.

휴가를 내고 서울 양재동 현대차그룹 본사 앞에서 농성할 수도 있다. 전직 비정규직 노조위원장과 함께 공동투쟁을 해 볼 수도 있다. 무엇을 못하겠는가?

이상욱 전 위원장은 언론과의 인터뷰에서 "신자유주의 세계화의 가장 큰 희생자가 비정규직이고, 모순의 핵심에 있다. 지금 작게는 현대차 노사의 비정규직 정규직화 문제인데, 자본은 점차 비정규직을 확대하려고 한다. 총자본과 총노동의 대리전 성격을 띠고 있다."고 말했다. 정확한 분석이다. 그런데 지금, 현대차 노조 전직 위원장들은 어디 있는가?

1사 1조직

현대차 노동조합은 노동운동의 역사에서 항상 기준이 되어 왔다. 외환위기 이후 1998년 현대차에서 정리해고를 강행하고, 이에 맞선 총파업이 벌어졌을 때에도 그랬다. 현대차에서도 정리해고를 했는데 다른 사업장이 해고를 막기 어려웠다.

2006년 현대차 노조가 기업별 노조에서 산업별 노조로 전환하겠다고 결정하자, 기아차, GM대우차와 계열사, 부품사 노조들도 모두 그 뒤를 따랐다. 치사하게도 일부 노조는 동시투표를 하지 않고 현대차가 가결된 이후에 투표하기도 했다.

어느 해에는 현대차보다 임금을 많이 올린 울산의 부품사가 박살 난 적이 있었다. 인정하고 싶지 않지만, 이것이 현대차의 힘이고 현실이다.

현대차는 사내하청 16.9% 사용이라는 나쁜 기준을 만들어 비정규직 양산의 물꼬를 터 놓았다. 비정규직 남용을 제한하기 위해서였다고 하지만 현대차는 10년 넘게 사내하청 노동자 1만 명을 쓰다 버리는 일회용 컵으로 사용해 왔다.

사실 비정규직 노동자들과의 연대는 기아차가 모범이었다. 2005년부터 3년간 화성 공장에서 벌어진 비정규직의 파업에 정규직은 '아름다운 연대'가 무엇인지 잘 보여 주었다. 이어 대공장에서 가장 먼저 비정규직을 정규직 노조의 조합원으로 받아들였다.

물론 비정규직의 투쟁을 통제하려는 의도가 있었지만, 지금 기아차에는 사내하청 노동자뿐만 아니라 청소, 식당 노동자들도 모두 기아차 지부의 조합원이다. 2008년 경제위기를 이유로 현대차와 GM대우차에서 비정규직을 1천 명씩 쫓아낼 때 기아차 비정규직 조합원들은 해고의 위협에서 상대적으로 안전했다.

현대차에서 1사 1조직 규정 개정이 세 차례 부결된 과거가 있다. 2007년 1월 3일 94차 임시대의원대회는 3분의 2에서 단 세 표가 모자랐고, 6월 21일 95차 대회에서는 과반에서 한 표 넘었지만 3분의 2에 이르지 못했다. 2008년 10월 15일 101차 대회에서는 반대가 열 표 더 많았다.

가입 대상에 공장 안에서 같이 일하는 노동자만이 아니라 대리점 딜러, 그린서비스(블루핸즈) 노동자 2만여 명이 포함되어 있었고, 회사는 3만 7천 명이 가입 대상이라며 난리를 쳤다.

2009년 가을이었다.

104차 대의원대회를 앞두고 정규직과 비정규직 노조 통합에 대해 선거구는 별도편제를 하고, 가입 대상은 같은 공장 안에서 근무하는 노동자들이며, 지부운영위에 위임한다는 안이 제출되었다.

선거구와 가입 대상은 2007년부터 주요 논쟁이었다. 현대차 비정규직 주체들은 정규직과 통합된 선거구를 원했고, 딜러와 그린서비스까지 모든 노동자가 대상이 되어야 한다고 주장했다. 그러나 회사가 이를 악용하고 세 차례에 걸쳐 부결되면서, 2보 전진을 위한 1보 후퇴를 결정했다.

선거구는 비정규직만의 독자 선거구를 꾸려서, 정규직 대의원들이 비정규직 표 때문에 낙선될 수도 있다는 불안감을 없앴다. 단, 현대차지부장, 전주와 아산 위원회 의장은 정규직과 같이 선출할 수 있었다. 기아차와 같은 방식이다.

가입 대상은 공장 내에서 같이 일하는 노동자로 한정했다. 2, 3차 사내하청, 한시하청, 아르바이트, 해고자, 청소, 식당, 시설 노동자 등 공장 안에 있는 수많은 직종에 대한 판단의 어려움을 인정해 지부 확대운영위원회에서 판단하기로 했다.

다만, 현재 비정규직지회 조합원은 규정 개정과 동시에 조합원이 되도록 했다. 따라서 현재 2차 사내하청 노동자와 해고자가 조합원으로 가입해 있기 때문에 해고자나 2, 3차 사내하청의 노조 가입을 반대할 명분이 없었다. 청소와 식당 노동자는 기아차에서 이미 조합원이었다.

금속노조 비정규국장이었던 나는 비정규직 3지회장과 함께 울산 공장에서 거의 살다시피 했다. 원 · 하청 연대회의와 수련회를 잇따라 열었고, 104차 대의원대회에 안건을 상정하기로 했다. 금속노조, 현대차지부, 비정규직 3지회장이 직접 대의원들에게 안건을 설명했다. 1공장을 시작으로 모든 공장을 순회했다. 과거와 분위기가 완전히 달랐다.

회사는 당황해했고, 홈페이지 자유게시판을 통해 "대가리에 피도 안 마른 하청 애들이 같은 조합원이라고 덤벼들면 어떻게 할 거냐?"는 글들을 쏟아내기 시작했다. 통과 가능성이 높다는 뜻이었다. 대의원들의 관심이 높았고, 반대할 명분을 찾기 쉽지 않았다.

그러나 무슨 이유였는지 모르겠지만, 당시 윤해모 지부장이 갑자기 사퇴했고, 절호의 기회는 날아가 버렸다. 현대차지부는 2009년 6월 17일 원 · 하청 연대회의를 열어 "현대차지부 104차 임시대대에서 상정키로 했던 1사 1조직 규정개정 건은 현대차지부 정상화 시까지 유보하고, 정상화 시 연대회의를 소집, 추진 일정을 확정해 재추진한다."고 결정했다.

이경훈 지부장은 1사 1조직을 공약으로 걸고 당선됐고, 노동조합은 정상화되었다. 세 차례 부결되었을 때와 달리 대법원까지 정규직이라고 판결했고, 정규직 조합원들의 정서도 좋아졌다. 그러나 현대차지부는 지금까지 1사 1조직에 대해 어떤 논의도 하지 않았다.

불법 파견 사내하청이 정규직이 되면 당연히 정규직 노조 조합원이 된다. 1사 1조직이 되면 먼저 조합원이 되는 것이고, 청소, 식당, 시설관리 노동자들도 기아차처럼 노조에 가입해 고용불안으로부터 벗어날 수 있다.

정규직과 비정규직이 하나의 노조가 되는 길이 이다지도 힘든 길인가.

아름다운 연대(7):진짜 산타

전기가 또 나갔다. 아침 이후에 벌써 세 번째다. 그동안 매일 결의대회를 하던 시간에 단전이 됐는데, 오늘은 결의대회 전부터 불이 나가서 조합원들을 모으기가 어렵다. 암흑 속에서 혹시 차량에 부딪히거나 넘어져 다칠 수도 있기 때문이다.

매일 저녁 진행되는 파업 투쟁 승리 결의대회는 하루 일과를 공유하고 투쟁의 의지를 다시 확인하는 자리이며, 흔들리는 마음을 다잡고 단결과 투쟁의 기운을 높이는 시간이다. 그걸 너무나 잘 알기 때문에 그동안 회사는 보고대회 도중에 전기를 끊었다. 하지만 우리는 결의대회를 중단하지 않고 생목소리로 진행했다. '생목'은 마이크보다 호소력이 훨씬 크고 가슴에 남는 여운이 길다. 그래서 회사는 오늘 아예 결의대회를 막는 전술을 택한 것 같다.

오후에 진짜 소중한 손님이 왔다. 현대차지부 대의원대회가 끝나고 난 후 30여 명의 판매위원회 대의원들이 농성장을 방문했다. 조창묵 서부지회장, 문영욱 대의원이 환히 웃으며 악수를 청한다. 반가운 얼굴들이다.

강호돈 대표이사가 "신차 엑센트의 생산중단으로 고객인도에 문제가 생겨 판매현장의 우리 직원들이 심각한 어려움에 처해 있다."며 판매노동자를 자극해 정규직과의 갈등을 유발했는데, 판매노동자들이 보란 듯이 지지방문을 한 것이다.

12월 1일 현대차 판매노동자들이 농성장을 방문해 집회하는 모습

이들과 함께 비정규직 조합원들이 현대차지부 조끼를 입고 긴장한 얼굴로 들어온다. 무사히 농성장에 입성하자 긴장한 얼굴이 밝아진다. 조끼를 벗어 정규직 대의원에게 전달하고, 오매불망(?) 기다리던 동료들에게 달려간다.

지난 며칠간 농성장이 봉쇄되어 집안의 급한 일 때문에 나간 조합원들이 돌아오지 못해 발을 동동 굴렀는데, 판매 대의원들의 도움으로 20여 명이 무사히 공장 안으로 귀환한 것이었다. 회사가 이 사실을 알게 될까 봐 조합원들에게도 마음속으로만 기뻐했다. 사업부별로 무사 귀환한 조합원들과 재회하는 웃음소리가 정겹다.

판매 대의원들이 들고 온 배낭에는 비상식량이 가득하다. 대의원대회가 끝난 후 마트에 가서 초코바를 잔뜩 사 와 가방 가득 나눠 담은 것이다. 한 명씩 배식창고에 가서 가방을 풀어 놓는다. 연대의 정이 차디찬 배식창구를 온기로 데운다.

판매노동자와 비정규직 노동자가 중앙 무대에 함께 모였다. 판매노동자들도 넥타이 매고 영업만 하는 것이 아니라 30일이 넘게 단식투쟁을 하며 현대차의 탄압에 맞서 싸우고 있다는 사실에 조합원들은 적잖이 놀랐다.

'진짜 산타' 판매노동자들은 노동자는 하나라는 진정한 동지애와 연대의 정이라는 선물꾸러미를 농성장에 가득 쌓아 놓고 떠났다. 비정규직 노동자들의 절규와 열망을 전국의 노동자들에게 전하기 위해.

GM대우 황호인 · 이준삼

GM대우자동차 비정규직 해고자인 황호인과 이준삼이 오늘 새벽 부평 공장 정문 아치 위로 올라갔다. 새벽 6시 10분이었다.

암흑과 적막에 휩싸인 공장으로 가면서 그들은 무슨 생각을 했을까? 혹한의 추위가 계속되는데 두렵지 않았을까? 얼마나 오랫동안 번민하고 갈등했을까? 사다리를 밟고 하늘로 올라가는 그들의 마음은 어땠을까? 다시 땅을 밟으려면 얼마의 시간이 흘러야 할까?

2007년 9월 부평 공장에서 비정규직 노조의 깃발을 세운 후 3년 3개월이 흘렀다. 1천 일이 훌쩍 넘는 세월이 무심히 지나갔고, 그 세월을 견뎌 낸 낡은 천막이 고난의 시간을 증명하듯 위태롭게 서 있었다.

박현상과 이대우는 부평 공장 남문에 있는 CCTV 철탑에 올라 135일을 싸웠다. 황호인은 부평역 CCTV에 매달렸고, 홍동수는 한강대교 아치 위에서 "이명박 당선인은 비정규직의 절규를 들어라."

라고 절규했다.

이준삼은 마포대교에서 방주에 매달린 채 비정규직 정규직화를 외치다 한강으로 뛰어내렸다. 이영수와 많은 조합원들이 비정규직 대량해고 중단을 촉구하며 서울모터쇼 행사장 앞에서 소의 피를 뿌려 40명이 경찰서로 끌려갔다.

하늘로 오르고 강으로 뛰어내리며 절규했지만 회사는 귀 기울이지 않았다. 그렇게 1천 일이라는 시간이 흘러갔다.

싸우는 노동자들에게 1천 일이 기념일은 아니지만, 그렇다고 연례행사로 치르는 생일도 아니다.

기륭전자 김소연은 '1천 일 안에 공장으로 돌아가자'며 다부지게 싸움을 준비했고, 죽음의 문턱을 넘어 94일이라는 초인적인 단식을 해 처음으로 교섭의 자리가 열렸다.

지난 7월 25일이 1천 일이었다. 5월 무렵부터 이 싸움을 어떻게 할 것인지 얘기했다. 적당한 투쟁으로는 사회적 관심을 불러일으키거나 연대의 물결을 확산할 수 없었다. 형식적인 싸움으로는 회사를 끌어낼 수 없었다. 그러나 결단하지 못했다.

2008년 가을 경제위기 이후 GM대우 비정규직 1천 명이 공장에서 쫓겨났다. 그것도 정규직을 전환배치하고, 그 자리에서 일하던 비정규직을 해고하는 잔인한 방법이었다. 비정규직 노동조합의 목소리는 높았지만 무력했다. 1천 명의 노동자는 말없이 공장을 떠났다. 그렇게 3년 3개월, 1180일의 시간이 흘러갔다.

결국 황호인과 이준삼이 결심했다. 기륭전자, 동희오토 노동자들의 승리와 11월 15일부터 시작된 현대차 사내하청 노동자들의 점거 파업이 자극이 됐다. 장소는 이미 찍어 놓았다. 그러나 연평도 폭격이 터졌고, 아치 농성은 일주일이 연기됐다.

2001년 사내하청 노동자 투쟁의 효시라고 할 수 있는 광주 대우캐리어에서 만난 이들은 정규직에 의해 비정규직의 파업이 처절하게 깨지는 과정을 두 눈으로 똑똑히 목격했다. 두 사람은 새로운 싸움을 위해 광주를 떠났고 낯선 부평에서 함께 타향살이를 하며 GM대우차에서 비정규직 노조의 깃발을 올렸다.

황호인과 이준삼의 정문 아치 농성 소식을 조합원들에게 알렸다. 전국 방방곡곡에서 비정규직들이 차별과 멸시에 맞서 싸우고 있다.

황호인에게 전화가 걸려 왔다. 황량한 공장의 칼바람과 맹추위를 막을 도구 하나 없는 위태로운 아치 위에서도 그의 목소리는 밝았다.

"뭐해요? 빨리 인천으로 올라와야죠. 추워 죽겠어요. 언릉 올라와요."

그의 너스레가 오랫동안 귓가를 떠나지 않는다.

18일차_ 12. 2.

종일 굶다 한 끼 먹는데 불을 꺼 버리다

배식창고가 텅 비었다.

한두 끼 비상식량이 없는 건 아니지만, 음식물 반입이 완전히 중단될 경우를 대비해 초콜릿, 건빵, 초코파이 등은 남겨 두었다.

새벽 1시~5시 계단 근무를 마친 조합원들은 배가 고파 잠을 이루지 못한다. 아침식사가 나오느냐는 질문에 배식창고에 가서 물어보니 아침, 점심 아무것도 없단다. “미리 좀 얘기해 주셨으면, 근무 갔다 와서 그냥 잤을 거 아니에요?”라며 물로 배를 채운 후 비닐이불 속으로 들어가 잠을 청한다.

아침부터 오후까지 아무것도 배급되지 않았다. 일부 조합원은 어디서 구했는지 초코바를 먹기도 하고, 배식 나왔을 때 안 먹고 며칠 동안 짱박아 두었던 컵라면을 먹기도 하지만 대부분은 아무것도 먹지 못하고 물만 마셨다.

먹는 것이 없으니 나올 것도 없다. 자연스레 화장실 줄이 줄어든다. 그래도 한참을 기다려야 한다. 화장실 옆 대자보를 보고 있는데, 뒤에서 쿵 하는 소리가 난다. 조합원 하나가 화장실 옆에서 쓰러졌다.

다행히 머리를 다치지는 않았다. 얼른 그를 서클룸으로 옮겼다. 얼굴이 하얗게 질렸다. 180cm 정도 되는 키에 마른 체격이었다.

영양실조에 스트레스가 원인인 듯싶었다. 그는 야간에 이뤄지는 단전과 비상 상황으로 밤새 잠을 이루지 못했다고 했고, 화장실 줄을 서 있다가 쓰러진 것이다. 따뜻한 물과 한약을 먹게 하고 이불을 덮고 쉬게 했더니 얼굴색이 좀 밝아졌다.

오후에 밥이 들어왔다. 조합원들 얼굴에 함박웃음이 핀다. 하지만 곧바로 배식하지 않는다. 한 끼 들어왔는데 바로 나눠 주면 밤에 다시 배가 고플까 봐서다.

6시가 넘어서야 배식이 됐다. 저녁식사는 쌀밥과 김치다. 가족대책위 조합원들이 올해 담은 김장 김치를 몇 포기씩 가져와 정성껏 넣어 보냈단다. 스티로폼에 담긴 밥에는 아직도 온기가 남아 있다.

‘황후의 밥 걸인의 찬’이다.

나무젓가락으로 밥을 집어 입에 넣으려는 순간 전기가 나갔다.

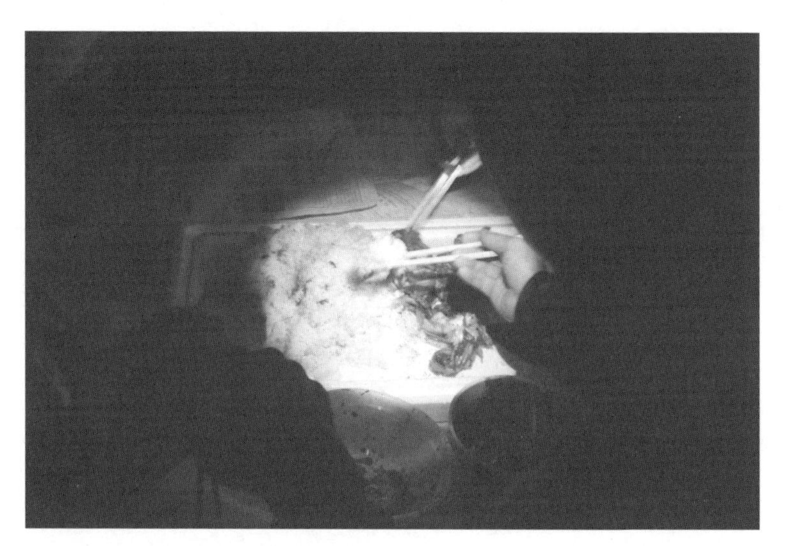

12월 2일 저녁, 하루 종일 굶다 저녁에 한 끼 먹으려는 순간 회사가 전기를 끊었다. 매일 김밥이나 컵라면 하나 정도가 나오다 이날은 밥과 김치가 제공됐다. 농성자들이 빙 둘러앉아 스티로폼 위에 밥과 김치를 받아 와 손전등을 켠 채 밥을 먹고 있다.

아무것도 보이지 않는 암흑이다. 핸드폰을 켜고 몇 개 되지 않는 손전등을 켜고 밥을 입으로 집어넣는다. 꾸역꾸역 넣는데 눈물이 핑 돈다.

현대차에서 짧게는 4년, 길게는 10년을 넘게 자동차를 만든 노동자들에게 회사가 하고 있는 짓에 분노가 치밀다가 괜스레 슬퍼진다.

후다닥 밥을 먹고 소식을 비정규직지회 홈페이지에 올렸더니 금세 열 개가 넘는 답글이 달린다. 따뜻한 마음이 느껴진다.

> *^^* / 사람이 사람에게 할 수 없는 가장 간악한 짓을 뻔뻔하게도 하루에도 여러 번 하는군요. 그럴수록 더욱 힘내셔야 합니다…. 내 가족이 힘들게 버티고 있는 걸 알면서 당장 집으로 돌아오라고 말할 수 없는 제가 너무 가슴 아픕니다.(10 · 12 · 02 18 : 57)

천벌 받을 넘 / 정말 치졸하다. 온 국민이 지켜보고 있는데… 한 인간으로서 부끄럽지도 않나? 하루 한 끼 먹는데… 불까지 꺼 버리냐? 너희들이 그러고도 인간이냐? 자식 넘한테 부끄럽지도 않냐?? 아무리 사측이 시키고 돈 벌어먹고 살지만… 정말 인간이길 포기한 것 같구나.(10 · 12 · 02 19 : 00)

주니여니맘 / 그래서 연락이 안 되는군요…. 왜 자꾸 단전시키는 건지… 어제 저녁 김밥 한 줄 먹고 인제서야 밥 먹는데 단전시킴 ___ 나쁜 것들 (10 · 12 · 02 19 : 00)

강철 / 비인간적인 행동은 절대 용서할 수 없는 일입니다. 정규직을 위해 아자~~! (10 · 12 · 02 19 : 28)

조합원 / 이런 글 볼 때마다 마음이 아픕니다. 힘내시라는 말밖에는….
밖에서 활동하는 조합원으로서 동지들에게 너무 무거운 짐을 안겨 드린 것 같네요.
언젠가는 좋은 소식이 들리는 날이 있겠죠. 조금만 더 힘내 봅시다.
비가 오네요. 건강 관리 잘하세요. 정규직보다 중요한 게 건강입니다.
(10 · 12 · 02 19 : 49)

당당 / 정규직님
이경훈 지부장이 하는 행동은 꼽고 못마땅한 정도로 치부할 일이 아닙니다.
비정규직의 목숨을 가지고 장난하는 겁니다.
누군가가 정규직님의 목숨을 가지고 장난을 한다면 님은 이해하려는 마음부터 들까요?

남을 훈계하려면 님이 타인의 입장이 되었을 때 어떤 마음이 드는지 먼저 생각해 보는 게 순서가 아닌지요?

해서는 안 되는 요구를 강요하면서 자기 말 안 들으면 "음식도 못 넣어 준다"고 협박하는 짓은 인간이라면 해서는 안 되는 짓입니다.

하물며 민주노조의 수장이라는 사람이 그런 짓을 한다는 것은 있어서는 안 되는 일입니다.

거기다 용역 깡패는 없다는 거짓말에다가 연대하러 간 사람을 때리고 외부세력 운운하며 출입도 못하게 막는 등의 어찌 보면 현대차 사측이랑 별반 다름없는 행동들을 비정규직에게 하고 있는 저 사람을 성인이 아닌 우리 일반 사람들이 어떻게 이해해 줘야 할까요?

정규직님

이해할 수 있는 방법을 좀 가르쳐 주세요. 네! (10 · 12 · 02 21 : 03)

〈짤린 손가락〉

밥을 다 먹고 난 후에도 불은 들어오지 않는다. 암흑의 농성장이 고요하다 못해 적막하고 쓸쓸하다.

가방에 하모니카가 있었다. 기륭전자 농성장에서였다. 매일 저녁 7시면 어김없이 문화제가 열렸다. 수많은 가수들이 돈 한 푼 받지 않고 공연을 했다. 이들은 자신의 차량에 앰프와 마이크를 싣고 와서 직접 무대를 설치해 노래를 불렀다.

7시부터 시작하는 콘서트는 9시가 되어서야 끝이 났다. 객석에서 "한 번 더, 한 번 더!"가 나오면 어김없이 노래를 부른다. 가을밤의 아름다운 콘서트는 하루도 거르는 날이 없었다.

옛날 노래도 많이 불렀지만, 노랫말과 곡이 아름다운 신곡들도 많았다. 〈평화〉라는 노래를 비롯해 새 노래를 배울 때마다 감동이었고 행복했다.

〈비정규직 철폐연대가〉를 만든 김성만 선배가 초대 가수 1위다. 1980, 90년대를 풍미했던 오랜 노동가요에서부터 〈감자탕〉 같은 노래까지, 질펀한 느낌의 노래를 고향집 뒷마당의 정경으로 불렀다.

전문 가수만 노래를 하는 건 아니었다. 대학생 노래패, 노동조합 노래패, 율동패들도 수많은 날들을 함께했다. 금속노조 김형우 부위원장도 노래를 불렀다. 그렇게 프로와 아마추어가 어우러지는 콘서트였다.

기륭전자 유흥희 조합원은 매일 문화제 사회를 보면서 가수들을 섭외하고, 빵꾸가 나면 땜빵을 찾는 일을 책임졌다. 한 푼도 주지 못하면서 매일 가수들에게 미안한 부탁을 해야 하는 그녀로서는 참으로 곤혹스런 일이었다.

농성장에서 하모니카를 부는 모습을 보더니, 내게 하모니카 연주를 해 줄 수 있느냐고 물었다. 지금은 안 되고, 두 곡 정도 연습해서 한번 해 보겠다고 대답했다. 그러나 매일 기륭전자와 교섭해야 했고, 연습할 시간이 도무지 나지 않았다. 결국 무대 앞에 서 보지 못하고 합의가 이뤄졌다.

기륭전자에 이어 동희오토 노동자들이 100일이 넘는 현대차 양재동 본사 앞 농성을 통해 전원 복직에 합의하고 보고대회를 하던 9월 3일이었다. 기륭 조합원들과 함께 양재동으로 가는 차 안에서 뒤늦게 두 곡을 불렀다. 〈짤린 손가락〉과 〈사노라면〉이었다. 그 하모니카가 가방 안에 들어 있었다.

하모니카를 꺼내 〈짤린 손가락〉을 불렀다.

짤린 손가락 바라보면서 소주 한잔 마시는 밤
덜컥덜컥 기계소리 귓가에 남아 하늘 바라보았네.
짤린 손가락 묻고 오는 밤 시린 눈물 흘리던 밤
피 묻은 작업복에 지나간 내 청춘 이리도 서럽구나.
하루하루 지쳐진 내 몸 쓴 소주에 달래며
고향 두고 떠나오던 날 어머님 생각하며
술에 취해 터벅 손 묻은 산을 헤매어 다녔다오.
터벅터벅 찬 소주에 취해 헤매어 다녔다오.

박노해 시인의 시 〈손무덤〉에 김호철 작곡가가 곡을 붙여 만든 노래였다. 상황실 탁자에서 하모니카를 부는데, 누군가 노래를 한다. 이상수 지회장이다. 10여 명의 조합원이 둘러앉아 있는데 유일하게 그가 이 노래를 알고 있다. 20년 전 노동자의 설움과 고통이 지금 비정규직 노동자의 아픔이다.

가사를 몰라도 슬픈 곡조가 하모니카와 어울려 마음을 애잔하게 흔드는 노래다. 어머님이 장사하시는 시장에서 이 노래를 연습한 적이 있었다. 그때 한 아주머니가 들어오시더니, “무슨 노래인데 그렇게 구슬프냐?”고 물었었다. 즉석 연주가 끝나자 박수를 보내 준다.

박노해가 20년 전에 부른 〈손무덤〉 너머로 언제쯤 ‘노동의 새벽’은 찾아올 것인가.

두 얼굴의 금속노조?

〈동아일보〉가 금속노조를 ‘세게 조지는’ 기사를 내보냈다. 이름도 ‘두 얼굴의 금속노조’다.

東亞日報

2010년 12월 02일 목요일 A16면 사회

두 얼굴의 금속노조

"현대車 비정규직 정규직전환" 파업 지원하면서

자신들 임단협선 '사내하도급 제한' 요구 철회

전국민주노동조합총연맹(민주노총) 산하 전국금속노조가 현대자동차 비정규직 노조의 정규직 전환 요구 파업을 지원하면서도 정작 자신들의 임금 및 단체협약에서는 사내하도급 제한 요구를 철회했던 것으로 드러났다.

1일 고용노동부에 따르면 금속노조는 지난달 23일 올해 산별중앙교섭 잠정합의안에 대해 조합원 찬반투표를 실시하고 83.3%의 찬성률로 가결시켰다. 금속노조가 사측과 합의한 잠정합의안은 금속 산업 최저임금을 시급 4400원(기존보다 4.76% 인상)과 월 101만5000원(기존보다 3.78% 인상) 중 높은 금액으로 적용과 노조 전임자 문제는 노사합의를 준수하는 내용을 담고 있다. 그 대신 금속노조는 당초 요구했던 사내하도급 제한 요구를 철회했다. 사내하도급이란 한 회사가 원청업체로부터 생산 공정을 위임받아 수행하는 것으로 사내하청이라고도 불린다. 사내하도급은 법적으로 사용이 가능한 제도. 하지만 상당수 대기업 공장에서 사실상의 지휘감독권을 원청업체가 행사하면서 '무늬만 사내하도급(불법 파견)'인 곳이 많아 비정규직을 양산한다는 지적을 받아왔다.

현대차 비정규직 노조 파업은 올 7월 22일 대법원이 이 회사 울산공장 비정규직 근로자인 최병승 씨에 대해 불법 파견을 인정하고 정규직으로 간주하는 판결을 내리면서 촉발됐다. 대법원은 이 사건을 서울 고법으로 파기 환송했다. 현대차 비정규직 노조는 최 씨의 경우처럼 사실상 현대차가 사용자인 비정규직이 많아 이들도 정규직으로 전환돼야 한다고 주장하고 있다. 노동계 안팎에서는 이번 사태로 총파업 불사까지 천명한 금속노조가 현대차 비정규직 근로자들이 파업 투쟁을 하는 사이에 잠정합의안을 가결(지난달 23일)한 데 대해 '앞뒤가 맞지 않는다'는 반응이다. 현대차 비정규직 노조의 파업은 지난달 15일부터 시작됐다. 현대차의 한 비정규직 근로자는 "금속노조가 앞에서는 사측을 비난하며 비정규직을 정규직으로 전환하라고 요구하면서, 뒤로는 자신들의 임금과 전임자 확보 등을 위해 사내하도급 제한 요구를 철회하고 이를 가결한 것은 후안무치한 행동"이라고 비난했다.

현대차 "2000억 생산손실 울산공장 휴업 심각 고려"

한편 현대차 강호돈 부사장은 이날 울산공장 점거파업과 관련해 "불법 점거가 3주째 접어들면서 2000여억 원 이상의 생산손실을 입고 있다"며 "잔업, 특근 중단에 이어 휴업을 심각하게 고민해야 할 지경에 이르렀다"고 밝혔다.

이진구 기자 sys1201@donga.com

울산=정재락 기자 [illegible]

〈동아일보〉는 "전국금속노조가 현대자동차 비정규직 노조의 정규직 전환 요구 파업을 지원하면서도 정작 자신들의 임금 및 단체협약에서는 사내하도급 제한 요구를 철회했던 것으로 드러났다."며 2010년 중앙교섭 잠정합의에 대한 기사를 내보냈다.

> "노동계 안팎에서는 이번 사태로 총파업 불사까지 천명한 금속노조가 현대차 비정규직 근로자들이 파업 투쟁을 하는 사이에 잠정합의안을 가결(지난달 23일)한 데 대해 '앞뒤가 맞지 않는다'는 반응이다. 현대차 비정규직 노조의 파업은 지난달 15일부터 시작됐다. 현대차의 한 비정규직 근로자는 금속노조가 앞에서는 사측을 비난하며 비정규직을 정규직으로 전환하라고 요구하면서, 뒤로는 자신들의 임금과 전임자 확보 등을 위해 사내하도급 제한 요구를 철회하고 이를 가결한 것은 후안무치한 행동이라고 비난했다."

이미 금속노조는 노동부의 불법 파견 판정으로 인해 현대차 불법 파견 문제가 사회적으로 크게 대두되었던 2005년 중앙교섭에서 △회사는 불법 파견 인력을 사용하지 않는다 △회사는 관계기관에 의해 불법 파견 확인 시, 소정의 절차에 따라 정규직 채용을 원칙으로 한다고 합의했다.

금속노조는 올해 불법 파견 노동자뿐만 아니라 청소, 경비, 식당, 시설관리 등 모든 사내하도급 노동자들을 정규직으로 전환하라는 요구를 내걸었다. 그러나 올해 전임자 임금 지급 금지로 정부와 사용자들의 극심한 탄압과 임금 및 단체협약이 장시간 길어짐으로 인해 이 내용까지 쟁취하지 못하고 내년의 과제로 미룬 것이다.

〈동아일보〉의 기사는 지난 11월 23일 금속노조 대의원대회가 끝난 후 현대차지부 이경훈 지부장이 농성장에 올라와 금속노조의 중앙교섭 합의내용을 잘못 이해하고 항의했던 것과 비슷했다. 그는 금속노조가 중앙교섭에서는 사내하청 문제를 해결하지 못하면서 현대차만 불법 파견을 정규직으로 전환하라고 했다며 항의했었다.

평소 금속노조에 아무런 관심도 없던 신문이 이런 기사를 '발굴'해서 썼을 리는 없을 테고, 아마도 회사에서 '소스'를 줬을 것이다. 비정규직 노동자들에게 우호적인 여론을 반전시키기 위한 계략이다. 기사 내용은 사기지만, 대응하지 않을 경우 다른 언론들이 받아쓸 것이기 때문에 발 빠르게 보도자료를 냈다.

19일차_ 12. 3.

바지사장

농성장으로 올라오는 계단이 소란스럽다. 사내하청업체 바지사장 '나리'들께서 농성장을 친히 방문하셨다. 촌스럽게도 똑같은 복장에 똑같은 어깨띠를 두르고, 기자들을 대동해 나타나신 사장님들이

100여 명에 이른다.

아니, 왜 100명이나 나타나셨을까? 1공장에는 세종, 신오, 대봉기업 등 9개 사내하청업체가 있다. 울산 공장 96개 사내하청업체 중에서 현재 라인이 중단된 곳은 9개뿐이고, 87개는 잘 돌아가고 있는데 왜 나머지 사장님들까지 오신 걸까? 연대하러 오셨나?

현대차는 오늘까지 1공장 점거 파업으로 2천억 원이 넘는 손실을 입었다고 했다. 그러니까 1공장의 9개 하청업체는 최소한 200억 원 이상의 손실을 발생시킨 것이다. 하청업체 사장님이 200억 원 넘게 손해를 봤는데 안 망하고 멀쩡하시다?

사장님들이 "사랑하는 사원 여러분"으로 시작하는 기자회견문을 읽으신다.

> "불법 점거에 참여하고 있는 사람들은 현대차와는 직접 고용관계가 없기 때문에 '현대차 비정규직'이라는 용어 자체가 성립될 수 없는 협력업체 대표들의 직원들이다. 이들에 대한 인사권과 노무지휘권도 당연히 우리 대표들에게 있다."
>
> "직접적인 당사자는 사내협력업체와 그 직원들이다. 근무지를 무단으로 이탈하여 회사의 업무를 심각히 방해하고 있다. 이는 소속된 회사의 사규를 위반한 행위로서 모두 '해고'의 사유가 된다."

'현대차 비정규직'이라고 불리든 그렇지 않든 바지사장님들과 무슨 상관일까? 이 기자회견문은 누가 쓰셨을까? 현대차에서 비정규직을 담당하는 협력지원실에서 쓴 게 아니라 오늘 선봉에 선 1공장 신오기업 사장님이 친히 쓴 것일까?

12월 3일 현대차 사내하청업체 사장들의 기자회견 모습

인사권과 노무지휘권이 당연히 사내협력업체 대표들에게 있단다. 이분들은 대법원 판결문도 읽어 보지 못하신 모양이다.

> "원고들이 수행하는 업무의 특성 등을 고려하면, 사내협력업체의 현장관리인 등이 원고들에게 구체적인 지휘명령권을 행사하였다 하더라도, 이는 도급인이 결정한 사항을 전달한 것에 불과하거나, 그러한 지휘명령이 도급인 등에 의해 통제되어 있는 것에 불과하였다."(2010. 7. 22. 대법원 3부 2008두1367)

경제발전과 생산성 향상에 전념하시느라 언제 대법원 판결문을 읽으실 시간이 있으셨겠나. 어쨌거나, 유감스럽게도 대법원에서는 현대차가 결정한 사항을 전달한 것에 불과하다고 해서, '사장님'이 아니라 '현장관리인'이라고 표현했다. 현장관리인이 사장을 사칭하면 되나.

사장님들, 아니 현장관리인들께서 기자회견문을 낭독하신 후 1공장 농성장에 들어오겠다고 하셨다. 다행히 정규직 노조 간부들이 막아 울분을 토하며 물러가셨다. 짠하다.

오늘 이곳 1공장에 있는 9명의 바지사장만이 아니라 96명이 일사불란하게(!) 나타난 것이 생존권 투쟁이라면 이해가 된다. 7월 22일 대법원 판결은 현대차 사내하청이 불법 파견이기 때문에 정규직으로 전환되어야 한다는 것이다. 바지사장들의 대규모 정리해고가 불가피하다.

현대차 사내하청 바지사장들은 관리자로 승진 못하고, 하청업체 받아서 애들 대학 보내고 노후자금도 마련할 기회를 가졌다. 매년 2, 3억 원 정도를 번다고 하니, 평균 5년 정도 해먹으면 10억 원 이상을 챙길 수 있는데, 사내하청이 정규직으로 전환되면 인생 끝이다. 그래서 생존권 투쟁에 나섰다?

계단 근무를 서던 비정규직 조합원들이 외친다.

"우리는 정규직이다. 바지사장 물러가라."

"우리는 정규직이다. 정몽구가 나와라."

비정규직이라는 용어

지난 2월 5일 노동부가 '일반인이 이해하기 어렵거나 부정적인 용어' 107개를 바꾸겠다고 밝혔다. 노동부는 '감시적 근로자', '준고령자', '경력단절여성', '소설벤처' 등을 예로 들었다. 노동부는 전문가, 이해당사자 등의 의견을 수렴해 결과를 5월에 발표하고, 필요한 법

령도 개정하겠다고 했다.

노동부는 '이해가 어렵거나 부정적인 용어'에 '비정규직'과 '중간착취'를 포함했다. '비정규직'이라는 용어는 "정규직과 같은 대우를 받지 못하는 집단이라는 부정적 가치를 확산시킨다."는 이유였고, '중간착취 금지'는 "착취라는 용어에 부정적 어감이 내포되어 있다."는 것이다.

노동부의 '언어순화운동'은 3년 전 현대자동차가 했던 것과 판박이다. 현대자동차는 2007년 10월 8일 한글날을 하루 앞두고 "거부감이 일거나 부정적인 이미지를 담은 용어에 대한 순화운동"을 벌인다고 발표했다.

현대차는 재가는 결재, 상신은 여쭘, 소비자는 고객, 네고는 상담 등 "대외적으로 부정적인 이미지를 내포하고 있거나 본래 취지와 달리 사용되는" 총 64개 단어를 대체한다면서 슬쩍 '하청'을 끼워 넣어 '협력사'로 바꾸겠다고 밝혔다.

사내하청 노동자는 공장에서 정규직이 오른쪽 문짝을 달 때 왼쪽 문짝을 조립하는 노동자다. 이들은 자본이 정규직으로 채용했어야 할 자리에 불법으로 사용해 '착취'한 노동자들이다.

2003년부터 현대차 아산, 울산, 전주 공장에서 비정규직 노동조합이 만들어지고 거센 투쟁이 일어나면서 사회적으로 사내하청 노동자의 문제가 심각해졌다. 그러자 현대자동차는 이를 은폐하기 위해 '하청'이라는 '부정적' 단어를 '협력'이라는 '긍정적' 단어로 바꿔 "사내하청 노동자는 협력업체의 정규직"이라고 주장했다.

심각한 비정규직, 사내하청 노동자의 문제를 은폐하기 위해 현대차가 벌인 '꼼수'를 국가기관인 노동부가 쪽팔리는 줄 모르고 똑같

조합원들이 장기를 만들어 두고 있다.

이 따라 하고 있는 것이다.

노동부는 비정규직을 무슨 단어로 바꾸자고 할까?

자유롭게 자를 수 있으니까 '자유직'이라고 바꿀까?

회사가 어렵다는 이유로 소리 소문도 없이 사라지니 '유령직'이라고 할까?

말을 바꾼다고 진실이 바뀌지는 않는다. 비정규직 단어를 지운다고 저항이 지워지지 않는다. 그럼에도 굴지의 재벌과 이명박 정부가 사내하청과 비정규직이라는 '부정적인 말'에 집착하는 이유는 무엇일까?

말과 언어가 정신세계를 조금씩 갉아먹어 진실을 흐리게 만들기 때문이다. '노동유연화'가 대표적인 말이다. 국민들은 정리해고와 비정규직 차별에는 반대하지만, 똑같은 의미인 '노동유연화'에는 찬성하고 있다. '노동유연화'라는 기막힌 말로 진실을 흐리게 만든 것이다.

"재네들이 비정규직 맞아요? 하청업체 정규직이잖아요."

"하청업체 정규직이 우리 공장 점거하고 난리를 치는 게 말이 됩니까?"

2007년 8월 30일 기아자동차 화성 공장 도장공장 앞. 비정규직 400여 명의 조합원들이 도장부를 점거하고 문을 걸어 잠근 채 일주일째 파업을 벌이자 일부 정규직 노동자들이 모여들어 비정규직을 성토하고 있었다.

한 노동자는 농성장 창문을 부수기도 했다. 회사와 가까운 보수적인 조합원들은 다음 날 화성 공장 앞에서 열린 비정규직 결의대회에 참가한 이랜드, 기륭전자 등 비정규직 노동자들을 공장 밖 수백 미터를 쫓아가 폭력을 행사하기까지 했다.

자본의 말은 스멀스멀 노동자들에게 스며들어 정신세계를 흐릿하게 만든다. 1월 27일 금속노조 대의원대회에서 만난 현대제철 정규직 노동자는 비정규직 노동자가 얼마나 늘었냐는 물음에 "협력업체 노동자요?"라고 되물었다.

자본의 말에 감염된 적지 않은 정규직 노동자들이 사내하청 노동자를 '협력업체의 정규직'이라고 생각하고, 사내하청 노동자들은 스스로를 차별받는 비정규직이라고 생각하지 않게 되는 것이다.

'노동자'라는 말만 사용해도 '빨갱이'로 몰아 잡아가던 군사독재 시절, 노동자들은 '노동자'라는 단어를 끝까지 버리지 않았고, '근로자의 날'이 아닌 '노동절'을 되찾았다. 노동자의 정신과 함께 노동자의 말과 언어를 지켜야 할 이유다.

아름다운 연대(8):충남 지부

이경훈 지부장이 입만 열면 '아름다운 연대'를 얘기한다. 지부 소식지에도 '아름다운 투쟁'이라고 썼다. 현대차를 포함해 그동안 많은 사업장에서 비정규직 노동자들이 파업할 때 정규직이 비정규직을 외면하거나 심지어 탄압했는데, 지금 현대차지부는 최선을 다해 연대하고 있다는 얘기다. 심지어 '아름다운 연대'는 본인이 처음 사용한 말이라고 주장했다.

오늘 낮 12시 금속노조 결정에 따라 현대차지부 대의원, 현장위원 400여 명이 본관 앞에서 중식집회를 열었다. 그는 또 "한국에서 처음 시도되는 원 · 하청 아름다운 연대이고, 아름다운 마무리만 남았다."라고 말했다.

사실 '아름다운 연대'라는 단어는 현대차 전주 공장에서 비정규직 18명의 해고에 반대해 정규직이 잔업 거부 투쟁을 벌인 것에 대해 금속노조가 3월 12일 '정규직 – 비정규직 아름다운 연대 확산'이라는 제목으로 보도자료를 내고, 이 기사를 〈경향신문〉이 3월 13일자에 1면 제목으로 달면서 만들어진 말이다.

제목의 출처도 그렇지만 진정한 연대는 '연대투쟁'이다. 김밥 갖다 주면서 온갖 공치사를 다 하고, 요구안 안 받으면 밥 넣어 주지 않겠다고 하고, 연대하러 온 동지를 멱살 잡고 끌어내고 온갖 협박을 서슴지 않는다.

조합원들은 지부장의 횡포에 분노하면서도 정규직과 함께하지 않으면 고립될 수밖에 없기 때문에 수모를 감수하면서 견디고 있다. 오죽하면 "김밥 안 줘도 되니까 나타나지 않았으면 좋겠다."는 얘기가 나올까?

오늘 저녁에 반가운 소식이 들렸다. 현대차 비정규직 투쟁 승리를 위한 금속노조 투쟁방침에 따라 오늘 2차 잔업 거부에 돌입했는데, 충남 지부에서 2시간 파업을 전개했다는 소식이다.

전화를 걸어 확인해 봤더니 문용민 사무국장이 술 취한 목소리로 들떠서 자랑한다. 현대차 비정규직 파업을 지지, 엄호하기 위해 전국에서 처음으로 연대파업이 이루어진 사정은 이렇다.

12월 1일 아침, 현대차 아산 공장의 정규직 활동가들이 비정규직 투쟁을 연대하기 위해 천막을 쳤는데, 관리자 200여 명이 모두 철거하면서 천막을 지키고 있던 조합원들이 갈비뼈가 부러지는 등 중상을 입는 일이 벌어졌다.

이에 금속노조 충남 지부는 12월 2일 오후 확대간부가 모여 다시 결의대회를 열었고 농성 컨테이너를 설치했다. 그런데 지부 간부들이 저녁을 먹으러 간 사이, 용역들이 지게차를 가져와 컨테이너를 가져가 버린 것이다.

식사를 마치고 온 충남 지부 간부들은 '꼭지'가 돌았고, 비상 문자를 때려 간부들을 모았다. 당장 파업해야 하는 것 아니냐는 의견이 모였다. 금속노조 방침에 따라 2시간 잔업 거부는 기본으로 하되, 오후 3~5시 2시간 파업을 만들어 보자고 의견을 모았다.

12월 3일 세정, 세영테크, 유성기업 등에서 2시간 파업 및 총회를 하고 오후 4시 현대차 아산 공장으로 달려왔다. 용역 깡패들의 물대포에 맞서 조합원들은 달걀을 던지며 싸웠다. 결국 회사는 훔쳐 간 농성 컨테이너를 돌려주겠다고 했고, 충남 지부 사무실 앞 공터에 가져다 놓았다.

아름다운 연대는 바로 이런 것이다. '김밥연대'가 아니라 '연대파업'이 진정으로 아름다운 연대다. 연대하러 온 동지들을 끌어내며 투쟁의 기세를 꺾으려는 게 아니라 함께 비를 맞으며 싸우는 것이다.

멀리 충남에서 들려온 '아름다운 연대' 소식에 오늘 밤은 따뜻한 밤을 보낼 수 있을 듯하다.

경찰 조사 교육

"혹시 경찰서 유치장이나 감옥 경험이 있으신 조합원은 손을 들어 보세요."

3, 4명이 손을 든다. 젊은 시절 주먹깨나 썼을 법한 체구와 험상궂은 얼굴의 조합원들이다.

물론 쪽팔려서 손을 들지 않은 사람도 있을 테지만, 법 없이도 살 수 있는 '착한' 사람들이다.

우리 스스로 농성을 중단하든 경찰에게 진압되든 경찰서에 가서 조사를 받는 것은 불가피하다. 조합원들에게 경찰 연행 시 대응 요령을 차분하게 설명한다.

"여러분들은 어떻게 농성장에 올라왔나요?"
"이상수 지회장이 문자메시지를 보내 올라오라고 했어요."
"누가 농성을 계속하자고 했나요?"
"이상수 지회장이 계속하자고 했어요."
"다른 사람은 없었나요?"
"예, 다른 사람은 보지 못했는데요."

누가 쟁의대책위원회 위원이고, 누가 공장 대표이며, 누가 대의원, 현장위원, 조장인지 얘기할 필요가 전혀 없다. 경찰서에 가서 본인 얘기만 하면 된다. 다른 사람에 대해서는 본 적이 없거나 모르는 이야기다. 민주노총 법률원에서 보내온 '경찰 연행 시 대응 요령' 자료를 요약해 조합원들에게 나눠 줬다. 대의원들을 따로 모아 한 번 더 교육했다.

얼마 전 서울 양천경찰서의 고문 수사가 폭로됐다. 우리 순진한 조합원들에게 경찰이 어떤 협박을 할지 모른다. 난생처음 받는 경찰 조사에 겁먹을 수도 있다.

그러나 대법원 판결에 따라 모든 사내하청 노동자를 정규직으로 전환하라는 우리의 요구는 너무나 정당하다. 어떤 일이 있어도 우리 조합원들이 씩씩하고 당당하게 싸워 나갔으면 좋겠다.

20일차_ 12. 4.

침탈(3):포클레인으로 영혼을 파헤칠 수는 없다

비상! 비상!

고막을 뒤흔드는 비상 종소리가 새벽녘에서야 간신히 잠든 몸을 황급히 깨운다. 정신을 수습하고 달려갔다. 7시 30분이다.

3층 건물인 농성장 안에서도 3층이다. 창문을 열어 밖을 내다보니 대형 포클레인이 삽자루 위에 특수제작된 H빔을 장착해 농성장 유리창을 내리치고 있었다. 2층과 3층을 번갈아 가며 내리찍기 시작한다. 포클레인 운전석은 철조망을 둘렀다.

12월 4일 오전 7시 55분께 현대차 회사측은 용역과 포클레인, 크레인 차량 등을 동원해 1공장 3층 벽면 유리창과 벽을 찍으며 공장건물 해체를 시도했다.

누군가 볼트와 너트 같은 부품을 창문 밖으로 던지지만 근처에도 가지 않는다. 대형 포클레인 뒤쪽으로 안전모를 쓰고 방패를 든 용역들이 서 있고, 그 뒤에 고위급으로 보이는 관리자들 50여 명이 귓속말을 주고받고 있다.

누군가 몸으로 막자고 말한다. 용기 있는 한 조합원이 유리창 밖으로 몸을 내민다. 다른 조합원들도 같이 유리창에 매달려 얼굴을 내민다. 포클레인 삽날 위에 실린 H빔이 마치 살모사의 눈처럼 희번덕거리며 유리창을 부수고 철근을 뜯어낸다.

"제발 그만 해. 차라리 나를 찍어."

유리창에 다리를 걸치고 위태롭게 서 있던 4공장 조합원이 내리찍는 포클레인 삽날에 얼굴을 들이밀며 절규한다. 자칫 잘못하면 추락인데도 그는 절규를 멈추지 않는다. 포클레인이 옆으로 이동하자,

그곳에서도 다른 조합원이 머리를 내밀고 소리친다.

노무팀장이라는 이가 핸드마이크로 말한다. "위험하니 내려가시기 바랍니다. 지금 나오면 선처하겠습니다." 선처하겠다는 말이 계속 이어진다.

정규직 노조 간부들이 관리자들을 밀어내고 달려가 포클레인의 삽질을 중단시킨다. 한 간부는 큰 돌을 들어 운전석 유리창에 던진다.

기륭전자 농성장에 나타난 포클레인이 떠올랐다. 처음 공사를 시작하던 날 용역 깡패들과 함께 포클레인이 나타나자 여성 조합원이 바퀴 밑에 누웠고, 다른 조합원들은 위로 올라갔다. 용역이 끌어내면 다시 올라가고, 다시 바퀴 밑으로 들어가고…, 결국 포클레인은 물러갔다.

교섭이 결렬되자 다시 나타난 포클레인. 이번에도 한 조합원이 포클레인 밑에 누웠다. 김소연 분회장과 송경동 시인은 포클레인 위로 올라갔다. 포클레인은 그 자리에서 멈췄다. 포클레인은 매일 문화예술인들에 의해 예술품으로 변모했고, 투쟁의 상징, 승리의 표상이 되었다.

현대차 포클레인은 비싼 외벽은 놔두고 싼 유리창만 골라 부쉈다. 비닐로 급하게 막았지만 새벽에 불어오는 칼바람은 농성장의 기온을 더욱 떨어뜨린다. 조합원들은 분노하지만 한편으로는 불안하다.

현대차 자본은 심리학, 군사학, 경찰학을 공부한 전문가들을 동원해 농성하는 노동자들의 심리를 분석하고, 스스로 농성대오가 무너지도록 철저한 시나리오를 짰을 것이다. 언제 단전을 하고, 언제 수도를 끊고, 김밥은 몇 시에 올리고, 관리자들의 침탈과 포클레인 공격을 어떻게 하고, 협박 문자는 몇 시에 보낼 것인지 치밀하게 실행하고 있는 것이다.

포클레인 삽질 공격이 끝나고 조합원들이 모였다. 회사의 치밀한 심리전은 잘 모른다. 하지만 조합원들은 안다. 어떤 일이 있어도 빈손으로 내려가지 않겠다는 것과 함께 싸우고 있는 동지를 배신하지 않겠다는 단순한 약속을 한다.

포클레인으로 강과 생명을 파헤치고, 철거민들의 삶터를 내리찍고, 노동자들의 일터를 부순다. 그러나 땅과 몸뚱이는 파헤칠 수 있어도 영혼마저 파헤칠 수는 없다.

마지막 노력

어제 열린 금속노조 중앙집행위원회 회의 결과가 농성장에 알려졌다. 우울하다.

7월 22일 대법원 판결 이후 새로 가입한 조합원들에게 금속노조는 희망이었다. 박유기 위원장의 연설을 듣고 노조에 가입했고, 집단소송에도 참여했다. 구경만 하고 있던 현대차지부와는 달리 금속노조는 대법원 판결을 알리고, 현대차에 교섭을 촉구하고, 대규모 집회를 개최했다. 조합원들의 기대는 더욱 커져 갔다.

11월 15일 파업이 시작되고 나서도 금속노조는 투쟁의 중심에서 함께했다. 11월 23일 금속노조 대의원대회에서 날짜가 확정되지는 않았지만 총파업이 결정되고, 중식집회, 확대간부 파업, 전국노동자대회, 잔업 거부가 결의되었을 때까지만 해도 조합원들은 금속노조를 향해 환호성을 질렀다.

그때까지였다.

금속노조 대의원대회에서 현장발의 안건으로 12월 1일 총파업이 예정되어 있었다. 박유기 위원장은 이를 '12월 초'로 고쳤고, 어제

회의에서 12월 10일로 결정한 것이다. 점거 파업이 확산되지 못하고, 게릴라 파업이 무장병력에 의해 초토화되고, 농성장이 흔들리는 긴박한 상황인데, 지금 연대파업을 조직하지 못하면 모처럼 찾아온 기회를 날려 버릴 수밖에 없는데….

어제 농성장을 방문한 박유기 위원장에게 1공장 비정규직 조합원들이 같이 농성해 줄 것을 요구하자, 그는 밖에서 해야 할 일이 많다며 "때가 되면 하겠다."고 말했다.

현대차 정규직이 파업하지 않을 것이 뻔한데 밖에서 할 일이란 도대체 무엇인가? 농성장이 위기상황으로 빠져들고 있는데, 연대파업은 열흘이나 미뤄지고, 언제쯤이나 때가 되는 것일까?

오늘 서울과 울산, 전주에서 열린 전국민중대회도 농성 조합원들의 사기를 높여 주지 못했다.

최대의 위기상황이다.

지금껏 꿋꿋하게 버텨 왔던 이곳 농성장 조합원들이 크게 흔들리고 있다. 조합원들의 빈자리가 눈에 띄게 늘어 간다.

2, 3공장의 파업이 무력화되고, 전주로 점거 파업이 확산되지 못하면서 모든 공격이 1공장에 집중되고 있다. 포클레인 공격과 손해배상 및 해고 협박은 조합원들을 위축시키기 마련이다. 자칫하다가는 농성장 이탈이 가속화될지도 모른다. 우리가 스스로 무너지는 것은 최악의 상황이다.

정규직의 연대도 무너지고 있다. 현대차지부의 노골적인 협박과 왜곡 선동은 예상했던 것이지만, 민주파 현장조직들이 이경훈 지부장과 합세해 농성 중단을 강요하는 실정이다. 이 싸움의 주체인 금속노조 박유기 위원장도 현대차지부에 동조하고 있고, 대의원대회에서 결정한 파업을 계속 미루고 있다.

우선 바깥에 있는 조합원들이 농성장에 들어올 수 있는 모든 방안을 찾기로 했다. 12월 1일 판매노동자들이 20여 명의 조합원을 농성장에 들여온 이후로 농성장의 봉쇄는 더욱 심화됐다. 철저히 보안을 유지하면서 비밀통로를 찾기로 했다. 농성장에 들어오겠다는 조합원들이 아직 남아 있고, 희망은 있다.

전국 노동자들과 사회 양심세력들이 지지, 지원하고 있지만 큰 힘이 되지 못하고 있다. 시급한 대책을 세워야 했다. 고립되고 있는 비정규직 파업을 전국의 노동자들과 양심적인 시민사회단체의 힘으로 지켜 낼 방법을 찾아내기 위해 머리를 맞댔다.

전국의 양심 있는 활동가들이 현대차에 교섭을 촉구하고, 금속노조에 총파업을 촉구하며, 이를 위해 투쟁기금을 납부해 신문광고를 하기로 했다.

비정규직 투쟁에 가장 앞장서서 연대하고 있는 현대차 1공장 박성락 대의원, 최근 정규직화 싸움에서 승리한 기륭전자 김소연 분회장, 기아차 하상수 전 노조위원장, GM대우차 김일섭 전 노조위원장, 한효섭 경주 지부장, 최은석 경남 지부 부지부장 등 양심 있는 활동가들이 흔쾌히 주체로 나서겠다고 알려왔다.

이름은 '현대차 불법 파견 정규직화 승리를 위한 금속노동자 선언'이라고 정했다.

1. 현대자동차는 폭력탄압을 중단하고 지금 즉시 교섭에 나와 불법 파견 정규직화를 수용하라.
2. 금속노조와 현대차지부는 대의원대회 결정사항인 총파업을 즉시 실행해야 한다. 이를 위해 우리는 현장에서 가장 선두에서 총파업을 전개할 것이다.
3. 우리는 총파업 성사를 위해 민주노총, 금속, 현대차, 비정규직지회 홈페이지에 실명으로 의견을 올린다.
4. 우리는 1인당 1만 원 이상을 투쟁기금으로 납부하고, 교섭과 파업을 촉구하는 신문광고를 게재하며, 투쟁기금 모금을 전 조합원으로 확대하기 위해 노력한다.

현대차 불법 파견 정규직화 금속노동자 선언과 함께 시민사회단체가 적극 나서도록 요청하기로 했다. 현대차에 교섭과 불법 파견 정규직화를 요구하는 기자회견을 사회원로, 학계, 시민사회단체, 법조계, 종교계, 문화예술계, 의료계, 학생 등 부문별로 진행하고, 참여자 명단을 신문광고로 알리며 투쟁기금 모금을 부탁했다.

기륭전자 농성에서 싸우다 포클레인에서 떨어져 입원 중인 송경동 시인, 기륭전자 김소연 분회장, 현대차 아산 공장 사내하청 김준규 조합원의 역할이 크다.

어쩌면 많이 늦었는지도 모른다. 하지만 빠르게 금속노동자 선언과 기자회견이 진행되고, 각 홈페이지에 금속노조 총파업을 촉구하는 의견이 올라온다면 농성하고 있는 조합원들에게 소중한 힘이 될 것이다.

21일차_ 12. 5.

원칙과 전술(2):평화 기간

일요일 포클레인 공격은 농성장에 적잖은 상처를 남겼다. 박살난 열 개의 유리창에 비닐과 청테이프를 이용해 바람을 막았지만, 틈새로 들어온 삭풍은 살을 파고들었다. 추위에 깬 조합원들이 쉬 잠을 이루지 못했다. 날이 밝아 기온이 올라가면서 지난밤 못 잔 잠을 자고 있다.

회사는 오전에 전기를 끊었고, 오후에는 물까지 끊었다. 어제 오후 김밥 한 줄을 먹은 후 오늘 저녁때까지 아무것도 먹지 못한 조합원들은 전기가 끊겨 따뜻한 물조차 마실 수 없었다.

금속노조, 현대차지부, 비정규직 3지회가 모인 3주체회의가 다시 열렸다. 현대차 비정규직 이상수 지회장은 어제저녁 8시쯤 나가서 오늘 새벽 2시가 넘어 들어왔고, 다시 낮 12시에 나갔다 들어왔다.

회사는 '선 농성해제 후 교섭'에서 단 한 발자국도 물러서지 않고 있었다. 1박 2일간 논의한 결과를 듣자 쟁대위원들은 암담했다.

교섭개최 관련 합의점 도출 부분

① 회사와 교섭(협의)하는 것을 동의한다.(비정규직 3주체 동의)

② 교섭 주체는 금속노조, 현대차지부, 비정규 3지회가 참석하는 것으로 한다.

교섭개최 관련 의견 상충 부분

사측에 교섭을 강제하기 위해 신의성실 원칙에 입각한 교섭 집중 기간을 선정하여, 상호 공격적인 행위를 중단하고 교섭에 집중하자는 의견(울산 1공장 농성장을 제외한 현장 파업 잠정 중단과 사측의 폭력 및 도발행위 중단)에 대해, 비정규직 울산 지회, 전주 지회는 동의할 수 있으나, 아산 지회는 파업을 중단할 수 없다는 의견으로, 두 차례의 정회를 통해 비정규 3지회 간의 의견을 조율하도록 하였으나 장시간의 논의 끝에도 의견이 조율되지 않아 후속 회의 불가하여 회의 종료함.

교섭이 열리면 평화 기간을 설정해 회사는 폭력행위를 중단하고, 노조는 울산 농성장을 제외하고 나머지에 대해 쟁의 전술을 조절, 중단할 수 있다는 의견에 대해 아산 송성훈 지회장이 끝까지 반대했다고 했다. 현대차지부는 3지회의 의견이 하나로 모이지 않았다는 것을 핑계로 논의를 끝내고, 지부 일정대로 총회를 소집하겠다고 했다.

이번 파업의 핵심이자 생산 타격의 80% 이상인 1공장 농성장을 해제하지 않는 조건에서 교섭하자는 것인데, 이것마저 송성훈은 "단 한 시간이라도 파업해야 한다"며 거부했다는 것이다. 조합원들은 사측에 전혀 생산타격을 주지 못하는 파업이 어떤 의미가 있는지 이해할 수 없었다.

이상수 지회장에게 회의 결과를 들은 쟁대위원들은 아산 지회에 분노했다. 신의성실의 원칙에 따라 교섭이 진행되지 않는다면 곧바로 파업하면 되는 일이었다. 파업이라는 무기를 내려놓는 것도 아니고, 가장 중요한 거점인 1공장 농성장을 포기하는 것도 아니다. 원칙을 훼손하는 것도 아니다.

하지만 아산 지회장에게 분노한다고 해결될 일이 아니었다. 아산 지회 조합원들을 직접 설득하는 것이 필요했다. 이상수 지회장 혼자

만의 뜻이 아니라는 것을 분명히 하기 위해 쟁대위원 전원의 연서명으로 호소문을 작성해 보내기로 했다. 조합원들도 흔쾌히 동의했다.

"우리는 파업이라는 무기를 절대 내려놓지 않을 것이며, 가장 중요한 투쟁의 거점인 1공장 점거 파업을 반드시 사수할 것입니다. 아산 사내하청지회 쟁대위 동지들께서 저희의 투쟁 의지를 믿고 비정규직 3지회의 공동교섭, 공동투쟁으로 이번 불법 파견 정규직화 투쟁을 승리로 마무리할 수 있도록 의견을 모아 주시기를 간곡히 부탁드립니다."

노비문서가 되어 버린 비정규직

파업이 20일을 넘기고 농성장이 완전히 봉쇄되면서 조합원들의 가슴 아픈 사연들이 이곳저곳에서 들려온다. 부모님이 쓰러지고, 아내가 입원하고, 애인과 헤어지고, 아이의 돌잔치를 취소하고….

사연들을 모아 알리기로 했다.

• 2002년 입사해 9년차를 맞는 1공장 ㄱ조합원(30세)은 지난 11월 30일 가족으로부터 아버지께서 병원 전문가 심사에서 최종적으로 식물인간이라는 판정을 받았다는 소식을 전해 들었다. 그러나 그는 동료들을 버리고 농성장을 빠져나갈 수 없었다. 그의 아버지는 지난 2006년 위암으로 쓰러지셨고, 합병증으로 인해 점점 병세가 악화되더니, 최근에는 아예 치료가 어려운 상태가 되었다.

올해 1월 사과를 사 들고 병원에 가서 아버지와 나눈 대화가 마지막이 되고 말았다. 전형적인 경상도 사람으로 무뚝뚝한 아버지는 아들이 묻는 말에 "응.", "그래.", "알았다."라는 짧은 말씀만 남기셨다. 이후 의식을 잃으셨고, 뇌사인지 식물인간인지에 대한 판정이 11월 30일에야 난 것이다. 그는 아버지를 집으로 모실 예정이다.

그는 집안의 가장으로 평균 200만 원 남짓한 월급의 절반을 아버지 병원비로, 나머지는 가족 생활비로 써야 했지만 아버지의 오랜 병환으로 8천만 원이 넘는 빚을 질 수밖에 없었다. 만약 그가 정규직이었다면 단체협약에 따라 연간 2천만 원을 지원받을 수 있어 빚을 한 푼도 지지 않았을 것이다.

그는 아버지의 식물인간 판정 날짜를 얘기하지 않았는데, 가장 가까운 형님이 나가서 아버님 뵙고 하룻밤 자고 들어오라고 얘기했다. 하지만 불법 파견 정규직화 투쟁에서 꼭 승리해 아버지를 만나야겠다고 다짐하며 나가지 않았다. 다행히 그의 어머니께서 "너의 인생은 네가 만들어야 한다. 네가 하는 일이 맞다면 그 일을 끝까지 해야 한다."라고 말씀하셔서 위로를 받고 눈물을 삼켰다.

• 2002년 입사해 4공장에서 일하고 있는 ㄴ조합원(35세)은 아내가 첫아이인 딸을 낳은 지 한 달 만에 1공장 농성에 참여하게 되었다. 산후 조리도 제대로 못한 아내와 아이를 남겨 두고 농성장에 들어오는 발걸음이 무거웠지만 대법원 판결이 나고 나서 이번이 마지막 기회라고 생각하며 농성에 참여했다.

그러나 아내가 몸에 큰 종양이 생겼다는 소식을 들었고, 울산에서 치료가 불가능해 부산의 동아대병원으로 옮겨 수술을 받아야 한다는 얘기를 듣게 되었다. 결국 11월 26일 그는 아내의 수술을 위해 농성장을 나갔고, 12월 4일 수술했다.

양쪽 집안이 모두 어려운 상황이어서 한 달밖에 안 된 그의 딸은 친할아버지가 돌보고, 그는 아내의 병간호를 하고 있다. 그는 공장

조합원들이 화장실 담벼락에 붙여 놓은 기사를 읽고 있다.

안에 있는 동료와 형님에게 전화를 걸어 "급한 일이 마무리되면 무슨 수를 써서라도 꼭 들어가겠다."고 전했다. 그도 정규직이었다면 아내의 병원비는 모두 회사에서 지급했을 텐데, 병원비가 큰 걱정이다.

• 2000년 4공장에 입사해 11년째 1톤 트럭인 포터를 만들고 있는 ㄷ조합원(39세)은 오늘도 홀로 계신 노모(76세) 걱정을 가슴 깊은 곳에 넣어 두고 있다. 아들이 농성장에서 밥도 제대로 먹지 못할 거라고 생각하시는 어머니께서 식사도 제대로 안 하시면서 아들 걱정에 잠을 이루지 못하기 때문이다. 이러다 어머니가 쓰러질지도 모른다는 동료들의 등쌀에 11월 26일 잠시 외출했다. 그는 편찮으신 어머니에게 링거를 맞게 해 드리고 농성장으로 돌아왔다.

11년 전 부산에서 배를 탔던 그는 큰누나 사업이 망하면서 집안이 어려워져 1억 원이 넘는 빚을 지게 됐다. 단돈 500만 원을 들고 어머니와 큰누나의 아들을 데리고 울산으로 넘어와 현대차의 사내하청 노동자가 되었다. 그렇게 어머니를 모시고 조카를 키우느라 연애도 제대로 못했다. 가난한 사내하청 노동자를 좋아하는 여자를 찾기도 힘들었다.

2005년 노동부의 불법 파견 판정으로 노조에 가입했다가 투쟁이 성과 없이 끝난 후 노조를 떠났다. 올해 7월 22일 대법원 판결 이후 다시 용기를 내어 노조에 들어왔고, 오늘까지 농성을 하고 있다. 그는 "우리가 당장 정규직화가 되기 어렵다고 하더라도 단계적으로 정규직화를 한다든지 회사가 성의 있는 안을 내서 우리의 생활이 조금이라도 나아졌으면 좋겠다."고 바람을 얘기했다.

• 2007년 5월 4공장에 입사한 ㄹ조합원(32세)은 농성을 시작하기 직전인 11월 12일 아버지(70세)께서 대장에 생긴 큰 혹을 떼어내는 수술을 하였고, 14일까지 병간호를 하다가 갑작스레 농성장에 들어오게 되었다. 외동아들인 그는 아버지가 걱정되어 병원에 신용카드를 놓고 왔다. 아버지는 20일간 입원해 계시다가 12월 1일 퇴원하시면서 그의 카드로 병원비를 계산했고, 그는 핸드폰에 찍힌 사용내역을 보고 알게 되었다.

그는 평소에도 천식이 심해 일을 하지 못하는 아버지께서 수술까지 받은 몸으로 혼자서 식사나 제대로 하시는지 걱정이 이만저만 아니지만, 동료들도 하나같이 어려운 상황이라 묵묵히 농성을 이어 가고 있다.

그는 아버지에게 "잠자리도 괜찮고 먹을 것도 잘 먹고 있다."며 안심시켜 드렸는데, 아버지께서 텔레비전을 통해 비닐을 덮고 자고 주먹밥을 먹고 있는 모습을 보신 후 안절부절못하셔서 힘들다고 말한다. 아버지는 아들의 말을 곧이곧대로 믿고 계셨기 때문이다.

얼마 전 그는 4년 넘게 사귄 애인하고도 헤어졌다. 정규직이었다면 벌써 결혼했을 텐데, 집안이 괜찮은 여자 친구의 집에서 사내하청 노동자를 받아들이지 않았다. 얼굴도 잘생기고 몸도 튼튼하고 마음도 따뜻한 그에게 '비정규직'이라는 네 글자는 노비문서가 되었던 것이다.

그는 "여기 올라올 때 너무 억울해서 절대 빈손으로 내려가지 않겠다고 마음먹었어요. 사람대접 받고 싶어서 올라온 거라고요."라며 눈시울을 붉혔다.

신혼여행과 돌잔치

• 변속기 공장에서 일하는 ㅁ조합원(30세)은 11월 14일 결혼식을 올리고 신혼여행을 떠났다. 신혼여행 중이던 15일 파업이 시작되었으니 그는 그 사실을 알 리 없었다. 19일 신혼여행에서 돌아와 친구에게 소식을 듣고 농성장에 계신 형님들에게 전화를 걸었다. 그는 대법원 판결 이후 형님들과 함께하기로 했는데 혼자 바깥에 있자니 자책감이 든 데다가 이번 투쟁에 함께해 꼭 이기고 싶다는 마음에 농성에 참여하기로 마음먹었다.

'속도위반(?)'으로 임신 7개월째인 아내도 그의 생각에 동의했고 장모님도 그를 이해해 주셨다. 부모님은 "예전에도 이런 일 있었고, 잘 안 된 거 뻔히 아는데 꼭 들어가야겠냐?"며 반대하셨지만, 비정규직 하청노동자로 살 수 없다는 그의 뜻을 꺾지 못했다.

그는 11월 22일 공장으로 들어와 지금까지 생활하고 있다. 아내와는 신세대답게 영상통화를 하면서 서로 위로하고 종이에 편지도 써서 보냈다. 그는 아내에게 "마무리 잘하고 나갈 테니 조금만 기다려. 사랑하고, 믿어 줘서 고마워."라고 말했다.

• 2002년부터 4공장에서 일하는 ㅂ조합원(33세)은 오는 12월 10일이 아들의 돌이다. 10일 저녁 6시 현대차 4공장 문 앞에 있는 문화회관에 돌잔치를 예약해 두었다. 그러나 11월 15일 농성장에 들어오고 농성이 장기화되면서 돌잔치가 불투명하게 되었다.

11월 20일 동료들의 등쌀에 농성장을 나가서 돌 사진만 찍고 돌아왔다. 동료들이 그와 그의 아내에게 12월 10일 아들의 돌잔치를 공장 정문 앞에서 하면 어떻겠냐고 제안해서 고민 중이다. 아들이 지난 5, 6월 두 달간 폐렴으로 입원했고, 지금까지 통원치료를 다니는데, 찬 바람을 쐬는 것이 큰 걱정이다.

아이가 아프던 달, 월급을 140만 원 받았다. 병원비에 생활비까지 턱없이 부족했고, 카드사에서 전화가 오면 돈을 빌려서 대출을 갚아야 했다. 아껴 가며 산다고 하지만, 세 식구 사는 것이 너무나 힘들었다. 그는 자신은 못 먹어도 아이는 먹여야 한다며, 하루 세 끼를 모두 공장 식당에서 해결했다. 야간에도 6시 30분에 출근해 저녁을 먹었다.

정규직처럼 월급도 많고 병원비도 회사에서 지원해 준다면 이렇게 힘들지는 않았을 것이다. 그는 아들 돌에 함께 있을지 없을지 모르겠지만, 꼭 이겨서 아들에게 부끄럽지 않은 아빠라는 큰 선물을 안겨 주겠다고 다짐한다. 생일 선물로 아들 가슴에 비정규직 출입증이 아닌 정규직 사원증을 달아 주고 싶다며 웃음 짓는다.

농성 중인 조합원들의 가슴 아픈 사연은 극히 일부에 불과했다.

많은 조합원들이 가족 얘기를 하기 싫다며 입을 열지 않았다. 결혼하지 못한 총각들은 대부분 비정규직이라는 이유로 사랑하는 여인과 헤어진 경험이 있었다. 맞선을 보러 나가는 것도 두려워했다.

22일차_ 12. 6.

연극

하루 종일 굶다가 저녁에야 김밥 한 줄로 주린 배를 채운다. 즉석 쌀국수가 어제 먹은 유일한 식사였으니, 만 48시간 만에 먹는 밥알이다. 지부운영위원회에 참석하러 간 이상수 지회장을 기다리고 있는데 기자 하나가 황급히 찾는다. 저녁 8시 무렵이다.

"이상수 지회장이 이경훈 지부장과 독대해서 교섭을 열면 농성을 해제하겠다고 했다는데 맞아요?"

"누가 그래요? 쟁대위에서 결정하고 갔는데 그럴 리 있겠어요? 한번 알아볼게요."

설마 그럴 리 있겠나 싶었다. 쟁대위에서 토론하면서 '농성 중단'의 ㄴ 자도 나오지 않았고, 단지 신의성실의 원칙에 따라 교섭이 이뤄지면 2, 3공장에 한해 파업을 조절할 수 있다고 결정한 것이 전부이고, 그것도 조합원들 모두 모아 놓고 공표했기 때문이다.

그런데 순식간에 여러 사람이 동시에 물어보기 시작한다. 정규직 활동가들의 핸드폰에 문자가 날아왔단다. 지부에서 확인해 줬다는 얘기도 들린다. 간부들, 조합원들에게도 곳곳에서 확인하는 전화가 걸려 온다.

현대차지부 확대운영위원회에 같이 갔던 노덕우 수석부지회장에게 전화를 걸었다.

"지부장이 일방적으로 얘기하고 나갔다던데요."

그럼 그렇지…. 안도의 한숨을 내쉬고 있는데, 이제는 기자들이 확실한 것 같다며 얘기를 전한다. 〈매일노동뉴스〉 기자는 "정규직 노조 간부가 와서 설명해 줬다."면서 합의 과정과 합의됐다는 문구까지 불러 준다. 혼란이 증폭된다.

지회장, 수석부지회장, 사무장에게 전화를 돌렸지만 통화가 되지 않는다. 초조해진다. 평소 몇 차례 유약한 모습을 보여 준 지회장이어서 불안한 느낌이 엄습해 왔다. 다른 간부에게 사실이 아니라는 얘기를 전해 듣고, 사업부 대표들에게 "지회장이 올 때까지 쓸데없는 얘기 하지 말라."고 했지만 불안감이 완전히 가시지는 않는다.

밤 9시 30분이 되어서야 지회장이 농성장으로 돌아왔다. 불안해하며 기다리던 간부들에게 과정을 상세하게 얘기한다. 곧바로 조합원을 모았고, 자초지종을 설명했다. 조합원들의 입에서 욕이 튀어나온다. 정규직이 무슨 권한으로 비정규직 농성을 중단하라고 하는지 아무리 이해하려 해도 이해할 수 없다.

이곳저곳에서 확인한 것으로 대략 퍼즐을 맞춰 보면 이렇다.

지난 일요일까지 '성실교섭 시 1공장 농성을 제외한 파업 잠정 중단'을 논의했던 이경훈 지부장은 회사와 얘기가 되지 않았는지, 갑자기 돌변해 농성 중단이라는 카드를 꺼낸다. 운영위원들에게 칠판에 써 가며 설명하던 이경훈이 정회를 하고 이상수를 만나러 간다. 이상수에게 '농성 중단 및 교섭 실시'를 통보한다. 그는 "총회 연기

12월 6일 이경훈 지부장이 확대운영위원들에게 농성 중단을 설명하는 모습

는 이상수 지회장의 성과고, 농성 중단은 내가 책임질 테니 그렇게 하자."고 얘기한다. 이상수가 안 된다고 하는데 그냥 나가 버린다.

곧바로 확대운영위원회에 들어온 이경훈은 이상수와 얘기가 됐다며 결정사항을 확인해 준다. 운영위원들은 설마 지회장이 농성 중단에 합의했겠나 의아해했지만, 지부장이 책임진다고 하니 '뭔가 얘기된 게 있구나'라고 생각한다.

곧바로 이경훈은 합의사항을 가지고 회사측을 만나러 가고, 노조 간부들은 기자에게 브리핑한다. 얘기는 전국으로 퍼져 나가고, 전주 공장에서 한 현장조직은 조합원들에게 일괄 문자까지 발송한다.

비정규직지회는 조합원들에게 사실이 아니라는 문자를 날리고, 이경훈 지부장에게 철회와 해명을 요구하는 성명서를 냈다.

이렇게 한 편의 연극은 끝났다. 연극의 결과는? 혹시나 교섭이 열릴까 기대했던 조합원들을 흔든다. 악에 받친 조합원들의 분노와 이경훈 지부장에 대한 적대감은 더욱 커졌지만, 실망감도 크다. 그때쯤 문자가 날아온다.

"내일 새벽 용역들 쳐들어간대."

조합원들을 긴급히 불러 모았다. 조합원들까지 가족, 친지, 하청 업체 사장, 같이 일하는 정규직 조합원들의 확인 전화에 시달렸다. 이상수 지회장이 과정을 상세하게 보고했다. 큰 동요가 일어나지는 않았지만, 앞으로 이곳을 어떻게 지켜야 할지 걱정이 몰려든다.

길고 긴 하루가 이렇게 지나갔다.

동맹군의 배신(2)

오늘 현대차지부 확대운영위원회는 "현대차지부는 비정규직 파업에 따라 조합원 쟁의행위 찬반투표를 12월 8일 실시한다. 8일 이전 교섭창구가 개설되면 현대차지부는 총회 소집을 연기하고, 비정규직지회는 1공장 농성을 해제한다."고 결정했다.

도대체 정규직 노조 확대운영위원회가 무슨 권한으로 비정규직의 농성을 해제하고 중단한다고 결정할 수 있는가?

총회소집을 연기하든 말든 그건 정규직 노조의 권한이지만, 농성을 중단할 것인지 계속할 것인지는 비정규직 노조의 권한이다. 비정규직지회는 "정규직화에 대한 성과 있는 합의"가 없으면 농성을 중단하지 않겠다고 이미 확인하고 또 확인했는데, 정규직 노조가 무슨 권리로 농성해제를 결정하는가?

교섭 창구가 개설된 후에도 농성을 해제하지 않으면 정규직 노조가 농성장에서 비정규직을 끌어내겠다는 것인가?

아무리 이경훈 지부장이 확대운영위원들을 속였다고 해도, 도대체 정신이 있는 대표들이 한 명도 없었다는 말인가?

소위 민주파라고 불리는 민노회, 민주현장, 현장투, 현장연대 소속의 사업부 대표들은 아무도 반대하지 않았다는 것인가? 현대차지부 확대운영위원회의 결정사항이 알려지자 농성장은 부글부글 끓었다. 현대차의 민주파 활동가들은 어디에 있는가?

23일차_ 12. 7.

장인과 사위

4공장 조합원인 김봉환 선배가 주머니에 무언가를 넣어 주고 미소를 지으며 돌아간다. 초콜릿이다.

그는 이곳의 최고령(?) 농성자다. 올해 만 53세이고, 하청업체 정년이 56세니까 이제 일할 시간이 3년 남았다.

개인사업을 하던 그는 1997년 IMF 구제금융의 직격탄을 맞아 사업이 어려워졌다. 딸 셋을 키워야 했던 그는 2000년 현대차 4공장에 사내하청 노동자로 들어가 일하기 시작했다. 11년 동안 4공장에서 스타렉스를 만들었다. 정규직과 비정규직이 뒤섞여 일하는데, 월급은 절반밖에 받지 못하고 화장실도 맘대로 가지 못하는 사내하청의 현실을 김봉환 선배는 온몸으로 경험해야 했다.

그는 하청업체에서 주임을 맡아 달라는 요청을 거부하고, 2003년 비정규직 노동조합이 만들어지자 4공장에서 가장 먼저 조합원으로 가입했다. 그에게 신뢰를 보내던 많은 비정규직 노동자들이 그를 따라 노동조합에 가입했다.

4공장 농성장은 아늑하고 온기가 넘친다. 김봉환 선배가 자식뻘 되는 후배들의 정신적 지주다. 4공장에서 포터를 만드는 정용주 대의원은 그에게 아버님이라고 부른다. 집안의 힘든 일들, 속상한 이야기들을 그와 상의하고 조언을 듣는다. 선배는 늘 따뜻한 시선으로 후배들을 어루만진다.

그는 3년 후면 이 공장을 떠난다. 정규직으로 전환되기 전에, 법원 판결이 나기 전에 정년퇴임을 해야 할지도 모른다. 그렇지만 그는 서슴없이 농성을 선택했다. 아내와 딸들의 걱정이 이만저만 아니었지만 자녀들과 후배들에게 부끄럽지 않은 아버지가 되고 싶었고, 그는 평생을 그렇게 살아왔다. 그래서 비정규직 정규직화를 요구하며 후배들과 함께 싸우고 있는 그에게 조합원들이 보내는 신뢰는 절대적이다.

그런데 놀라운 사실이 밝혀졌다. 이곳에서 농성하고 있는 비정규직 조합원이 그의 사위가 될 예정이라는 것이다. 그의 둘째 딸과 연애하고 있는 예비 사위는 우리가 농성하고 있는 바로 이 1공장 CTS에서 문짝을 떼어내는 일을 하고 있다.

"1공장의 정규직 노동자가 소개해서 우리 둘째와 인사를 왔는데 비정규직 노조 조합원이라는 말에 두말 않고 결혼을 허락했지."

그렇게 예비 장인과 사위가 이곳 농성장에서 23일째 농성을 하고 있다.

"딸아이가 걱정이 많지만 사위 될 녀석하고 같이 있으니까 내 마음이 아주 든든한걸."

장인과 사위가 농성하고, 친형제가 함께 싸우는 곳이 바로 이곳 1공장 농성장이다.

대장

어릴 적 동네에서 뛰어놀 때도 늘 대장이 있었다. 골목대장이 얼마나 지휘를 잘하느냐에 따라 놀이의 승패가 갈리고, 뛰어난 대장에게는 많은 아이들이 따라붙는다.

현대차 비정규직 파업을 이끌고 있는 이상수 지회장. 그는 지금 링거를 꽂고 방에 누워 있다.

지난 7월 22일 현대차 사내하청은 정규직이라는 대법원 판결 이후 지금까지 6개월 가까이 집이 아닌 공장에서 지냈다. 그 결과 600명이던 조합원이 세 배로 늘었고, 현대차에서 비정규직 최장기 파업을 하고 있다.

20년이 넘는 민주노조의 역사를 가진 정규직과는 달리 비정규직은 노조 체계도 튼튼하지 못하고, 간부들도 조합원과 비슷하다. 제대로 된 노동조합 교육 한번 받아 보지 못했고, 사람들 앞에서 사회 보는 것도 어색한 이들이 대표이고 대의원이다.

그러다 보니 이상수 지회장에게 모든 것이 집중된다. 모든 언론이 지회장을 만나려고 하고, 정규직 간부들도 지회장만 찾는다. 조합원들도 최고 책임자인 지회장에게 가장 큰 기대를 갖고 있다. 하루 종일 핸드폰 벨이 울리고, 시도 때도 없이 사람들이 찾는다. 몸이 두 개라도 감당하기 힘들 정도다.

가장 큰 고통은 정규직 노조의 협박과 회유다. 금속노조 박유기 위원장, 현대차 이경훈 지부장, 전직 노조위원장 등 온갖 정규직 활동가들이 그를 찾아온다.

그는 다른 사람들의 말에 귀를 기울인다. 고개를 끄덕이고 공감한다. 부정적으로 표현하면 우유부단하고 유약하다. 상대방의 입장에서 보면 지회장이 동의한 것처럼 느껴진다.

금속노조, 현대차지부, 비정규직 3지회가 모인 3주체회의에서 논의된 내용이 농성장 회의에서 여러 차례 바뀌었다. 우유부단한 성격 탓에 정규직의 협박과 회유에 크게 흔들렸고, 이를 간부들과 조합원들이 바로잡았던 것이다.

노동조합 지도자, 투쟁 지도부에게 우유부단한 성격은 치명적이다. 전략과 원칙에 따른 단호한 태도와 입장으로 상대를 설득해야 하고, 자신의 의견과 다르면 치열하게 논쟁해서 관철시켜야 한다. 그러나 그는 여러 차례 흔들렸고, 이것은 정규직 노조가 비정규직을 공격하는 빌미가 됐다.

그래서 11월 26일 회의에서는 지회장에게 "3주체회의에서 충분히 토론할 수는 있으나 쟁대위 권한을 위임하지는 않는다."고 결정했고, 오늘 회의에서는 "교섭을 제외하고 지회장은 농성장을 나가지 않는다."고 결의했다.

거꾸로 생각해 보면 그의 성격으로 인해 지금까지 왔는지도 모른다. 그의 유약한 성격을 보완한 것은 바로 농성장 조합원들이고 간부들이었다. 그는 고집불통이 아니었기 때문에 간부들의 따가운 비판과 지적을 겸허히 받아들였다.

이경훈 지부장에게 농락당한 후 오늘 열린 회의에서 그와 간부들이 나눈 대화다.

이상수) 농성을 유지하는 것이 너무 힘들다. 끌려 내려가는 건 괜찮지만, 고립되어서 무너지는 것은 원하지 않는다. 끝까지 남는다고 하는데, 몇 명만 남아서 하는 건 최악이다. 차라리 집행부만 남아서

비닐을 덮고 자는 노동자들

서이기자. 투쟁

해야 하는 게 아닌가 싶다. 성과고 뭐고 어쨌든 선택할 시점이고, 내려 보낼 사람 내려 보내고 남은 싸움 준비하는 게 맞다고 본다.

이 상황이 싫다. 우리가 힘 있을 때 정리하지 못하고 힘이 빠졌을 때 논의하는 것도 힘들다. 가면 갈수록 우리 요구안이 축소되는 것도 싫다. 최근 몇 년 동안 점거 농성은 다 깨졌다. 조직 보존 수준에서 정리됐다.

A) 우리 조합원들 숫자는 많지 않지만 99%가 농성을 풀지 말자고 한다. 지회장, 힘을 내자.

B) 지회장 마음 이해한다. 우리가 한 번은 더 버텨 보고 우리 손으로 결과를 가져가자. 우리 조합원 믿고 한 번만 더 가자.

C) 23일 동안 제대로 된 내공을 발휘했는지 잘 모르겠다. 농성을 푼다는 것은 말도 안 된다.

D) 확실하게 깨져서 내려가는 게 조직 보존은 확실히 된다. 그럴 경우 우리 요구안이 확고하게 되고, 이후 양재동 투쟁 등으로 계속 싸움을 할 수 있다. 그러나 스스로 무너져서 내려가면 24년 노무관리 현대차가 우리를 절대 가만두지 않는다. 지금까지 잘해 왔는데 이 고비를 넘기지 않으면 우리는 완전히 깨지게 된다.

I) 지부가 선을 넘었다. 이제는 결단해야 한다. 우리 싸움은 우리 스스로 해야 한다.

이상수) 아직 싸우겠다는 조합원들이 존재하는 한 싸워야 한다고 보고 다음에 다시 한 번 판단하자. 우리 판단이 맞을 수도 있고, 그렇지 않을 수도 있지만, 그것은 내가 책임진다.

치열한 토론 끝에 다시 의견을 모았다.

1) 교섭을 전제로 1공장 농성을 해제하지 않는다.

2) 교섭을 제외하고 지회장은 농성장을 나가지 않는다.

3) 신의성실의 원칙에 따라 노사 교섭이 시작되면 2, 3공장이 파업 수위를 조절할 수 있으며, 회사는 폭력과 침탈을 중단해야 한다.

정규직은 비정규직을 버렸고, 농성장이 무너져 가는 절체절명의 상황에서 그는 "아직 싸우겠다는 조합원들이 존재하는 한 싸워야 한다."고 결심했다.

그는 때로는 나약했지만, 때로는 강했다.

야 4당의 회유

"조금 전 회의에서 교섭을 제외하고 지회장은 농성장을 나가지 않는다고 했는데 어딜 가시겠다는 겁니까?"
"제가 조승수 의원에게 중재를 부탁드렸고, 국회의원들이 중재하겠다고 왔어요. 제가 요청했는데 안 갈 수 있나요?"
"국회의원들에게 올라오라고 하면 되잖아요. 그렇지 않아도 링거 맞고 누워 있는 사람에게 또 어떤 협박을 하려고 그러는지 모르겠지만."
"제가 요청했으니까 가 봐야 할 것 같아요."

그는 또 흔들렸다. 우리가 가지 않으면 그들이 올라올 텐데, 그는 마음이 조급한 듯했다. 농성장이 무너져 내리고 있다는 부담감, 스스로 무너지는 최악의 선택은 피해야 한다는 책임감이 그를 짓눌렀다. 수석부지회장, 회계감사, 1공장, 변속기, 시트 대표가 지회장을 동행하기로 했다.

홍영표 민주당 의원, 권영길 민주노동당 의원, 조승수 진보신당 의원, 김영대 국민참여당 최고위원 등 야 4당 의원들은 교섭지원단을 꾸리고 이경훈 지부장, 이상수 지회장, 강호돈 대표이사를 만나 각 입장을 확인하고 중재안을 비정규직지회에 제시했다.

야 4당 교섭단은 "노사 양측을 만난 결과 비정규직 노조가 제기한 '신뢰의 문제'는 충분히 해결할 수 있다는 것을 확인하였고 현 상황을 평화롭게 해결하기 위해 회사측은 물론 노조 3주체는 대화국면으로 전환할 것을 촉구하기로 하였다."고 밝혔다.

야 4당 교섭지원단은 강호돈 대표이사 면담 결과에 대해 △4가지 교섭 의제와 관련하여 사측은 전향적인 입장에서 협력할 것을 약속했으며 △교섭 주체는 4주체 혹은 금속노조를 넣어 5주체의 유연성을 약속했고 △교섭 기간 신분보장 및 민형사상 고소고발 취소, 손배소 취소는 구두로 약속할 수 없으나 그동안 노사관계의 관례, 현대차지부의 선례 등을 고려 전향적 해결의 의지를 확인했으며 △불법 파견 교섭에 대한 대책은 향후 성실히 4자 혹은 5자와 지속적으로 협의할 것임을 약속했다고 했다.

야 4당의 중재안은 한마디로 '선 농성해제 후 교섭'이었다. 정규직화에 대한 어떤 의미 있는 내용은 한 줄도 없었다. 회사와 야 4당, 정규직 노조를 믿고 농성을 풀고 내려가서 교섭하자는 것이었다. 조합원들은 분노했다. 야 4당이 도대체 뭐하는 놈들이냐는 원성이 터져 나왔다. 입장을 결정하는 데 오랜 시간이 걸리지 않았다.

1. 회사와 교섭을 전제로 1공장 농성을 먼저 해제하지 않는다.
2. 회사와 교섭 결과에 따라 조합원의 의견을 물어 농성해제를 결정한다.

> 3. 합의가 이루어지면 금속노조, 현대차지부, 비정규직지회가 합의서 이행을 위한 대책을 마련하고 공동투쟁본부 등 특별기구를 구성한다.

야 4당 국회의원들은 비정규직 이상수 지회장이 조승수 진보신당 대표에게 지원과 중재를 요청했다는 이유로 방문했지만, 점거 파업 당사자인 비정규직과 사전 논의는커녕 통보조차 없었다. 그들은 아파서 누워 있는 이상수 지회장과 간부들에게 무작정 내려오라고 요구했다.

국회의원들은 회사와 비정규직의 의견을 듣고 양쪽을 중재한 것이 아니라 이경훈 현대차지부장이 줄곧 얘기했던 '선 농성해제 후 교섭'을 받아들이라며 지회 지도부를 협박한 것이다.

금속노조의 연대파업이 어려우니 이경훈을 믿고 동력이 있을 때 마무리하라고 노골적으로 요구했다. 성과 없이 농성을 중단하지 않겠다는 조합원들은 국회의원들의 압력에 시달려야 했고, 이는 농성하는 조합원들의 사기를 떨어뜨리는 결과를 낳았다.

국회의원 면담이 끝난 후 현대차지부는 농성장을 방문해 국회의원들의 중재까지 거부하냐며 맹비난을 퍼부었다. 국회의원들의 중재 행위가 현대차지부의 비정규직 협박에 날개를 달아 준 것이었다.

근로자파견법, 비정규직법 등 온갖 악법을 만들고 비정규직이 전체 노동자의 절반이 넘게 했던 민주당이나 국민참여당은 그렇다 치더라도 진보정당 의원들까지 목숨을 걸고 농성하고 있는 노동자들을 방문해 위로하고 함께 투쟁을 결의하지는 못할망정 투쟁을 훼방하고 현대차지부의 파업 파괴 행위를 옹호한 것은 결코 용납할 수 없는 일이었다.

이제 남은 것은 우리 스스로 농성장을 지키는 것뿐이다. 앞으로 우리에게 닥칠 고통과 시련은 지금까지의 고통보다 훨씬 견디기 힘들 것이다. 우리 조합원들이 당당히 이겨 내야 할 텐데….

4부

심장이 뛰고 있는 한

●

24일차_ 12. 8.

잔인한 보복

보복은 잔인했다.

현대차는 12월 8일 하루 온종일 전기를 끊었다. 암흑 속이었다. 회사는 식사를 완전히 차단했다. 지도부는 비상식량으로 비축했던 초코파이 두 개씩을 저녁식사로 배급했다. 식량 보급 중단을 예상했지만 지난 일주일간 김밥 한 줄로 목숨을 유지해 왔던 조합원들에게는 견디기 힘든 일이었다.

오후 2시. 현대차가 농성자 323명 전원에게 총 30억 원의 손해배상을 청구했다는 기사가 떴다. 1차로 손해배상을 청구했던 간부들을 포함하면 총 419명에 162억 원의 손해배상으로, 인원과 청구금액에서 사상 최대였다.

같은 시각, 경찰은 10명의 간부들에 대해 체포영장을 청구했다. 이미 체포영장이 발부된 이상수 지회장을 비롯한 7명을 더하면 17명에게 영장을 청구한 것이다. 경찰은 전담팀 24명을 편성해 검거활동을 벌이고 있으며, 현대차 1공장 점거 농성에 참여했다가 자진 해산하려는 노조원을 가로막는 노조 집행부에 대해서는 감금죄 혐의를 적용할 수 있다고 겁박했다.

암흑 속에서 조합원들이 부서별로 모여 토론하고 있다.

오후 3시 30분. 울산경찰청에서 농성장 진입 계획을 수립했다는 기사가 올라왔다. 김병철 신임 울산경찰청장이 부임한 직후 현대차 농성장 주변을 답사했으며, 진입 계획을 검토하는 내부회의를 열어 "산업현장의 평화를 위해 결단을 내릴 것"이라는 기사였다.

경찰 관계자는 "김 청장이 공권력 행사 의지가 있음을 시사한 것"이라고 밝혔다.

현대차 정규직 노조는 지원을 끊겠다고 선포하고 농성장을 떠났다. 농성장 아래에서 사수를 맡고 있던 상집 간부들도 모두 철수했다. 찬반투표를 부결시켜 금속노조 파업에 참가하지 않으려는 조합원 투표에 들어갔다. 정규직 활동가들은 조합원들에게 투표 참여를 거부하도록 할 것인지, 투표에 찬성표를 던지도록 할 것인지조차 결정하지 못하고 갈팡질팡했다.

가족들에게서 전화가 빗발쳤다. "정규직화도 필요 없고, 몸만 다치지 말고 나오라"는 부모, 아내, 형제들의 애원은 조합원들을 흔들었다.

전화는 가족들한테만 온 것이 아니었다. 하청업체 사장, 소장이 잇따라 전화를 걸었고, 내일 새벽 용역 경비가 투입된다는 소문이 돌았다. 4공장의 정규직 노조 간부가 전화를 걸어 지금 나오면 손해배상에서 빼 준다고 했다는 얘기가 전해졌다. 하나 둘씩 가방을 싸서 농성장을 빠져나갔다. 간부들은 조합원들을 설득하지 못했다.

오후 5시 긴급하게 조합원들을 모았다. 이상수 지회장이 말했다.

> "농성장 상황이 어렵지만 투쟁을 원하는 동지가 있다면 끝까지 가겠다. 그러나 결단의 시기가 다가온다. 결단할 때는 과감히 결단하겠다. 개인적으로 조합원들이 피를 흘리는 것을 볼 수 없다. 우리 투쟁이 정당한데 피를 흘리면서 아픔을 느끼며 갈 이유가 없다.
> 지회장으로서 동지들이 무사히 가족들에게 돌아가게 할 것이고 이후 노조 조직이 보존되고 동지들이 현장의 주인으로 설 수 있는 그런 모든 방식을 고민하여 결단을 내릴 것이다. 그때까지 힘들더라도 함께 이곳을 사수했으면 좋겠다.
> 지금 갖가지 상황이 벌어지고 있다. 그렇다고 해도 아직 우리가 최종 선택까지는 일말의 시간이 있다고 본다. 그때까지 동료들과 격려하면서 힘들게 24일 동안 투쟁한 것을 다시 다지면서 힘차게 투쟁하자."

그러나 농성장은 진정되지 않았다. 곳곳에서 조합원들이 술렁이기 시작했다. 밤이 깊어 갈수록 분위기는 더욱 험악해졌다. 비상상황이었다. 금속노조 박유기 위원장에게 전화를 걸었다. 농성장에 들어와 달라고 요구했다. 그는 대답하지 않았다.

두 명의 조합원이 내려가겠다고 했다. 간부들이 말렸는데도 소용없었다. 그들은 계단 입구에 서 있었다. 하루만 더 기다려 달라고, 내일 함께 결정하자고 제안했지만 이미 마음을 굳혔다.

조금 후 1공장의 한 사내하청업체 조합원들이 단체로 가방을 싸서 내려왔다. 시트2부가 집단적으로 농성을 이탈한 이후 처음이었다.

마스크를 하고 모자를 눌러쓴 10명이 상황실 앞에 모였다. 1공장 김성욱 대표와 함께 차분하게 설득했다. 하루만 더 버티고 농성장 총회를 통해 결정하면 어떻겠느냐고 했더니 얘기를 나눠 보겠다고 했다. 얼마 후 그들은 지도부의 판단을 따랐고, 쌌던 가방을 풀었다.

다시 조합원들을 광장으로 모았다. 밤 11시가 지나가고 있었다.

12월 9일 오전 9시 농성장 조합원 총회를 통해 이후 방향을 결정하겠다고 밝혔다. 어떤 결정이 내려지더라도 다 같이 행동하자고 제안했다. 총회 전까지 단 한 명도 이탈하지 말고 이곳을 지키자고 했다. 아무도 반대하지 않았다.

이상수 지회장은 "저희들이 여기 올라올 때 하나 돼서 올라왔듯이 내려가는 것도 하나 돼서 내려가야 힘을 발휘할 수 있다."고 말했다.

긴 밤 지새우고

간신히 농성장이 진정됐다. 짐을 싸던 조합원들도 가방을 내려놓고 삼삼오오 모여 토론하기 시작했다. 계단 보초를 서고 있던 조합원들도 근무에서 해방되어 토론에 합류했다. 지도부는 흩어져 조합원들과 간담회를 하기로 했다. 비상식량이었던 초콜릿 두 개가 조합원들 손에 쥐어졌다.

1공장 조합원들을 만났다. 농성장을 내려갔다가 오늘 비상출입구를 통해 올라온 조합원이 있었다. 이런 상황을 예상했고, 비상출입구를 통해 인원을 보강하기로 했는데 지붕을 타고 오늘 3명이 합류한 것이었다. 지난주까지만 해도 50여 명이 농성장에 복귀하겠다고 했으나, 오늘은 이들이 전부였다.

국회의원의 중재안을 받아들이자는 의견과 끝까지 싸워서 성과를 가지고 내려가자는 의견이 팽팽했다.

> "조합원들 이탈이 있어도 나는 끝까지 남겠다. 여기 백 명만 있으면 용역들도 못 들어온다. 여기서 며칠만 더 버티면 반드시 회사가 교섭에 나설 것이다."
>
> "3주가 넘자 몸과 마음이 지쳤다. 그렇게 지치니까 전엔 사측의 문자나 협박도 신경이 안 쓰였는데 나도 지금은 흔들린다."
>
> "어제 오늘 특별히 달라진 상황은 없다. 이미 이경훈에 대한 기대 없었다. 사람들이 지쳐서 힘들어하는 상황에서 이제는 손해배상이 진짜 부담으로 다가왔는데 정신이 지친 것이다."
>
> "언론이 우리를 나쁜 놈으로 만들었다. 언론 얘기만 듣고 아들이나 남편이 큰일 나겠다고 생각한 거다. 우리 어머니도 오늘 유달리 짜증을 내셨다. 농성자만 손해배상을 때린다고 하니 정규직 안 되더라도 그냥 나오라고 하셨다. 저를 늘 믿고 지지하던 어머니가 그러니 다른 사람들은 어떻겠느냐?"
>
> "아무래도 우리의 이번 투쟁은 여기까지가 한계인 것 같다."

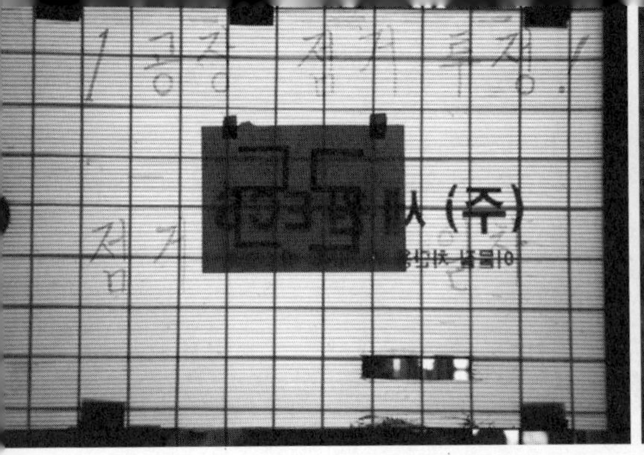

12월 달력에 × 표시가 되어 있고, 화장실 청소 날짜가 적혀 있다.

새벽 3시가 넘었는데도 잠을 이루는 조합원들이 보이지 않았다. 토론은 밤새 이어졌다. 의견은 반반이었다. 이런 상황을 예상했으면 조금 더 빨리 농성장의 인원을 보강하고 조별 토론을 강화해 스스로 무너지지 않게 했어야 한다는 질타도 있었다.

때로는 격렬하게, 때로는 차분하게 논쟁이 이어졌다. 침울하거나 우울하지 않았다. 도리어 활기찼고, 생동감이 넘쳤다. 토론 과정에서 서로 많은 것을 배우고 있었다.

지난 24일을 돌아보니 아쉬움이 많이 남는다. 파업은 노동자의 학교라고 했다. 특히 점거 파업을 벌였던 1공장 농성장은 노동자 민주주의를 학습하는 중요한 장이었다.

우리는 기륭전자, 기아차 비정규직, 정규직 활동가, 쌍용차 해고자, 변호사, 한진중공업 김진숙 지도위원 등 선배들의 교육을 받았다. 매일 밤 보고대회를 열어 조합원들의 결의를 높였고, 파업의 목표를 분명하게 만들었으며, 현대차 불법 파견을 넘어 이명박 정부의 비정규직 양산 정책을 비판하고 폭로했다. 정규직 중재안과 투쟁의 목적 등 여러 가지 주제를 놓고 조별로 토론하도록 했다.

하지만 매일 다섯 시간 넘게 경계근무를 서고, 추위와 배고픔으로 숙면을 취하지 못해 취침시간이 길어지면서 조합원들의 토론이 활발하게 진행되지 못했다.

간부들은 간담회를 적극적으로 진행하지 못해 조합원들이 무엇을 두려워하고 있으며 어떤 상태인지를 정확히 파악하지 못했다. 결국 12월 8일 밤부터 급격하게 무너지는 상황이 도래한 것이다.

최악의 상황을 가정하고 조금 더 철저하게 준비했다면 달라졌을까? 회한이 몰려든다. 멀리서 양정동의 새벽이 밝아 오고 있었다.

25일차_ 12. 9.

마지막 토론

밤을 꼬박 새웠다. 마지막 토론의 시간이 다가오고 있다.

김재철 사장에 반대하는 파업을 벌이던 MBC 노조가 5월 10일 파업 중단을 선언하자 간부들과 조합원들이 강력히 반발했고, 지도부는 사퇴 의사를 밝혔다. 조합원들은 총회를 열어 '끝장토론'을 하기로 했다. 우리가 왜 싸웠는지, 앞으로 어떻게 싸울 것인지를 3일 동안 밤낮으로 토론했다.

끝장토론이 끝났고, 5월 13일 투표에 들어갔다. 파업 중단이 과반수를 넘기자 개표를 종료했다. 최종 투표 결과는 공개하지 않기로 했다. 조합원들은 이날 총회에서 노조 집행부 재신임을 의결했다. 지도부는 총회의 결정을 수용, 노조를 계속 이끌기로 했다. 파업 39일 만이었다.

MBC 조합원들의 끝장토론 비디오를 본 민주노총 권두섭 변호사는 너무나 감동적이었다고 했다. 현장 민주주의, 진정한 노동조합 민주주의의 진수를 보여 준 토론이었다고 했다. 민주노조에서조차

12월 9일 농성장에서 열린 총회 모습

위험
관계자외 출입금지

위원장의 직권조인이 난무하고 조합원들이 거수기로 전락하고 있는 요즘, 신선한 충격이었다고 했다.

간부들에게 이 이야기를 전하며, 오늘 끝장토론을 하자고 했다. 모두들 흔쾌히 동의했다. 문을 걸어 잠그고, 시간이 아무리 많이 걸리더라도 토론을 통해 이후 어떻게 싸울 것인지 결정하기로 했다.

오전 9시. 농성장의 조합원들이 모두 모였다. 249명이었다.

조합원들은 "농성장의 모든 조합원은 총회에서 어떤 결정이 이루어져도 반드시 결정에 따르며, 농성장 이탈 등 개별행동을 하지 않는다."는 것을 전제로 토론을 시작했다.

현대차지부와 야 4당의 중재안을 수용하자는 1안, 중재안을 보완해 수정하자는 2안, 명백히 성과 있는 합의가 도출될 때까지 싸움을 계속하자는 3안을 놓고 토론이 시작됐다. 질문과 대답이 이어졌고, 조합원들의 열띤 토론이 진행됐다. 쉬는 시간에는 조별 토론이 이어졌다.

정규직 노조의 노골적인 협박을 넘어 조금만 더 싸우면 이길 수 있다는 의견과, 1차 투쟁의 성과와 조직을 보존해 2차 투쟁을 전개하자는 의견이 치열하게 논쟁했다. 지도부의 의견도 2안과 3안으로 나누어졌다.

> "이 투쟁을 끝까지 가면 뭐가 남느냐는 질문이 많은데 자존심을 지킬 수 있고 혹시 있을지 모를 또 다른 경로를 통한 교섭창구가 있을 수 있다. 그러나 그건 만에 하나 가정한 경우다. 아무런 성과와 내용 없이 마지막까지 깨지고 내려간다면 고용을 비롯해 모든 부분을 보장받을 수 없다. 다 해고자 투쟁으로 간다면 이후 비정규직지회 존립 자체가

힘들어진다."

"솔직히 우리가 국회의원 믿고 여기까지 온 것은 아니다. 우리의 의지대로 온 거다. 남아서 계속 싸우자."

"고용보장 약속이 있는데 12월 되면 자리가 없어지고 당장 해고될 수 있다. KEC 사태를 찾아봤는데 그 꼴을 당하기 싫다. 우선 농성해제를 전제로 교섭하자는 안은 2005년 패배와 비슷하게 된다. 겁나서 내려가겠다는 말이 있는데 솔직히 용역한테 끌려간 역사가 없다. 솔직히 이 안 자체가 쪽팔린다."

"동지들하고 이 투쟁 함께 해서 영광이다. 과거 투쟁에 비해 꿈 같은 투쟁이었다. 황인화 분신하면서 불법 파견 척결을 외쳤다. 그런데 안타깝게 추위와 배고픔, 사측 탄압에 많이 시달렸다. 앞으로 투쟁의 가능성을 봤을 때 3번 안으로 해야 한다. 초심으로 버티자. 본말이 전도되어서 불법 파견은 없어지고 고용보장만 생각하는 것 같다. 안타깝다. 우리끼리 갈등하지 말고 이 투쟁 이어 갔으면 좋겠다.

어쩔 수 없이 내려가더라도 추후 투쟁의 가능성을 열어 놓자. 현장으로 복귀하면 사측의 탄압을 생각하고 거대한 투쟁을 잊지 말자. 공권력이 두려워서 올라온 게 아니라고 생각한다. 부족한 것 많았지만 마지막으로 현명한 판단을 부탁한다. 투쟁을 끝까지 이어 가자."

토론 초반에는 끝까지 싸우자는 조합원들의 의견이 많았다. 시간이 흐르면서 침묵하던 조합원들이 입을 열었다. 논쟁이 치열해지기 시작했다.

"끝까지 가 보자고 말하는데 저희들 눈으로 다 봤다. 처음에는 부모님 병환, 결혼식 때문에 내려갔는데, 지금은 배고파서 내려간다고 말한다.

이런 상황에서 어떻게 끝까지 갈 것인가? 결국은 고용불안 때문에 내려간다. 당장 해고통지서 와서 내 자리가 없어진다는데 끝까지 가서 무엇이 남을 것인지, 누구를 위한 것인지 생각해야 한다."

"대오 유지가 힘들다. 그럼 대의원으로서 조합원을 생각해야 한다. 내려갈 수 있을 때 당당히 내려가야 한다. 깨지고 다치면 안 된다. 찬성이든 반대든 조합원의 몫이다. 조합원 살리려면 내려가야 한다."

"3번 안은 좋다. 끝까지 남아서 버티면 무언가 생길 것이다. 그런데 음식물과 인원에 문제가 있다. 그게 어려운 것이다. 3번 안으로 갈 경우 과연 우리 모두가 끝까지 갈 것인지 의문스럽다. 저는 솔직히 질긴 놈이 이긴다고 최대한 갈 때까지 가 보자는 생각이다. 하지만 거기에 대한 대책이 있어야 하는 것 아닌가. 음식물 반입이나, 밖에서 인원이 들어오도록 해야 한다. 그런데 현실은 그게 아니다. 결정하면 무조건 따라가지만 현명한 판단이 필요한 것 같다."

"조합원들을 당당히 가족의 품으로 돌려보내고 싶다. 그래서 투쟁의 발판을 만들어 놔야 한다고 생각한다. 명분 있게 끝까지 가자고 한 사람들이 이 싸움을 이끌어 왔다. 끌려가다 보니 나약한 것 같고 말 못하다가 지금은 의리상 남아 있는 것 같다. 여기 대의원들 충분히 의리 지켰다. 올바른 판단 기대한다."

이상수 지회장이 간부들의 발언권을 제한했다. 최대한 조합원들 중심으로 토론하자고 했다. 다시 질문이 쏟아졌다. 끝까지 싸우자는 안을 선택할 경우 농성장을 이탈하겠다는 사람이 나오면 지도부는 대책이 있느냐고 물었다. 대책은 없다. 동지를 믿는 것이다. 지금까지 그래 왔다. 어느 안이 통과되든 같이 행동하는 것이다.

이상수 지회장이 말한다. "현대차 자본은 우리가 어떠한 결정을 하든 분열되어 움직일 때 가장 좋아할 것이다. 하지만 전진이든 퇴각이든 일사불란하게 움직인다면 우리를 깔보지 못할 것이다."

지도부에 위임하고 농성을 중단하게 될 경우에 대한 질문들도 다시 이어진다. 내려가면 체포영장이 발부된 간부들은 천막농성에 돌입하고, 조합원들은 다음 주부터 현장에서 일하게 된다. 이후 교섭과 투쟁을 병행하게 될 것이다.

12월에 생산 중단 문제로 계약해지가 예상되는 엔진변속기 조합원들의 걱정도 계속된다. 대법원의 파기환송심 선고 공판이나 근로자지위 확인소송에 대한 질문도 나온다. 어느 조합원은 농성장을 이탈한 조합원, 조합의 지침을 따르지 않은 조합원을 징계하자고 말한다.

전화가 쉴 새 없이 울린다. 현대차지부 간부들이 총회를 빨리 끝내 달라고 재촉하는 전화를 계속 했다. 그럴 수 없다고 했다. 조합원들 가슴속에 담긴 고민과 원한을 다 털어내야 했다. 우리가 왜 싸웠고, 앞으로 어떻게 싸워야 하는지 우리의 열정과 지혜를 모아야 했다. 모든 통화를 끊고 끝장토론을 했다.

> "어떤 안이든 이후 싸움을 준비하는 것이다. 이 토론의 결과 현장으로 돌아가더라도 이후 투쟁할 수 있어야 한다. 여기서 의견이 갈리더라도 같이 따라야 한다. 끝까지 같이 갈 때 사측이 무서워하는 것이다. 안이 상반되더라도 우리의 조직력을 생각해서 단체행동을 하는 것이 중요하다."
>
> "현실성에 대해서 말하겠다. 감기 환자는 음식물이 중요하다. 그런데 우리는 한 끼도 못 먹는다. 농성 푼다고 투쟁 끝나는 것 아니다. 엔진

변속기 잘려도 우리 같이 투쟁할 것이다. 그런데 음식물 제공이 안 되니 현기증이 난다. 추위는 견딜 수 있지만 배고픔은 더 힘들다. 감기도 심각한데 침탈 시에 대한 대비로 몸이 점점 쇠약해진다. 나간 사람들도 병원에 있다. 지금만 생각하지 말고 2, 3차 투쟁이 있다. 현실을 생각하자. 조합원 다 죽일 생각인가? 우리 대오도 별로 많이 남지 않았지만 그렇다고 하더라도 음식물 제공이 안 되니 허약해지고 언제까지 갈지도 모른다. 앞으로 가기 힘들다. 이런 건강상태로 무슨 침탈을 대비할 것인가?"

"우리가 제대로 싸워 봤다고 생각하지 않는다. 안 싸우고 좌절하는 것은 안 된다."

"우리 투쟁 끝나지 않았다. 잠시 한 발 후퇴다."

"이 대오에서 비조합원 설득해서 더 늘려야 한다고 생각한다."

"우리의 힘이 약해서 그런 것이다. 지부에 의지하지 않아야 한다고 생각한다. 한 발 후퇴할 때 해야 한다고 생각한다."

"작년 2공장에서 해고되었는데 전환배치되어서 현재 4공장에서 일한다. 그때 지회장이 2공장 대표였다. 지회를 믿고 위임했으면 좋겠다."

"만약에 내려가면 다음에 대오가 얼마나 형성될 것인가? 지금 확실할 때 해야 한다. 기회가 왔을 때 해야 한다고 생각한다."

"의견이 반반인 것 같다. 이 열악한 상황에서 얼마나 더 버틸 것인가? 만약에 간다 하더라도 힘이 더 들 것이다. 한 발 후퇴하고 이 투쟁 이어 가자. 아직 이 투쟁 끝나지 않았다."

"11월 15일 올라왔을 때 이렇게 좋은 기회가 없었다. 버텨서 싸우자고 생각했다. 우리 25일 점거 투쟁 누가 뭐라고 해도 정말 대단한 것이다. 정규직 대의원들도 그렇게 말했다. 그런데 현실이 현실인 만큼 받아들일 건 받아들여야 한다고 생각한다."

만장일치로 교섭권한을 위임받은 비정규직 쟁대위원들이 구호를 외치고 있다.

"여기서 더 간다면 해고부터 최악의 경우가 올 것이다."
"대다수는 다들 힘들다고 말하고 있다. 지금이라도 챙겨서 내려가야 한다고 생각한다."
"막상 최후까지 가서 깨지게 되면 안 된다."

최선을 다해 싸웠으니, 내려가서 2차 파업을 준비하자는 의견이 점점 많아졌다.

"현실에 맞게 싸웠으면 좋겠다. 그리고 이 점거 투쟁 평생 자랑으로 삼겠다."
"작년 쌍용자동차 점거 파업 때 천 명의 동지들이 해고됐고, 그래서 투쟁했다. 처음에 올라왔을 때 정규직화 투쟁이었는데 이후 사측의 탄압과 유혹으로 대오 이탈이 있었다. 나간 사람들 돌아오지 않았다. 그리고 2, 3공장 라인 점거 파업 제대로 안 됐다. 현명하게 판단해야 한다. 금속노조의 파업이 우리에게 힘이 되지는 않을 것이다. 농성장 이탈이 심해서 토론하는 것이다. 이 토론 끝나면 또 나갈 것이다. 그리고 돌아오지 않을 것이다. 라인도 돌아갈 것이다. 우리에게 희망이 있다고 생각한다. 지도부가 교섭을 통해서 문제를 풀고, 고등법원 판결도 기다리고 있다. 지도부에게 위임하자."

"총회 없이 지도부에 위임해 힘 있게 교섭을 진행할 수 있도록 하자."

"비공개가 아닌 공개 투표를 하자. 공개로 해야 이후에 나갈 사람들을 확인할 것이다."

"꼭 머리 깨지고 다쳐야 아름다운 투쟁이라고 미화하지 말고 현실을 보고 싸우자."

"시간도 없는데 위임하자. 교섭을 가든 뭐든 할 것 아닌가. 위임하고 끝내자."

"가벼운 결정이 아니고 중요한 결정이다. 제일 좋은 것은 만장일치다. 치열한 토론을 하고 있다. 부족하면 좀 더 진행할 것이다."

"더 농성해 봐야 딱히 나올 것이 없다고 판단한다. 밑에서 라인이 돌기 때문에 여기서 한 달은 더 해야 뭔가가 나올 것 같다."

"농성장 나갔다가 왔는데 깨지고 나면 뭐가 남나? 자존심 남는데 그거 가지고 못 먹고산다. 몸이 남아야 된다."

낮 12시가 넘었다. 지도부에 위임하고, 내려가서 2차 싸움을 준비하자는 의견이 연달아 쏟아졌다. 더는 토론이 무의미할 것 같았다. 이상수 지회장이 2안을 중심으로 지도부가 이후 책임 있게 투쟁을 전개하겠다며 위임해 줄 것을 요구했다.

"의장으로 물어보겠습니다. 2안을 중심으로 지도부에 위임해 주십시오. 오늘 어떻게 하든 결정을 지을 것입니다. 그래서 위임해 달라는 것입니다. 반대하면 투표를 진행할 수밖에 없습니다. 투쟁 접자고 하는 것 아닙니다. 최대한 노력하자는 것입니다. 마무리 시점에서 과감히 마무리했으면 좋겠습니다. 다른 의견 있습니까?"

"없습니다."

박수가 터져 나왔다.

"다시 한 번 묻겠습니다. 저 분명히 갔다 오면 욕먹습니다. 하지만 여기 있는 조합원들 저희 조합원입니다. 어떠한 형태로든 최대한 만들 것입니다. 위임에 동의하십니까?"

"예."

조합원들이 함성과 박수로 화답한다.
이상수 지회장이 외친다.

"포기는 없다. 힘차게 투쟁하자."

농성장을 내려가다

이상수 지회장은 특별교섭의 4대 의제였던 △고소고발 및 손해배상 △고용보장 △지도부 신변보장 △불법 파견 교섭 외에 조합원들의 의견을 받아 △징계 등 불이익 처분 금지 △노조탈퇴 협박 중단 및 원상회복 △12월 업체폐업에 대한 고용보장 대책 마련 △정규직 조합원 고소고발, 손해배상 취하 등을 추가했다. 아산과 전주 조합원들의 요구도 논의해야 한다.

농성해제 이후에는 농성장 거점을 새로 마련하고 공동투쟁본부를 구성하기로 했다.

이상수 지회장은 협의를 위해 농성장을 내려갔고 조합원들은 짐을 꾸리기 시작했다.

만약을 대비해 준비해 놓았던 물품(?), 각종 회의자료, 회사에 들어가서는 안 될 자료들을 없애는 일이 급선무였다. 곳곳에서 증거물에 대한 대대적인 소각과 청소가 시작됐다. 쇠톱으로 자르고 구부린 후 신문으로 돌돌 말아 쓰레기봉투 속에 넣고, 그 위에 쓰레기를 쏟아 넣는다. 회의자료는 잘게 찢는다. 순식간에 물품들이 말끔히 사라졌다.

농성장에 걸린 현수막도 하나 둘씩 떼어진다. 곳곳에 붙여 놓았던 조합원들의 소원지, 각종 노동단체의 선전물, 대자보를 모았다.

금속노조, 현대차지부, 비정규직지회 3주체회의가 끝나고 국회의원, 금속노조 박유기 위원장, 현대차 이경훈 지부장, 확대운영위원들이 농성장에 올라왔다.

회사와 특별교섭이 열리는 것과 동시에 농성을 중단한다는 것이었다. 조합원 보고대회가 끝나고, 농성장 입구에서 기자회견이 열렸다. 우리들의 요구가 받아들여지지 않는다면 앞으로 정규직과 비정규직이 공동투쟁본부를 꾸려 함께 싸우겠다고 밝혔다.

조합원들은 지금 내려가면 다시는 올라오지 못할 곳을 영원히 남기려는 듯 핸드폰으로 '인증샷'을 찍는다. 해맑은 얼굴들이다. 조합

농성장을 내려가기 전에 마지막 사진을 찍고 있는 1공장 조합원들

원들이 손짓하며 부른다. 함께 사진을 찍었다.

기자들과도 인사를 나눴다. 25일 동안 함께 추위에 떨고 주린 배를 움켜쥐며 우리들의 소식을 세상에 알려 준 고맙고 아름다운 기자들이다.

이제 내려가야 할 시간이다. 큼지막한 가방을 둘러멘 조합원들이 하나씩 걸어온다. 모자를 눌러쓰고 마스크를 했지만 누군지 안다. 조합원들과 일일이 악수를 나누었다. 눈물이 하염없이 쏟아졌다. 부둥켜안았다. 아쉬움과 서러움이 북받쳐서 눈물이 멈추질 않는다.

농성장을 내려갔다. 25일 만에 땅을 밟는다. 한 조합원이 어지럽다고 농을 친다.

농성장을 내려온 조합원들이 교섭 장소인 현대차 본관을 향해 걸어가고 있다.

공장 밖을 나서자 눈이 부시다. 25일 만에 보는 해다. 한겨울이지만 따스하다.

이상수 지회장이 앞장서고 조합원들이 그를 따라 걷는다. 혹시나 모를 상황에 대비해 전 공장에서 온 정규직 대의원들이 앞뒤와 양옆에서 우리를 보호해 준다. 멀리 떨어진 곳에서 관리자들이 따라온다.

특별교섭이 열리는 본관 앞에서 조합원들이 마지막 집회를 연다.

"불법 파견 박살내고 정규직화 쟁취하자."

여전히 우렁찬 목소리다. 교섭을 마친 이상수 지회장이 내려왔다.

드디어 꿈에 그리던 가족 곁으로 돌아간다. 그리웠던 아이들, 보고 싶었던 아내가 정문 앞에서 기다리고 있다. 조합원들 눈에 눈물이 글썽인다.

조합원들에게는 만남의 시간이지만, 지도부에게는 이별의 시간이

한 조합원의 아내가 농성자들이 나오는 모습을 보며 눈시울을 붉혔다. 그는 남편이 나온 후에도 정문 밖으로 나오는 농성자들을 향해 한참을 "감사합니다." "수고하셨습니다."라고 고개 숙여 인사했다.

다. 체포영장이 발부된 이들은 아내와 아이들을 만나지 못한다.

수많은 회한이 떠오른다.

250명이 일주일만 더 싸웠더라면 달라졌을 텐데….

아니, 150명을 내려 보내고 100명이 남더라도, 죽기를 각오하고 싸웠더라면 이렇게 아프지는 않았을 텐데….

정규직이 조금만 더 힘을 보탰더라면 이렇게 무너지지 않았을 텐데….

25일.

사원증을 받고 내려가겠다는 약속은 지키지 못했다. 하지만 평생 잊을 수 없는, 너무나 행복한 시간이었다.

25일보다 더 험난한 앞날이 기다리고 있다. 그러나 가야 할 길….
심장이 멈추지 않는 한 우리는 걸어갈 것이다.

아쉬움

"비정규직 조합원들이 농성을 시작했을 때, 정규직 활동가들이 같이 농성에 결합했다면 이 싸움은 달라졌을 텐데, 이 좋은 기회를 이렇게 마무리해서 너무 아쉽다."

금속노조에서 2년 6개월 동안 함께 생활했던 강오수 전 총무실장이 천막을 찾아와 건넨 말이다.

그랬으면 얼마나 좋았을까? 비정규직을 만든 것은 회사지만, 정규직은 비정규직 사용을 합의하고, 묵인하거나 외면했다. 정규직 활동가들이 함께 농성했다면 과거의 아픈 상처는 깨끗하게 아물었을 것이다.

파업이 시작된 후 울산 공장의 7개 현장조직은 "불법을 바로잡는 일에 정규직 지부가 먼저 대응하지 못한 것이 부끄럽지만 이제라도 정규직 지부가 공동투쟁의 주체로 서서 단호히 대처하고, 저 오만방자한 사측에게 조합원의 힘을 보여 주자."고 했었다.

불가능한 일은 아니었지만, 어떤 활동가도 용기 있게 점거 파업에 참여하겠다고 나서지 않았고, 어떤 현장조직도 1공장에 올라가자고 제안하지 않았다. 정규직 활동가들의 가장 용감한 행동은 농성장 입구를 지키는 것이었다.

가능성은 별로 없었겠지만, 정규직 동지들에게 제안이라도 해 보지 못한 것이 아쉽다.

1공장의 한 정규직 대의원이 천막에 왔다. 1998년 36일간의 정리해고 반대 파업의 경험을 들려주며 말했다.

"농성장이 흔들릴 때 환자들을 밖으로 내려 보내겠다고 언론에 알리는 겁니다. 전체 조합원들을 모아 놓고 끝까지 남겠다는 사람과 내려가겠다는 조합원을 구분해서, 내려가는 이들을 집단으로 병원으로 보내는 거죠. 남는 사람들은 정규직의 지원을 거부하고 문을 걸어 잠그고 마지막까지 싸우는 겁니다. 그랬으면 어땠을까요?"

지금보다 나은 결과를 가지고 내려왔을 수도 있고, 용역 경비나 경찰에게 무참히 진압당했을 수도 있다. 역사에서 가정은 무의미하지만, 그런 방안을 내놓고 토론해 보지 못한 것이 몹시 아쉽다.

25일을 뒤돌아볼 때마다 아쉬움이 되살아난다.

다시 시작이다

이번 싸움에 참가한 조합원은 1200명 정도 된다. 그중에서 농성장에 마지막까지 남아 있던 249명을 포함해 600여 명은 25일 동안 하루도 빠지지 않고 싸웠고, 나머지 600명도 열심히 집회에 참가했다. 전주 350명, 아산 250명을 포함해 1800여 명이 이번 싸움에 함께했다.

가장 중요한 것이 바로 비정규직 주체들이다. 징계, 해고, 구속, 손해배상, 가압류 등 자본의 가혹한 탄압과 고통의 시간이 우리를 기다리고 있다. 시련은 노동자들을 더욱 단단하게 단련시킬 것이다. 때로는 지쳐서 쓰러지고, 때로는 주저앉아 힘겨운 시간을 보내겠지만, 쇠는 두드릴수록 강인해질 것이다.

조합원들이 살아 있다. 시퍼런 눈빛이 강렬하다. 이들을 믿고 다시 싸움을 시작해야 한다.

25일간의 비정규직 파업에 대해 일부 정규직 활동가들의 노력에도 전체 간부들의 연대와 공동투쟁은 이루어지지 않았고, 그 결과 조합원들은 비정규직의 파업에 우호적인 태도를 보였지만, 공동으로 파업하자는 것까지 자신감을 갖지 못했다.

현대차 자본을 이기기 위해서는 비정규직 주체의 강력한 투쟁과 함께 정규직 활동가들과의 굳건한 연대가 중요하다. 정규직과의 연대를 강화하기 위한 방안을 찾아야 한다. 정파와 조직을 넘어 비정규직 연대를 위한 네트워크를 구성해야 한다. 25일 동안 비정규직과 헌신적으로 연대한 활동가들이 주축이 되어 이후 방향과 대책을 논의하고, 조합원들을 설득할 수 있는 활동을 만들어 내야 한다.

1공장 정규직과 비정규직의 '원 · 하청 연대회의'를 비정규직 조합원들이 있는 모든 사업부, 공장으로 확대해 공동투쟁을 강화해야 한다. 정규직 노조에 비정규직 조합원들이 가입할 수 있도록 1사 1조직 규칙 개정을 다시 추진하는 것도 중요하다.

금속노조와 민주노총, 시민사회단체와 진보정당의 역할도 중요하다. 현대차 비정규직을 넘어 기아차, 쌍용차, 현대하이스코, 금호타이어 등 전국의 비정규직들이 함께 싸울 수 있도록 준비해야 한다. 금속노조와 민주노총의 역할이 무엇보다 중요하다.

우리는 25일 동안 수많은 사람들의 따뜻한 지지와 연대를 받았다. 전국의 노동자들과 국민들의 지지는 추위와 배고픔을 이겨 내는 큰 힘이었다. 그러나 현대차 비정규직의 싸움은 850만 비정규직, 전체 노동자들의 투쟁으로 나아가지 못했다.

현대차 자본을 넘어 비정규직 정규직화를 이루어 내기 위해 제2의 노동자대투쟁, 제2의 촛불항쟁이 타올라야 한다.

다시 시작이다.

심장이 뛰고 있는 한

25일 파업이 끝나고 조합원들이 설문지에 쓴 글이다. 농성장을 마지막까지 지킨 249명의 전사들은 자랑스럽게 말한다.

> "비정규직인 우리 힘으로 라인을 25일 동안 세운 것은 대단한 일이었습니다. 물론 옆에서 도와주신 정규직 분들도 있었지만 파업의 주체가 우리 비정규직이라서 의미가 있었습니다. 1공장 농성뿐만 아니라 밖에서는 시민사회단체와 언론을 통해서 우리가 왜 파업하는지, 무엇을 원하는지 똑똑히 보여 줬습니다. 너무나 자랑스럽습니다."
>
> "아마도 1공장 점거 파업으로 사측도 엄청난 타격을 입었을 거라고 생각합니다. 앞으로도 제2, 제3의 점거 파업을 만들어 회사가 비정규직의 '비' 자만 들어도 오금이 저리도록 만듭시다."
>
> "다른 투쟁들도 잘 이루어졌으나 비정규직 문제를 전국적으로 이슈화한 점과 각계각층의 연대와 지지를 얻어 낸 점이 가장 잘된 점이라고 생각합니다."
>
> "우리는 국민이 몰랐던 불법 파견과 비정규직 현실을 조금이나마 알렸고, 비정규직이 공장 점거 및 투쟁으로 생산 타격을 줄 수 있다는 점을 사측에 가르쳐 주었습니다."

2공장의 한 조합원은 가슴 절절한 마음으로 썼다.

"어쩌다 보니 1공장 거점 농성장만 바라보는 상황이 되었습니다. 그래서인지 처음에 반짝 타오르는 투쟁도 장기화 국면으로 접어들었고 2주, 3주가 되니 슬슬 걱정이 됐습니다. 왜 투쟁지침은 나만 따르고 있을까? 단단히 마음먹고 시작한 나까지 흔들렸습니다. 열 받아서 라인에서 빠지는 지침을 두 번 어겼습니다. 왠지 모르게 마음이 아팠습니다. 3주간 같이 투쟁했던 동지들의 얼굴을 못 볼 것 같았습니다. 그 후로는 딴생각 안 하고 투쟁만 했습니다. 라인에서 빠질 각오로 노동조합에 가입했는데 다른 사람들은 소송만 바라보고 있었나 봅니다. 1차 파업이 끝났습니다. 그러나 처음과 다르게 난 흔들리고 있습니다. 나만 그럴 거라고 생각하지 않습니다. 다가올 2차 파업 때는 마음가짐부터 튼튼하게 만들고 투쟁해야 하지 않을까 생각합니다.
파업을 전개하면서 어떤 대의원이 그러더군요. 현장위원이나 대의원들이 앞에서 맞아야 하는데 조합원들이 맞아서 죄송하다고. 저는 그렇게 생각하지 않습니다. 이 파업의 주체는 저희 모두입니다. 우리는 똑같은 노동자이며 동지입니다. 그런 생각 가지지 않았으면 좋겠습니다."

어느 조합원은 지도부에 대해 냉정하게 비판한다.

"우리는 정규직이라는 하나의 목적을 가지고 투쟁하였습니다. 그러나 투쟁 과정이 전개되는 동안 지회장과 쟁대위 지도부는 외부의 압력에 흔들리는 모습을 보였습니다. 그리고 내부적으로도 분열되어 결국 25일 만에 자진해서 내려오고 말았습니다. 지도부의 의견충돌과 분열은 조합원들에게 혼란을 주었고 파업의 동력을 떨어뜨리는 결과를 낳게 했습니다. 앞으로 외압과 내부의 분열에 흔들리지 말고 하나의 뜻을 가지고 단결된 모습을 보여 주길 바랍니다."

25일 행복한 시간은 끝났다.

이제 우리 앞에는 더 큰 시련과 고통의 시간들이 기다리고 있다.

어쩌면 우리는 넘어지고 쓰러질지도 모른다.

정권과 자본이 아니라 정규직과 동료들을 비난하고, 지혜를 모아 잘 싸울 수 있는 방법을 찾기보다 서로에게 상처 주는 일들에 골몰하게 될지도 모른다.

25일의 생생한 경험은 힘들 때마다 우리의 앞날에 소중한 밑거름이 될 것이다.

또 다른 25일을 향해 우리는 걸어간다. 심장이 뛰고 있는 한.

| 현대차 비정규직 불법 파견 일지 |

2003~2004	현대차 아산, 울산, 전주 공장 비정규직 노조 결성
2004. 5. 27.	금속산업연맹, 노동부에 불법 파견 집단 진정
2004. 8. 20.	현대차 노조 울산 공장 101개 업체, 전주 공장 12개 업체 노동부에 불법 파견 진정
2004. 9. 22.	노동부, 현대차 아산 공장 8개 업체 불법 파견 판정
2004. 10. 21.	노동부, 현대차 전주 공장 12개 업체 불법 파견 판정
2004. 12. 16.	노동부, 현대차 울산 공장 101개 업체 불법 파견 판정
2005. 1. 12.	현대차 사측, 불법 파견 판정 관련 개선계획서 제출
2005. 1. 17.	현대차 노조 전 · 현직 위원장 기자회견(비정규직 사용 합의 반성)
2005. 1. 18.	현대차 울산 5공장 비정규직 전면파업 돌입
2005. 2. 1.	노동부, 현대차 개선계획서 실효성 없다며 불법 파견으로 고발
2005. 9. 4.	현대차 울산 2공장 류기혁 조합원, 노동조합 옥상에서 목매 자살
2006. 6. 9.	울산지검, 현대차 불법 파견 노동부 고발에 대해 무혐의 판정
2007. 4. 18.	부산고검 현대차 불법 파견 관련 항고 기각
2007. 6. 1.	서울중앙지법, 현대차 아산 공장 4명 근로자지위확인소송 승소(2년 이상 근무한 사내하청은 현대차 정규직)
2007. 7. 10.	서울행정법원, 현대차 울산 공장 부당해고 및 부당노동행위 재심판정 기각
2008. 2. 12.	서울고등법원, 부당해고 및 부당노동행위 재심판정 항소 기각
2010. 7. 22.	대법원, 부당해고 및 부당노동행위 재심판정 항소 인정, 파기환송(현대차 사내하청=불법 파견, 2년 이상 지나면 정규직)
2010. 9. 29.	현대차 비정규직 3지회, 현대차 특별교섭요구안 발송
2010. 11. 4.	현대차 비정규직 1941명 서울중앙지법 근로자지위확인 및 체불임금 청구소송
2010. 11. 5.	비정규직 노조 중앙노동위원회 조정신청
2010. 11. 12.	서울고등법원, 현대차 아산 공장 4명 근로자지위확인소송 승소 파업 찬반투표 울산 90.5%, 아산 85.02%, 전주 98.7% 찬성 파업 결의

2010. 11. 14. 현대차 울산 공장 사내하청업체 동성기업 표적 폐업
2010. 11. 15. 비정규직지회 시트1부 농성, 폭력진압 맞서 4시간 파업 1공장 점거 농성(1일차)
2010. 11. 16. 1공장 점거 농성자 500명(2, 3공장) 현장파업, 아산 4시간 파업, 전주 잔업 거부
2010. 11. 17. 2, 3공장 현장파업, 현대차, 농성장 난방차단, 고소 · 고발 및 손해배상 10억 청구
2010. 11. 18. 2, 3공장 현장파업, 구사대 폭력진압, 가족대책위 발족, 울산 1공장장 농성장 진입시도
2010. 11. 19. 금속노조 영남권 노동자대회, 정문 천막농성
2010. 11. 20. 강호돈 현대차 대표이사 농성장 진입, 11명의 조합원 폭력으로 끌어냄.
민주노총 결의대회 도중 4공장 황인화 조합원 분신 항거
2010. 11. 22. 금속노조 대의원대회 총파업 결의, 농성장 단전 단수, 전주 공장 6+8시간 파업
2010. 11. 24. 금속노조 결의대회 5천 명(현대차 아산, 전주 전면파업 전 조합원 집결), 3주체 논의안 마련
2010. 11. 25. 금속노조 1차 잔업 거부, 비정규직지회 3주체 논의안 폐기
2010. 11. 27. 민주노총 전국노동자대회 7천 명 참가
2010. 11. 28. 쟁대위 '정규직화에 대한 성과 있는 합의가 이뤄지지 않으면 농성 중단 거부' 기자회견
2010. 11. 29. 양재동 현대기아차그룹 본사 상경투쟁
2010. 11. 30. 울산비정규직지회 울산 2공장 기습파업
2010. 12. 3. 금속노조 2차 잔업 거부 투쟁, 충남 지부 2시간 파업
2010. 12. 4. 특수제작 H빔 부착한 대형 포클레인 농성장 외벽 공격, 인간방패 저항
2010. 12. 5. 국제금속노련 등 7개 국제 해외노동단체 비정규직 지원 성명 발표
2010. 12. 7. 야 4당 국회의원 대화해결 중재 촉구
2010. 12. 8. 현대차 정규직 노조, 찬반투표 돌입
2010. 12. 9. 비정규직지회 농성장 총회, 교섭 동시에 점거 농성 중단 및 천막농성 돌입(총파업 25일)
2011. 2. 10. 서울고등법원, 부당해고 및 부당노동행위 재심판정 파기환송심 승소

2010. 11. 15.~12. 9.

현대자동차 비정규직 울산공장 점거 투쟁 기록

25일

초판 1쇄 펴낸날 2011년 7월 29일

초판 2쇄 펴낸날 2011년 11월 12일

지은이 | 박점규

펴낸이 | 이광호

펴낸곳 | (주)레디앙미디어

마케팅 | 이상덕

책임 교정 · 교열 | 박미향

디자인 | 글빛

출 력 | 스크린출력센터

인 쇄 | 갑우문화사

등록 | 2006년 11월 7일 제318-2006-00128호

주소 | 서울시 영등포구 여의도동 13-5 오성빌딩 1108호

전화 | 02-780-1521 팩스 | 02-780-1522

홈페이지 www.redian.org

전자우편 book@redian.org

ISBN 978-89-94340-08-1 03300

* 책값은 뒤표지에 있습니다.

* 이 도서의 국립중앙도서관 출판시도서목록(CIP)은 e-CIP 홈페이지(http://www.nl.go.kr/ecip)와 국가자료공동목록시스템(http://www.nl.go.kr/kolisnet)에서 이용하실 수 있습니다.(CIP제어번호 : CIP2011003021)